Noční
hudba

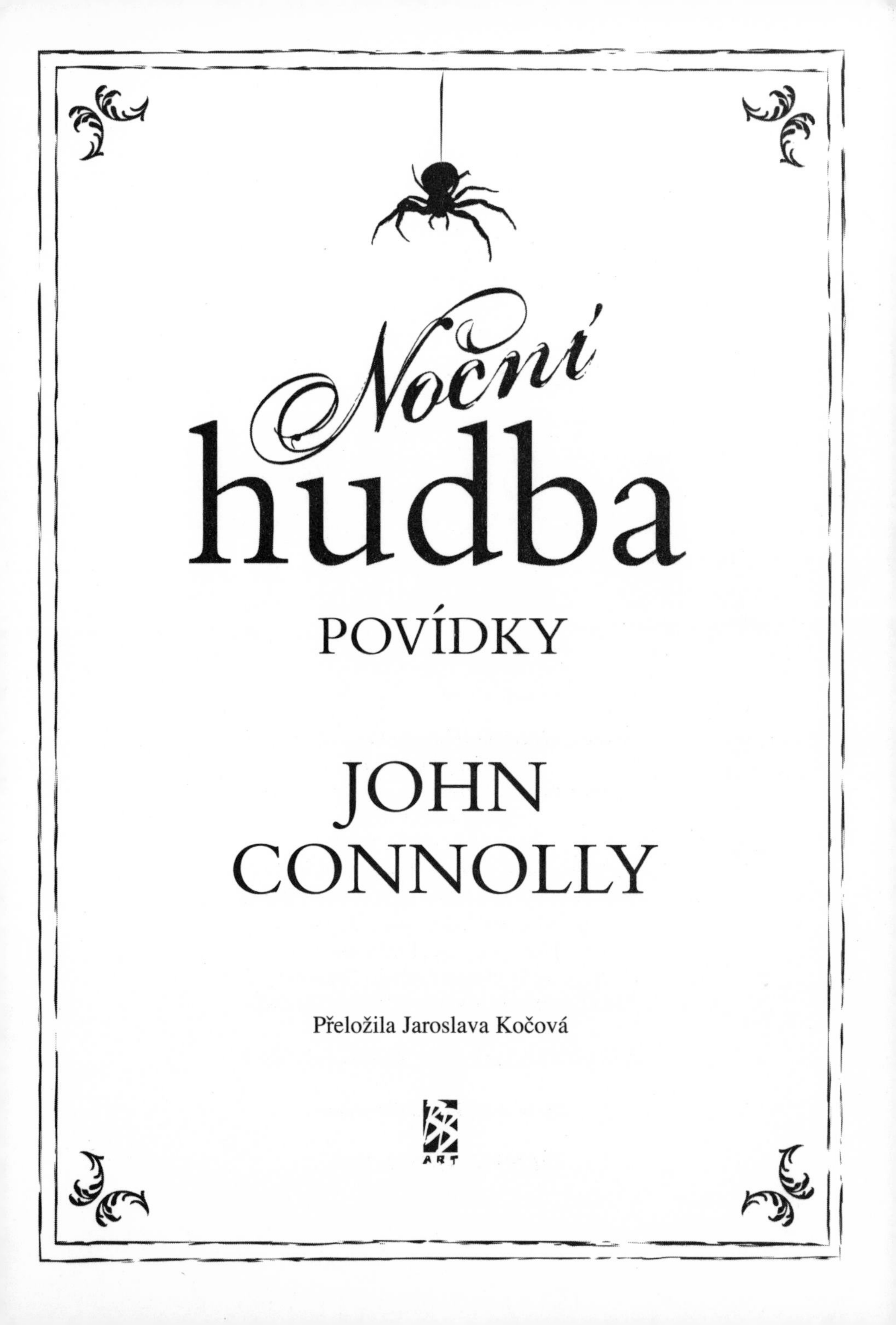

Noční hudba

POVÍDKY

JOHN CONNOLLY

Přeložila Jaroslava Kočová

ART

Vydalo nakladatelství BB/art s.r.o. v roce 2017
Bořivojova 75, Praha 3

Z anglického originálu *Night Music: Nocturnes Volume 2*
(First published by Hodder & Stoughton, Great Britain, 2015)
přeložila © 2017 Jaroslava Kočová
Redakce textu: Jiří Pacek
Jazyková korektura: Ludmila Böhmová
Grafická úprava obálky © 2017 Jan Matoška

Tisk: CENTA, spol. s r. o., Vídeňská 113, Brno

První vydání v českém jazyce

ISBN 978-80-7507-707-3

Věnováno Sethu Kavanaghovi

Obsah

Caxtonova soukromá knihovna & knižní depozitář

1

Začněme, dejme tomu, takhle:

Navenek se život pana Bergera mohl jevit jako nudný. I pan Berger by s tím názorem nejspíš souhlasil.

Pracoval na bytovém odboru jednoho malého anglického města, na pozici zapisovatele do Seznamu dlužníků. Měl za úkol rok co rok sestavit seznam osob, které se buď odstěhovaly, nebo byly odstěhovány z bytu svěřeného jim k užívání městem a nechaly po sobě nedoplatek. Ať už dlužily týdenní, měsíční nebo roční nájem (soudní vystěhování je komplikovaná lapálie a zpravidla se vleče tak dlouho, dokud vztahy mezi úřady a nájemníkem nezačnou připomínat vztahy mezi obléhaným městem a dobyvačnou armádou), pan Berger zanesl celkovou dlužnou částku do knihy v hnědé kožené vazbě známé jako Seznam dlužníků a na konci roku pak zpracoval výkaz dlužných a uhrazených nájmů. Pokud dobře počítal, odpovídala částka na výkazu součtu částek uvedených v Seznamu.

Popsat, v čem spočívala jeho práce, připadalo kolikrát těžké i samotnému panu Bergerovi. Málokdy s ním třeba taxikář, spolucestující ve vlaku či autobuse zapředl na téma jeho zaměstnání hovor delší, než jak dlouho trval páně Bergerův výklad. Panu Bergerovi to nevadilo. Nedělal si iluze ani o sobě, ani o své práci. S kolegy vycházel dobře a rád s nimi na konci týdne zašel na pintu tmavého – na jednu, ne víc. Přispíval na společné dárky pro kolegy, co se ženili, vdávali, odcházeli do důchodu, popřípadě na pohřební věnce. Jednou se on sám málem stal předmětem takové kolegiální sbírky, to když se začal zdráhavě dvořit slečně z účtárny. Zdálo se, že jeho city opětuje. Asi rok se spolu scházeli, dokud se na scéně neobjevil muž mající menší zábrany než pan Berger. Slečna z účtárny, unavená z věčného čekání, kdy se pan Berger konečně vysloví, vzala zavděk jím. To, že pak pan Berger přispěl bez náznaku hořkosti na společný dárek k jejich svatbě, o něm jistě leccos vypovídá.

Jako zapisovatel si nepřišel ani na malé, ani na velké peníze, zkrátka vydělal právě tak na byt a stravu a nezbytné ošacení. Většinu toho, co mu zbylo, utratil za knížky. Pan Berger žil v představách živených četbou příběhů. Byt měl plný polic, a ty police plné knih, které miloval. Neměl v tom žádný zvláštní systém. Jistě, dával vedle sebe knihy od jednoho autora, ale jména autorů neřadil podle abecedy a stejně tak nezohledňoval náměty. Věděl, kam pro který titul sáhnout, a to stačilo. Pořádek byl pro suchary a pan Berger nebyl zdaleka takový suchar, jak se mohlo zdát. (Když někdo vede poklidný život, může to člověku nešťastnému zavánět nudou.) Pan Berger byl možná tu a tam krapet osamělý, ale nenudil se nikdy a zřídkakdy smutnil. Své dny počítal podle přečtených knížek.

Teď mi připadá, že jak tady pana Bergera líčím, mohl by si leckdo pomyslet, že byl starý. Nebyl starý. Bylo mu pětatřicet. S idolem dívek a žen byste si ho asi nespletli, ale jistá přitažlivost se mu upřít nedala. Snad jen... cosi na jeho zevnějšku způsobovalo, že vypadal ne přímo bezpohlavně, ale dejme tomu jako někdo, kdo se příliš nezajímá o vztahy ani o opačné pohlaví. To ještě umocňovala kolektivní vzpomínka na to, co se stalo – nebo spíš nestalo – se slečnou z účtárny. A tak nakonec pan Berger skončil mezi svobodnými mládenci a starými pannami. Rozšířil řady pošuků, podivínů a zoufalců zaměstnaných na úřadě, byť ani jedním z toho ve skutečnosti nebyl. Leda snad trochu tím posledním: sice o tom nikdy nemluvil, dokonce ani sám sobě to nepřiznal, ale přece jen litoval, že se nevyslovil ve vztahu ke slečně z účtárny. Nakonec se mlčky smířil s myšlenkou, že život po boku spřízněné duše mu zkrátka není souzený. Stával se nezčeřenou hladinou, na níž se odrážejí příběhy z knih, které četl. Nebyl ani velký milovník, ani tragický hrdina. Spíš připomínal vypravěče příběhu, který sleduje životy druhých lidí a na kterém visí zápletka jako kabát na ramínku, dokud nepřijde skutečný hrdina a nevklouzne do ní. Pan Berger, velký a náruživý čtenář, si kdovíproč neuvědomil, že život, který pozoruje, je jeho vlastní.

Na podzim roku 1968, v den páně Bergerových šestatřicátých narozenin, se radní rozhodli přestěhovat kanceláře úřadu. Jednotlivé odbory byly do té doby rozeseté všude možně po městě, jenže se prohlásilo za rozumné umístit je pod jednu střechu účelně postavené budovy a detašovaná pracoviště zrušit. Pan Berger z toho neměl radost. Bytový odbor sídlil v zašlém domě z červených cihel, který dříve sloužil jako škola, nyní neumělе přizpůsobená potřebám úřadu. Nová budova městského úřadu naproti tomu měla brutalistní vzhled kostky zrozené na rýsovacím prkně jednoho z Le Corbusierových následovníků, kteří nenáviděli nepravidelnou malebnost a nahrazovali ji uniformní ocelí, sklem a železobetonem. Stála na místě kdysi slavného viktoriánského nádraží, které před časem nahradili nevzhledným bunkrem a přilepili k němu nákupní středisko. Pan Berger věděl, že i další architektonické skvosty se zakrátko promění v prach a město – a spolu s ním i jeho obyvatele – zamoří jako jed ošklivost nových staveb... nebo to snad spělo k něčemu jinému?

Pana Bergera vyrozuměli, že po plánované reorganizaci už nebude nadále zapotřebí Seznamu dlužníků, a přidělili mu jiné úkoly. Mělo se přejít na nový, účinnější systém. Jak tomu však v takových případech bývá, ukázalo se, že nový systém není zdaleka tak účinný, jak se doufalo. Navíc byl nákladnější. Do toho panu Bergerovi zemřela matka, jeho poslední žijící příbuzná. Odkázala synovi nevelký, ale nikterak bezvýznamný majetek: svůj dům, nějaké cenné papíry a peníze, což sice nebylo žádné jmění, ale s trochou šikovného investování z nich mohl žít po zbytek života. Vždycky toužil po tom psát a teď měl ideální příležitost vyzkoušet své literární vlohy.

A tak se nakonec kolegové v práci složili i na pana Bergera, popřáli mu sbohem a hodně štěstí a zapomněli na něj takřka ve chvíli, kdy se za ním zavřely dveře.

2

Matka pana Bergera strávila podzim života v malém domku na předměstí městečka Glossom. Šlo o jednu z těch dojemně malebných anglických sídel jako dělaných pro lidi, jimž čas zvolna ubývá, a proto chtějí žít v poklidném prostředí, kde je nic nerozruší – a tudíž nic neukrátí jejich dny. Tamní obyvatelé byli převážně bohabojní anglikáni, a jako takoví žili životem své farnosti: málokterý večer se na faře obešel bez představení ochotníků, přednášky místního historika nebo alespoň setkání Fabiánské společnosti.

Matka pana Bergera si však podle všeho vystačila sama. V Glossomu se proto málokdo pozastavil nad tím, když si její syn počínal stejně. Celé dny seděl a promýšlel koncept knihy, kterou napíše – patrně románu o zhrzené lásce s nenápadnou kritikou společenských poměrů, zasazeného do prostředí textilek v Lancashiru devatenáctého století. Takový námět se mohl zamlouvat místním fabiánům, napadlo pana Bergera, a to ho odradilo. Začal tedy zvažovat povídky, jenže se ukázaly jako málo výmluvné, pročež se uchýlil k poezii, poslednímu to stéblu tonoucích autorů. Nakonec, snad aby přece jen něco napsal, jal se posílat dopisy do místních novin. Vyjadřoval se v nich k záležitostem státního či snad mezinárodního významu. Jeden takový mu otiskli v *Telegraphu*. Týkal se situace jezevců, jenže v redakci ho výrazně zkrátili, takže nakonec vyzníval, jako by byl pan Berger jezevci přímo posedlý, avšak nic nemohlo být dál od pravdy.

Panu Bergerovi začalo docházet, že mu patrně v životě není souzeno být spisovatelem, možná ani úctyhodným mužem, a že zkrátka jsou lidé, kterým by mělo ke štěstí stačit, že čtou. Sotva dospěl k tomuto závěru, jako by mu z beder spadlo velké břímě. Uklidil poznámkové sešity, které si koupil u Smythona na Bond Street, a místo nich si strčil do kapsy poslední díl románu-řeky Anthonyho Powella *Tanec při hudbě času.**

Po večerech si pan Berger zvykl chodit na procházky ke trati. Lesem se tam podél náspu vinula zapomenutá pěšina, kousek od jeho zadních

* V originálu *A Dance to the Music of Time* – pozn. překl.

vrátek. V Glossomu ještě donedávna zastavoval čtyřikrát denně vlak, jenže vinou Beechingových škrtů se tamní nádraží zrušilo. Vlaky tamtudy projížděly sice dál – hlučná připomínka zašlé slávy –, ale nemělo trvat dlouho, a s plánovanou přestavbou trati se i ten rytmický lomoz vytratí. Nakonec koleje do Glossomu zarostou plevelem a nádraží nenávratně zchátrá. V Glossomu padl návrh budovu nádraží od drah odkoupit a zřídit v ní muzeum, jenže nikdo nevěděl, jaká přesně expozice by se do něho umístila. Historie městečka Glossom se jaksi nemohla pyšnit významnými bitvami, šlechtickými rody ani slavnými vynálezci.

Nic z toho se pana Bergera netýkalo. Jemu stačilo, že má kam jít na procházku, popřípadě si – při příznivém počasí – má kde sednout a číst. Kousek od starého nádraží byly u trati schůdky, a právě na nich rád čekával, až pojede poslední večerní vlak na jih. Pozoroval obchodníky v oblecích za okýnky, vděčný, že jeho pracovní kariéra tak náhle předčasně skončila.

Ani s příchodem zimy s procházkami neustal, ale brzký soumrak a večerní chlad jej ochudily o zastavení s knížkou. Dál ji však s sebou nosíval, ježto si zvykl číst si hodinku U strupaté žáby nad sklenkou vína či pintou ležáku.

Onoho večera se pan Berger u trati zastavil a čekal na obvyklý vlak. Všiml si, že má malé zpoždění. Poslední dobou se to stávalo celkem často, a to jej přimělo k úvahám, zda vůbec všechny ty změny na železnici přinesou nějaké zlepšení. Zapálil si dýmku a zahleděl se k západu, kde zvolna za les klesalo slunko a hořelo za holými větvemi stromů jako pochodeň.

Právě v tom okamžiku spatřil ženu, jak se prodírá přerostlým houštím u trati. Už dříve postřehl, že opodál vede jakási pěšina, alespoň soudě dle ulámaných větví. Jeho pohodlné stezce se však nemohla rovnat a on nestál o to poškrábat se nebo si roztrhat šaty o trny šípků. Žena na sobě měla černé šaty, avšak pozornost pana Bergera daleko víc zaujala malá červená kabelka, která se jí houpala na paži. Tak prudce kontrastovala s jejím oděvem! Snažil se zahlédnout i ženin obličej, ale směr její chůze to znemožňoval.

Tu zaslechl z dálky hvizd a schůdky pod ním se rozechvěly. Poslední večerní rychlík se blížil. Opět pohlédl vpravo. Žena se zastavila, neboť i ona slyšela ten zvuk. Pan Berger očekával, že zůstane stát a počká, až vlak přejede, ale neudělala to. Místo toho přidala do kroku. Možná doufala, že stihne přeběhnout přes koleje ještě před vlakem, pomyslel si pan Berger, ale to by bylo dosti riskantní. Za daných podmínek mohl člověk snadno špatně odhadnout vzdálenost či rychlost vlaku. Pan Berger už slyšel vyprávět o lidech, co usnuli za chůze či ve spěchu klopýtli a vlak ukončil jejich žití.

„Hej!" zvolal. „Počkejte!"

Instinktivně slezl ze schodů a zamířil rychle směrem k ní. Žena se ohlédla za jeho hlasem. Dokonce i na dálku pan Berger viděl, že je krásná. Tvář měla bledou, ale nepůsobila zničeně. Naopak, vyzařoval z ní nadpozemský, až znepokojivý klid.

„Nepřecházejte ty koleje!" zakřičel. „Nechte ten vlak přejet."

Žena se vynořila z houští. Vykasala si sukni, odhalila šněrovací kotníčkové boty a jala se stoupat po náspu. Teď už pan Berger utíkal a k tomu na ni i volal, byť blížící se vlak burácel stále hlasitěji. Najednou se prohnal kolem něj, změť hluku a světel a kouře. Zahlédl ženu, jak odhodila červenou kabelku, s hlavou vtaženou mezi ramena padla pod vůz na ruce tak lehce, jako by chtěla hned zase vstát.

Pan Berger se zachvěl. Ohyb trati mu zabránil spatřit srážku na vlastní oči a rovněž případné zvuky zanikly v rachotu motoru. Když otevřel oči, byla žena ta tam a vlak pokračoval dál v cestě.

Pan Berger běžel na místo, kde naposledy viděl postavu v šatech. V duchu se připravoval na nejhorší v očekávání cárů těla rozházených po kolejích, ale nic tam nebylo. Neměl však s takovými věcmi žádnou zkušenost, a tak nevěděl, jestli by při srážce v takové rychlosti po člověku na trati vůbec něco zbylo. Bylo možné, že silou nárazu se ostatky ženy rozletěly do všech stran, nebo dokonce vlak tělo vzal s sebou. Obhlédl trať a prohledal nejbližší keře, ale neobjevil jedinou krvavou stopu ani pozůstatky lidského těla. Nemohl dokonce najít ani jasně červenou kabelku, kterou žena odhodila. Přesto ji viděl, o tom v nejmenším nepochyboval. Nevyfantazíroval si to.

Mezitím se ocitl blíž k městu než ke svému domu. V Glossomu neměli policejní stanici, ale v Morehamu o pět mil dál ano. Pan Berger honem došel k telefonní budce na starém nádraží a ještě zatepla zavolal na policii a oznámil, čeho se stal svědkem. Pak se posadil na lavičku před nádražím a vyčkal příjezdu policejní hlídky, přesně jak mu bylo řečeno.

3

Policie provedla v podstatě totéž co pan Berger chvilku před nimi, jen s větším nasazením pracovní síly a vynaložením peněz daňových poplatníků. Prohledali křoviska a prošli trať, poptali se v Glossomu pro případ, že by tam pohřešovali nějaké ženy. Spojili se se strojvedoucím vlaku, který zdrželi na nádraží v Plymouthu asi hodinu, než ohledali lokomotivu a všechny vagony, zda se na nich nezachytily lidské ostatky.

Nakonec si inspektor z Morehamu ještě jednou promluvil s panem Bergerem, který po celou dobu vyšetřování seděl na schůdcích u kolejí. Jmenoval se Carswell a k panu Bergerovi se teď choval ještě odtažitěji než prve. Krátce po pátrání po tělu mrtvé začalo slabě mrholit a Carswell a jeho muži byli promoklí a rozmrzelí. I pan Berger byl promáčený a uvědomil si, že se dokonce trochu třese – nijak silně, zato vytrvale. Napadlo ho, že by mohl být v šoku. Nikdy předtím neviděl nikoho zemřít. Hluboce jej to zasáhlo.

Inspektor Carswell stál v houstnoucí tmě, klobouk vmáčknutý do čela a ruce vražené hluboko do kapes kabátu. Jeho muži balili věci a odváděli psy, které si přivezli, aby jim pomohli s pátráním. I lidé z městečka, kteří přišli, se zvolna trousili domů; každý se však ještě jednou, naposledy ohlédl zvědavě po panu Bergerovi.

„Tak si to projdeme ještě jednou, co vy na to?" nadhodil Carswell a pan Berger mu znovu odvyprávěl svůj příběh. Všechno do posledního detailu zůstalo stejné. Byl si jistý tím, co viděl.

„Musím vám říct," povídá Carswell, když pan Berger domluvil, „že strojvůdce si ničeho nevšiml a nepostřehl ani, že by došlo k nárazu. Asi si dovedete představit, že když se dozvěděl, že mu pod vlak skočila ženská, pořádně to s ním zamávalo. Pomáhal nám s ohledáním vlaku. Ukázalo se, že už něco podobnýho zažil. Než ho povýšili na strojvedoucího, dělal požární dozor na lokomotivě, co kousek od colefordskýho křížení srazila člověka. Říkal, že strojvůdce toho chlapa viděl, ale nestihl už zabrzdit. Vlak ho, chudáka, rozšmelcoval na maděru. Bylo to všude. Prej kdyby narazil do ženský, musel by si toho jednak všimnout, jednak bysme určitě našli zbytky těla.“

Carswell si zapálil cigaretu. Nabídl také Bergerovi, ale ten odmítl. Dával přednost dýmce, ale ta mu dávno vyhasla.

„Žijete sám?“ zeptal se najednou Carswell.

„Ano, žiju.“

„Co jsem tak pochytil, přistěhoval jste se do Glossomu teprve nedávno.“

„Správně. Matka zemřela a odkázala mi domek.“

„A říkáte, že jste spisovatel?“

„Trochu to zkouším. Upřímně řečeno, poslední dobou si ale říkám, jestli je mi shůry dáno být v tom opravdu dobrý.“

„To je dost osamělý povolání, nebo to aspoň budí ten dojem.“

„Ano, zpravidla to tak bývá.“

„Jste ženatý?“

„Ne.“

„Přítelkyně?“

„Ne,“ odpověděl pan Berger a dodal, „momentálně ne.“

Nechtěl, aby si inspektor Carswell myslel, že je na jeho staromládenectví něco divného nebo snad nemravného.

„Ach tak.“

Carswell zhluboka potáhl z cigarety.

„Stýská se vám po ní?“

„Po kom?“

„Po matce.“

Panu Bergerovi se ta otázka jevila zvláštní, přesto na ni odpověděl.

„Samozřejmě,“ řekl. „Jezdil jsem za ní na návštěvu, kdy to šlo, a každý týden jsme si telefonovali.“

Carswell přikývl, jako by to mnohé vysvětlovalo.

„To musí být divné přistěhovat se do nového města, ještě k tomu do domu, ve kterém zemřela vaše matka. Zemřela doma, že ano?“

Pan Berger si pomyslel, že toho inspektor Carswell ví o jeho matce nějak moc. Zjevně se v Glossomu nevyptával jen na pohřešované ženy.

„Ano, zemřela doma,“ odpověděl pan Berger. „Promiňte, inspektore, ale jak to souvisí s tou nehodou na kolejích?“

Carswell vytáhl z úst cigaretu a zadíval se na její hořící konec, jako by z popela mohl vyčíst odpověď.

„Začínám uvažovat, jestli není možné, že jste se třeba nějak splet v tom, co jste viděl," prohlásil.

„Spletl? Jak by se člověk mohl splést, jestli viděl sebevraždu?"

„Nenašlo se tělo, pane. Nikde žádná krev, žádné šaty, nic. Nenašli jsme ani tu červenou kabelku, kterou jste zmiňoval. Nic nenasvědčuje tomu, že se na trati něco stalo. Takže..."

Carswell naposledy dlouze potáhl z cigarety, zahodil špačka do hlíny a rázně ho rozdrtil podpatkem.

„Řekněme, že jste se splet, a zůstaňme u toho, co vy na to? A možná by vám prospělo najít si na večery jinou zábavu – teď, když přichází zima. Zajděte sem tam do klubu na bridž nebo se přihlaste do kostelního sboru. Třeba tam nakonec potkáte nějakou slečnu, se kterou si budete rozumět. Pochopte, máte za sebou těžký časy, takže vám jen prospěje, když nebudete pořád sám. Předejdete tak dalším podobným omylům. Víte, jak to myslím, viďte?"

Vyjádřil se naprosto jasně. Dopustit se omylu není zločin, ale mrhání policejním časem ano. Pan Berger slezl ze schůdků.

„Vím, co jsem viděl, inspektore," řekl, ale do hlasu se mu vkradly pochybnosti. Celou cestu domů to neustále převracel v hlavě.

4

Nikoho nejspíš nepřekvapí, že tu noc pan Berger příliš nespal. Stále dokola si přehrával smrt ženy, a jakkoli nebyl přímo svědkem nárazu, viděl ho a slyšel v tichu své ložnice. Po příchodu domů si nalil na uklidněnou velkou sklenici brandy zesnulé matky, jenže nebyl na alkohol zvyklý a necítil se po něm dobře. V posteli blouznil a ženina smrt se mu v představách odehrála tolikrát, až uvěřil, že ji ten večer neviděl zemřít poprvé. Zmocnil se ho zvláštní pocit *déjà vu* a nedokázal ho setřást. Jako když býval nemocný nebo měl horečku; to se mu kolikrát usadila v hlavě písnička či melodie a nešla ven. Vpila se mu tak silně do mozku, že nemohl spát, a mnohdy ji dokázal zapudit, až teprve když nemoc odezněla. A teď prožíval totéž s vidinou ženiny smrti, jejíž neustálé opakování jej přivedlo k přesvědčení, že výjev odněkud zná.

Nakonec ho, chválabohu, zmohla únava a přišel kýžený odpočinek. Když se však druhý den ráno probudil, pocit povědomosti zůstal. Navlékl si kabát a vrátil se na místo události, která ho tak rozrušila. Vydal se po zarostlé pěšině skrz houští v naději, že třeba policie něco přehlédla, známku toho, že se nestal obětí vlastní přebujelé fantazie – cár černé látky, podpatek dámského střevíce nebo červenou kabelku –, jenže nikde nic.

Právě ta červená kabelka ho trápila nejvíc. Červená kabelka, tam byl zakopaný pes. S jasnou myslí nezkalenou alkoholem – i když po pravdě řečeno, po včerejším vydatném doušku se mu stále točila hlava – nabýval na jistotě, že mu sebevražda mladé ženy připomíná scénu z knížky: a ne jen tak *ledajakou* scénu, ale jednu z nejslavnějších vlakových sebevražd v dějinách literatury. Zanechal hledání stop v terénu a rozhodl se zapátrat v knihách.

Knihy vybalil už dávno, ačkoli pro všechny ještě neměl dost polic, jelikož jeho matka nebyla zdaleka tak náruživá čtenářka jako on. Tím pádem volné stěny zaplnila lacinými reprodukcemi přímořských krajinek. Přesto pořád zbývalo o dost víc místa na knihy, než kolik měl k dispozici ve svém předchozím bytě. Bylo to zkrátka a dobře tím, že domek po matce měl větší plošnou výměru. A horizontální úložný prostor, to je to, co pravému knihomolovi stačí ke štěstí. Našel výtisk *Anny Kareninové*. Byla v komínku vedle jídelního stolu, vmáčknutá mezi *Vojnu a mír* a *Pána a kmána a další podobenství a báchorky*, které měl v krásném vydání z roku 1946 v Everyman's Library.* Pan Berger dočista zapomněl, že takový skvost má, a málem pro hodinku strávenou v jeho společnosti odložil *Annu Kareninovou*. Rozum však zvítězil, i když si *Pána a kmána* nechal ležet na jídelním stole, že se na něj podívá později. Přidal ho tak k další asi desítce podobně vybraných svazků, které zde čekaly dny nebo týdny, až přijde jejich chvíle.

Posadil se do křesla a otevřel *Annu Kareninovou* (Limited Editions Club, 1951, Cambridge, podepsáno Barnettem Freedmanem, objeveno na sousedském bazaru v Gloucesteru a pořízeno za tak nízkou cenu, že pan Berger věnoval posléze menší obnos na charitu, aby ho netížilo svědomí). Chvilku listoval, dokud nenašel kapitolu XXXI, která začíná slovy „Ozvalo se zvonění..." Dál četl rychle, avšak pozorně, viděl Annu setkat se s Petrem v livreji a botkách, viděl drzého průvodčího a ohyzdnou dámu s honzíkem, viděl kolem projít špinavého chlapa v čepici se štítkem, až se konečně dostal k této pasáži:

Chtěla se vrhnout pod první vůz, jehož střed se octl proti ní. Ale začala si sundávat z ruky červenou kabelku a to ji zdrželo, až už bylo pozdě, střed vozu ji minul. Musela čekat na další vůz. Zmocnil se jí pocit, jaký mívala, když se při koupání chystala vejít do vody, a udělala si křížek. Navyklý pohyb při znamení kříže vyvolal v její duši celý řetěz dětských i dívčích vzpomínek, temnota, která jí všecko zahalovala, náhle spadla a na okamžik před ní vyvstal život se všemi hřejivými minulými radostmi. Ale nespouštěla zrak z kol dalšího vozu, který se blížil. A přesně ve chvíli, kdy byl střed mezi koly proti ní, odhodila červenou kabelku, s hlavou vtaženou mezi ramena padla pod vůz na ruce tak lehce, jako by chtěla hned zase vstát, poklekla. A v témž okamžiku se zhrozila, co dělá. Kde je? Co dělá? Proč? Chtěla se zvednout a uskočit zpět; ale cosi obrovského, neúprosného ji udeřilo do hlavy a vleklo ji za záda. „Panebože, odpusť mi všecko!"

* V češtině podobný výbor Tolstého povídek nevyšel; kvůli zmínce o nakladateli uvádím orientační překlad názvu – pozn. překl.

*hlesla, když si uvědomila, že zápas je marný. Stařeček cosi mumlal a pracoval s železem. A svíce, při níž četla knihu plnou nepokoje, klamu, bolesti a zla, ta svíce vzplanula jasnějším světlem než kdy jindy, ozářila jí vše, co předtím bylo obestřeno tmou, zaprskala, začala skomírat a zhasla navždy.**

Pan Berger přečetl pasáž dvakrát, pak se opřel a zavřel oči. Všechno tam bylo, všechno do posledního detailu, včetně červené kabelky, kterou žena u kolejí odložila, než ji srazil vlak, stejně jako Anna Kareninová tu svou, než srazil ji. Ženina poslední gesta se rovněž podobala Anniným: i ona s hlavou vtaženou mezi ramena padla pod vůz, jako by se chystala zemřít na kříži, a ne pod koly železného oře. Jakpak to, že vzpomínky pana Bergera popisovaly událost stejnými slovy?

„Dobrý bože," vzdychl pan Berger k naslouchajícím knihám, „možná měl inspektor pravdu a já skutečně trávím příliš mnoho času sám, pouze ve společnosti románů. Nelze jinak ospravedlnit, uvěří-li člověk, že na trati z Exeteru do Plymouthu viděl vrcholnou scénu z *Anny Kareninové*."

Odložil knihu na područku křesla a přešel do kuchyně. Nakrátko se ocitl v pokušení sáhnout opět po brandy, ale prve mu dobrou službu neprokázala, a tak se místo toho rozhodl pro obligátní konvici čaje. Když měl vše nachystáno, usadil se u kuchyňského stolu a pil šálek za šálkem, dokud konvici nevyprázdnil. Tentokrát nesáhl po knize ani nevyhledal rozptýlení v křížovce v *Timesech*, která zůstávala stále nevyluštěná. Jednoduše zíral do mraků a naslouchal ptačímu zpěvu, a přitom přemítal, jestli nakonec skutečně nepřichází o rozum.

Toho dne již pan Berger nic dalšího nepřečetl. Dvojí pročtení kapitoly XXXI *Anny Kareninové* představovalo jeho jediný kontakt se světem literatury. Nevybavoval si, že by nějaký den četl méně. Žil knihami. Od objevného okamžiku v dětství, kdy zjistil, že dokáže přečíst román i bez matky, jim věnoval veškerý volný čas. Vzpomínal na první přelouskaná setkání s Bigglesem v příbězích W. E. Johnse, na to, jak dělil dlouhá slova na slabiky, aby měl z jednoho dvě jednodušší. Knihy mu od té chvíle nepřestaly dělat společnost. Možná že světu představ obětoval i skutečná

---

* Postavy a citace jsou převzaty z českého vydání *Anny Kareninové* v překladu. Taťjany Haškové, vydaly Mladá fronta / Naše vojsko, 1964 – pozn. překl.

přátelství, neboť v jeho vzpomínkách míjely dny, kdy se po škole stranil spolužáků, kdy schválně neslyšel jejich klepání na dveře rodičovského domu, kdy se vracel domů jinou cestou nebo se držel dál od oken, hlavně aby nemusel jít hrát fotbal nebo do sadu trhat jablka a mohl dočíst příběh, jenž ho zcela pohltil.

Knihy svým způsobem mohly i za jeho fatální váhavost ve vztahu ke slečně z účtárny. Připadalo mu, že příliš nečte – viděl ji s románem od Georgette Heyerové a tu a tam s detektivkou od Agathy Christie vypůjčenými z knihovny –, ale nějak tušil, že čtení pro ni nepředstavuje vášeň. Co kdyby po něm chtěla, aby spolu šli do divadla nebo na balet nebo na nákupy – zkrátka aby „byli spolu"? Tak to ostatně páry dělávají, viďte? Jenže čtení je osamělá zábava. Ovšem, dva si mohou číst spolu v jedné místnosti, třeba v posteli před spaním každý svou vlastní knihu, ale to by se na tom museli shodnout, muselo by jít o spřízněné duše. Děsila ho představa, že se zaslíbí někomu, kdo přečte dvě stránky románu a usne, popřípadě začne poklepávat prsty o stůl ve snaze získat pozornost, anebo úplně nejhůř – začne ladit rádio. Než by se našinec nadál, ženuška si bude chtít „povídat" o jeho čtivu... a to by byl definitivní konec.

Jak tak pan Berger seděl v kuchyni své zesnulé matky, uvědomil si, že se vlastně nikdy neobtěžoval s tím zeptat se slečny z účtárny, co si vlastně myslí o knihách, natož o baletu. Kdesi hluboko uvnitř se zdráhal obětovat pohodlný život, v němž nejtěžší rozhodnutí spočívalo ve volbě další knihy ke čtení. Žil stranou od lidí, odloučený od okolního světa, a teď na to měl doplatit šílenstvím.

5

V následujících dnech byl pan Berger živ převážně četbou novin a populárně naučných časopisů. Málem sám sebe přesvědčil, že to, co viděl na kolejích, byla nějaká parapsychologická anomálie, snad opožděná reakce na žal ze smrti matky. Při návštěvách městečka si všímal, že po něm lidé divně pokukují – po očku či zcela nepokrytě –, ale to se dalo čekat. Doufal, že na promarněné policejní vyšetřování, a tudíž i čas strážců pořádku se postupně zapomene. V nejmenším netoužil stát se místním podivínem.

Jenže jak šel čas, přihodila se zvláštní věc. U zážitků, jaký měl pan Berger, se totiž běžně stává, že čím více času uplyne, tím mlhavější jsou i vzpomínky na něj. Kdyby se na pana Bergera vztahovala běžná pravidla lidského chování, mělo v něm uzrát přesvědčení, že jeho setkání s mladou ženou nápadně připomínající Annu Kareninovou bylo z hlediska psychologického přinejmenším znepokojivé. Jenže pan Berger se utvrdil ve zcela opačném dojmu. Viděl tu ženu, a ona byla skutečná. Přesto, realita je pojem značně relativní.

Pan Berger začal znovu číst – zprvu zdráhavě –, brzy však s obvyklým zaujetím. Také se vrátil k večerním procházkám podél trati, kdy opět usedal na schůdky poblíž starého nádraží a vyhlížel projíždějící vlaky. Co večer v době příjezdu rychlíku z Exeteru do Plymouthu odkládal knihu a obracel zrak k zarostlé stezce vinoucí se z jihu. Stmívalo se teď o něco dřív a stezička nebyla ve tmě skoro vidět, ale pan Berger měl dobré oči a postupně se naučil rozpoznávat hustotu porostu.

Po cestičce však nikdo nechodil, dokud se v únoru neobjevila opět ona žena.

6

Panoval chladný, ale svěží večer. Ve vzduchu nevisela mlha a pan Berger při procházce zálibně sledoval, jak mu jde pára od pusy. V hospodě U strupaté žáby měla hrát večer živá kapela: nějaký folkový revival, pro který měl pan Berger vskrytu slabost. Chtěl se tam tedy na hodinku na dvě zastavit, ovšem nejdřív si počká na svoje vlaky... Vysedávání na schůdcích se sledováním vlaků se pro něj stalo rituálem, byť se snažil sám sebe přesvědčit, že to rozhodně nesouvisí se ženou s červenou kabelkou. V hloubi duše věděl, že ano. Zjevovala se mu v představách a děsila ho.

Usadil se na nejvyšším schodě a zapálil si dýmku. Odkudsi z východu zazněl lomoz přijíždějícího vlaku. Podíval se na hodinky a zjistil, že je sotva po šesté. Vlak jel dřív. To bylo nevídané. Kdyby ještě psal dopisy do *Telegraphu*, nejspíš by se o to podělil se světem podobně jako nedočkavci, co informují spoluobčany o tom, že zahlídli první jarní kukačku.

V duchu už dával dohromady dopis, když tu zaslechl napravo šramot. Někdo se blížil po stezičce křovím. A zjevně pospíchal. Pan Berger seskočil ze schůdků a rázně vykročil tím směrem. Obloha byla jasná a podrost se již třpytil stříbrem měsíce, nicméně pan Berger by onu ženu poznal i bez jeho svitu, zvlášť když se jí na paži opět houpala červená kabelka.

Pan Berger upustil dýmku, ale stačil se pro ni sehnout. Byla to nakonec dobrá dýmka. Bez přehánění lze říci, že se tou ženou stal posedlý, přesto nečekal, že ji ještě kdy spatří. Málokdo si krátí večery skákáním pod vlak. Takovou věc udělá člověk zpravidla jen jednou, pokud vůbec. A když už se pro něco takového rozhodne, rozjetá lokomotiva mu zcela jistě zabrání v tom si to zopakovat – případně, přežije-li srážku s ní, odradí ho nepříjemná vzpomínka na první pokus. Přesto však se tmavou houštinou prodírala tatáž mladá žena s červenou kabelkou, kterou pan Berger již jednou viděl skočit pod vlak.

To bude jistě duch, pomyslel si. Jiné vysvětlení neexistuje. Jde o ducha nějaké nebožačky, která zde kdysi nešťastně zahynula – vždyť její šaty jistě nepocházejí z tohoto století. Teď se zde musí zjevovat a prožívat své poslední chvíle, dokud...

Dokud co? Pan Berger nevěděl. Četl M. R. Jamese i W. W. Jacobse, rovněž Olivera Onionse a Williama Hopea Hodgsona, ale ve skutečnosti se nikdy nesetkal s ničím z toho, o čem psali. Měl matné povědomí o tom, že občas pomůže, když se dávno zapomenutý nebožtík vykope a pohřbí na jiném místě; James naproti tomu věřil na vrácení prastarých zádušních amuletů na místo původního odpočinku, díky tomu prý duše zemřelého najde klid. Pan Berger ovšem neměl sebemenší zdání, kde by mohla mladá žena odpočívat, navíc v životě neutrhl ani květinu, natož aby se někam vláčel s mrtvolou nebo prastarým rukopisem. Uvědomil si, že na to přijde čas později. Teď si žádaly jeho pozornost důležitější věci.

Časný příjezd vlaku očividně zastihl mladou ženu nepřipravenou. Trnité větve křovisek jako by se proti ní spikly a zdržovaly ji v cestě na věčnost. Chytaly ji za šaty, a jednou dokonce klopýtla a padla na kolena. Přes všechny tyto nesnáze však bylo pravděpodobné, že ke kolejím dojde včas a stačí skočit pod vlak.

Pan Berger se dal do běhu a křičel a volal, mával rukama. Nikdy předtím neběžel tak rychle. Nakonec dorazil ke kolejím dřív než ona. Zarazila se, zjevně překvapená, že ho tam vidí. Patrně byla tak odhodlaná skoncovat se životem, že vůbec neslyšela jeho výkřiky, jenže teď tam stál – živý a skutečný – a díval se na ni jako ona na něho. Byla mladší než on a měla nezvykle bledou pleť, byť to mohl mít na svědomí svit měsíce. Měla ty nejčernější vlasy, jaké pan Berger kdy viděl. Vypadaly, jako by pohlcovaly světlo.

Žena před ním chvilku kličkovala, ale křoví bylo příliš husté. Cítil, jak se zem chvěje. Lomoz přijíždějícího vlaku sílil. Zaslechl hvizd píšťaly. Strojvůdce je patrně zahlédl. Pan Berger zvedl pravici a mávl na strojvedoucího, jako že je všechno v pořádku. Žena se neměla kudy kolem něho protáhnout a on sám pod kola vlaku rozhodně skákat nemínil.

Vlak je minul a žena zoufale zaťala pěsti. Pan Berger se ohlédl a uviděl několik cestujících, kteří na ně udiveně zírali z oken. Když se zase otočil, byla žena pryč. Teprve až když rachot vlaku utichl, zachytil tiché praskání větviček na stezce mizející na svahu ve tmě. Věděl, že žena spěchá zpátky. Vydal se tedy za ní, leč zpomalovalo jej trnité křoví, které prve tak zdrželo ji. Roztrhl si sako, ztratil dýmku, a dokonce si podvrtl kotník – nevzdával to však. K vozovce doběhl přesně v okamžiku, kdy žena zmizela v uličce souběžné s glossomskou hlavní třídou. Na jedné straně se zelenaly zahrady domků, na druhé se táhla zeď někdejšího městského pivovaru, nyní zanedbaného a opuštěného, byť ve vzduchu pořád visela slabá vůně chmele.

Ulice se nakonec rozdvojila. Odbočka vlevo vedla na hlavní třídu, ta vpravo se ztrácela ve tmě. Pan Berger se podíval doleva, ale po ženě nikde ani památky. To přitom byla hlavní třída dobře osvětlená. Rozhodl se tedy dát se vpravo a za okamžik se ocitl mezi němými svědky někdejšího průmyslového rozkvětu městečka Glossom. Stála zde stará skladiště, až na pár výjimek nepoužívaná; pak zeď s oprýskaným nápisem inzerujícím Bednářství & svíčkárnu, budovu zchátralou tak, že bylo jasné, že odtamtud poslední svíčky a sudy putovaly už před drahnou řádkou let; a nakonec patrový dům z červených cihel se zamřížovanými okny a travou porostlým zápražím. U něj ulice končila. Jak se k němu pan Berger blížil, přísahal by, že zaslechl vrznout dveře.

Pan Berger stál před tím domem a hleděl na něj. Ani v jenom okně neplálo světlo a skleněné tabulky pokrývala taková vrstva špíny, že skrz ně nebylo vidět dovnitř. V cihlovém oblouku nade dveřmi byl vytesaný nápis. Pan Berger zamžoural do tmy a pokusil se jej přečíst. Nakonec z prachu zdiva vystoupila tato slova: „Caxtonova soukromá knihovna & knižní depozitář."

Pan Berger se zamračil. Přece se ptal, zda je ve městě knihovna, ale bylo mu řečeno, že ne, že přímo v Glossomu žádnou nemají a nejbližší je v Morehamu. V trafice nějaké knížky prodávali, ale většinou šlo o červenou knihovnu a detektivky, a těch pan Berger dokázal přečíst jen omezené množství. Pochopitelně se nabízelo, že Caxtonova soukromá knihovna & knižní depozitář jsou mimo provoz, ale pokud tomu tak bylo, proč byla tráva před prahem místy ušlapaná? Někdo očividně chodil dovnitř a ven, navíc celkem často někdo, včetně jisté ženy či fantasmagorického zjevu v podobě ženy přesvědčeného, že je Anna Kareninová. Alespoň pokud se pan Berger nemýlil...

Vytáhl krabičku sirek a jednu rozškrtl. Napravo vedle dveří visela ve vitrině žlutá cedulka. Stálo na ní: „V případě jakýchkoli dotazů zvoňte, prosím, na zvonek." Pan Berger spotřeboval tři další zápalky v marné snaze zvonek najít. Žádný nikde nenašel. Stejně tak neobjevil ani schránku na dopisy.

Pan Berger tedy obešel budovu zprava – zleva to nešlo kvůli zdi. Nakoukl za roh. Ocitl se v úzké uličce, která také končila zdí a z knihovny tam nevedlo jediné okno ani dveře. Za zdí se rozkládala pustina.

Pan Berger se vrátil k předním dveřím. Jednou na ně zabušil, spíše v plané naději než se skutečným očekáváním, že někdo přijde otevřít. Tím pádem ho nepřekvapilo, když nikdo nepřišel. Zadíval se na klíčovou dírku. Nevypadala zrezivěle, a když do ní strčil prst, vytáhl ho mastný od oleje. Působilo to nanejvýš podivně, avšak ne děsivě.

Nic dalšího se pro tuto chvíli nedá podniknout, usoudil pan Berger. Noční chlad se stále více vpíjel pod kůži a on ještě nevečeřel. Glossom sice bylo tiché a bezpečné městečko, přesto si nedokázal představit, jak tráví noc venku před setmělou knihovnou a doufá, že znovu spatří přízračnou ženu – aby se jí mohl zeptat, co sleduje tím, že po večerech skáče pod vlak. Ošklivé škrábance na jeho rukách navíc žádaly ošetření antiseptikem.

Tak se nakonec pan Berger naposledy podíval na Caxtonovu knihovnu a, znepokojen jako nikdy, se vydal domů. Hostinec U strupaté žáby už toho večera návštěvou nepoctil.

7

Ke Caxtonově knihovně se pan Berger vrátil hned nazítří, v deset dopoledne. Vycházel z předpokladu, že v tuto civilizovanou hodinu by tam mohl někoho zastihnout – pokud je ovšem Caxtonova knihovna stále v provozu. Jenže budova působila stejně mlčenlivě a nepřístupně jako předešlého večera.

Pan Berger se začal z nedostatku lepších možností poptávat po městě. V trafice ani v koloniálu o Caxtonově soukromé knihovně & knižním depozitáři nikdo nic nevěděl, totéž platilo i o časných hostech Strupaté žáby. Jistě, lidé měli matné tušení, že nějaká Caxtonova knihovna existuje, ale nikdo si nevybavoval, kdy měla naposledy otevřeno. Stejně tak nikdo nedokázal říci, kdo je vlastně majitelem budovy nebo jsou-li uvnitř pořád ještě knížky. Navrhli mu, ať se zkusí poptat na radnici v Morehamu, kde mají archiv s historickými záznamy o menších obcích v okolí.

Tak sedl pan Berger do auta a rozjel se do Morehamu. Cestou přemýšlel, jak je možné, že o Caxtonovu knihovnu nikdo z Glossomských nejeví zájem. Dotazovaní očividně zapomněli na její existenci a rozpomínali se, až když se jich pan Berger zeptal – a obratem zase mlhavou vzpomínku pohřbívali v zapomnění. To by se ještě dalo pochopit, jestli byla knihovna dlouho zavřená. Jenže situace byla ještě podivnější. Většina lidí jako by ani netušila, že nějaká taková budova v městečku stojí, a když se o ní dozvěděla, vůbec se nad tím nepozastavila. Glossomští žili pospolu a v městečku se nic neutajilo, což si pan Bereger až příliš jasně uvědomoval během svého pátrání, které se neobešlo bez poznámek o halucinacích a zpožděných vlacích. V Glossomu jako by byly jen dva typy věcí: věci veřejné; a věci zatím neveřejné, o jejichž zveřejnění se rychle postaraly klepy. Staří usedlíci dokázali odříkat historii městečka do posledního jeho domu a dlažební kostky pět století nazpátek.

Věděli všechno o všem, vyjma Caxtonovy soukromé knihovny & knižního depozitáře.

*

Radnice v Morehamu vnesla do problému jen málo světla. Budovu knihovny vlastnila Caxtonova nadace uvedená pod adresou poštovní schránky v Londýně. Nadace platila všechny poplatky vztahující se k pozemku, včetně daní a elektřiny, což bylo tak všechno, co se o ní podařilo panu Bergerovi zjistit. Pátrání v morehamské knihovně mu vyneslo další nechápavé pohledy, a třebaže strávil několik hodin nad starými výtisky místních novin *Moreham & Glossom Advertiser*, archivovanými od přelomu století, o Caxtonově knihovně nenalezl nikde jedinou zmínku.

Než se vrátil do svého domku, setmělo se. Usmažil si omeletu a zkoušel si chvilku číst, jenže mu pořád vrtala hlavou zjevná existence a současně neexistence knihovny v městečku. Stála tam. Na vlastní parcele v Glossomu. Byla to úctyhodná budova. Tak proč o ni v relativně malém městečku nikdo tak dlouho nezavadil?

Další den nepřinesl o nic větší uspokojení. Telefonáty knihkupcům a do knihoven, včetně slavné staré Londýnské knihovny a Cranstonovy knihovny v Reigate, nejstarší veřejné knihovny v zemi, pouze potvrdily, že o Caxtonově knihovně nikdo nic neví. Nakonec se pan Berger spojil s britskou zástupkyní Asociace netradičních knihoven, což byla organizace, o jejíž existenci do té doby neměl potuchy. Slíbila mu, že projde jejich záznamy, ač připustila, že o Caxtonově knihovně nikdy neslyšela a moc by se divila, kdyby narazila na někoho, kdo ano, protože o těch věcech měla doslova encyklopedické znalosti; po hodinové exkurzi do dějin britského knihovnictví pan Berger o jejím úsudku nepochyboval.

Pan Berger připustil, že se mohl zmýlit a ona tajemná žena zmizela tu noc někde jinde. V dané části města stálo mnoho domů, kam se před ním mohla schovat, přesto se Caxtonova knihovna nabízela jako nejpravděpodobnější možnost, navíc si byl jist, že slyšel vrznout dveře. Kam jinam než do staré knihovny by se ostatně utíkala schovat žena, která se opakovaně vrhala pod vlak jako Anna Kareninová?

Než šel ten večer na kutě, učinil rozhodnutí. Stane se detektivem a bude Caxtonovu soukromou knihovnu & knižní depozitář nenápadně sledovat a odhalí jejich tajemství.

8

Detektivní sledování však není snadný úkol, jak pan Berger záhy zjistil. Je to práce vhodná pro drsné hochy z knížek, kterým nečiní obtíže vysedávat v autě či v restauraci a pozorovat okolní svět, zvlášť když je tím světem Los Angeles nebo jiné místo, kde panuje teplé klima a celé dny jenom svítí sluníčko. Vysedávat mezi zchátralými domy anglického maloměsta za studeného únorového počasí a doufat, že nepůjde kolem nikdo známý nebo že – ještě hůř – nepůjde kolem nikdo uvědomělý, kdo zavolá na policii a oznámí potulku, je něco dočista jiného. Pan Berger už v duchu viděl inspektora Carswella, jak si zapaluje další cigaretu a dochází k závěru, že teď už je to vážně případ pro psychiatra.

Naštěstí se panu Bergerovi podařilo najít přístřeší ve starém Bednářství & svíčkárně, odkud viděl přes rozpadlou zeď na konec uličky a současně byl sám skrytý. Vzal si s sebou přikrývku, polštář a termosku s čajem, pár sendvičů, čokoládu a dvě knížky – román Johna Dicksona Carra *Ohnutý pant*, aby se vžil do role, a *Našeho společného přítele* od Charlese Dickense, poslední autorovo dílo, které ještě nečetl.* *Ohnutý pant* se ukázal jako vcelku dobrý, byť trochu moc fantastický. Jenže pak si pan Berger uvědomil, že příběh o čarodějnictví a tajuplném samohybu není o nic výstřednější než setkání se ženou, která se dvakrát po sobě pokusí o sebevraždu, poprvé úspěšně a podruhé o něco méně.

Den uplynul a nic se nestalo. V uličce se nic nepohnulo, vyjma staré opelichané krysy. Pan Berger dočetl Dicksona Carra a pustil se do Dickense. Šlo o poslední autorův dokončený román, tudíž o „vyzrálého“ Dickense, a tím pádem hutnější četbu v porovnání třeba s *Oliverem Twistem* nebo *Kronikou Pickwickova klubu*. Proto vyžadovala větší pozornost a trpělivost. Když se začalo smrákat, pan Berger knížku odložil a ještě asi hodinu zůstal sedět potmě. Bál se použít baterku, aby na sebe neupozornil,

---

* V češtině ani jedna kniha nevyšla; z důvodu plynulosti četby uvádím orientační překlady názvů – pozn. překl.

a současně doufal, že s příchodem tmy by se mohlo v Caxtonově knihovně něco začít dít. Ve staré budově nezazářilo jediné světlo a pan Berger nakonec sledování vzdal a odebral se ke Strupaté žábě, kde si dal teplou večeři a posilující sklenku vína.

Na hlídku se vrátil hned brzy zrána, ale tentokrát vyměnil Dickense za Wodehouse. Den opět nerušeně uplynul, pomineme-li příchod malého teriéra, který se na pana Bergera rozštěkal. Pan Berger ho neúčinně zaháněl, až zazněl strohý hvizd pána a pes odběhl. Panovalo o něco teplejší počasí než předešlého dne, což bylo jisté požehnání: pan Berger se ráno probudil se ztuhlými údy a zařekl se, že bude-li stejná zima jako předešlého dne, vezme si dva svrchníky.

Začala se snášet tma a s ní i pochybnosti, zda má páně Bergerovo počínání smysl. Nemohl hlídkovat v té uličce donekonečna. To se neslušelo. Opřel se v rohu a vzápětí se přistihl, že klimbá. Zdálo se mu o tom, jak se v Caxtonově knihovně rozsvítilo, jak vjel do uličky vlak plně obsazený tmavovlasými dámami s červenými kabelkami, odhodlanými skoncovat se životem. Nakonec v jeho snu zazněly kroky našlapující na štěrku a trávě, které však slyšel i po probuzení. Někdo přicházel. Opatrně se zvedl a vyhlédl směrem ke knihovně. Na prahu stála jakási osoba a nesla cestovní brašnu. Tiše zařinčely klíče.

Pan Berger byl v tu ránu na nohou. Přelezl přes zřícenou zeď a vyšel na ulici. Přede dveřmi Caxtonovy knihovny stál stařík a otáčel klíčem v zámku. Byl podprůměrného vzrůstu, na sobě měl dlouhý šedý kabát a měkký plstěný klobouk s bílým pérem. Horní ret mu zdobil úctyhodný stříbřitý zahnutý knír. Poplašeně se na pana Bergera ohlédl a honem otevíral dveře.

„Počkejte!" zvolal pan Berger. „Musím s vámi mluvit."

Starý pán neměl na povídání očividně náladu. Dveře před ním se otevřely a on vkročil dovnitř, jenže si uvědomil, že zapomněl na zápraží brašnu. Natáhl se pro ni, ale to už ji mezitím stačil zvednout pan Berger, takže se o ni začali přetahovat, každý v ruce jedno ucho.

„Dejte mi to!" skřehotal stařík.

„Ne," na to pan Berger. „Chci se vás na něco zeptat."

„Tak to se budete muset objednat. Zavolat předem."

„Neznám číslo. Nejste v seznamu."

„Tak pošlete dopis."

„Neznám poštovní adresu."

„Heleďte, tak přijďte zítra a zazvoňte na zvonek."

„Žádný tady není!" vykřikl pan Berger a hlas mu samým rozhořčením přeskočil o oktávu výš. Naposledy zatáhl za kabelu a vytrhl ji starci z ruky. Ten zůstal stát s utrženým držadlem.

„Vy mezuláne!" ucedil. Zarmouceně se podíval na brašnu, kterou si pan Berger tiskl na prsa. „Tak snad abyste šel radši dál, ale ne že mě budete zdržovat dlouho. Mám spoustu práce."

O krok ustoupil, aby mohl pan Berger vejít. Ten však pocítil jisté znepokojení, byť se konečně dočkal vytoužené příležitosti. V chodbách Caxtonovy knihovny panovalo ponuré příšeří, a kdoví co tam mohlo čekat? Vydával se na pospas člověku, který mohl být klidně šílenec, místo štítu jen zcizenou cestovní brašnu. Až sem ho však zavedlo jeho pátrání a palčivé otázky, bez jejichž zodpovězení nenalezne klid mysli. A tak svíraje brašnu jak děťátko v povijanu vešel do knihovny.

9

Rozsvítilo se. Lustry byly zaprášené a vrhaly matné žlutavé světlo, přesto odhalily řady polic ubíhající do dálky a s nimi i onen zvláštní odér příznačný pro místnosti, kde stárnou knížky jako víno. Nalevo stál dubový pult a za ním kukaně s papíry, jichž se očividně dlouhá léta nikdo nedotkl, neboť vše pokrývala tenká vrstva prachu. Za pultem byly též otevřené dveře, kterými pan Berger nahlédl do obývacího pokoje s televizorem a ložnicí vedle, soudě dle kusu čela postele, který byl vidět dveřmi.

Stařík si sundal klobouk a kabát a šálu a pověsil je na háček na dveřích. Pod tím měl tmavý oblek značného stáří, bílou košili a velmi širokou kravatu s šedými a bílými pruhy. Vypadal upraveně, byť trošku omšele. Trpělivě čekal, až se pan Berger vyjádří, což jmenovaný ochotně udělal.

„Podívejte," spustil pan Berger, „tomu nemůžu uvěřit. Jednoduše nemůžu."

„Nemůžete uvěřit čemu?"

„Ženským, co skáčou pod vlaky a pak se vracejí a zkoušejí to znovu. To prostě nejde. Říkám to jasně?"

Stařík se zamračil. Zakroutil si na jedné straně knír a povzdychl si.

„Můžu dostat zpátky svou tašku?" zeptal se.

Pan Berger mu ji podal a starý pán zašel za pult, donesl tašku do obývacího pokoje a zase se vrátil. Pan Berger si mezitím jako správný knihomol začal se zaujetím prohlížet knihy v řadě na nejbližší polici. Byly srovnané podle abecedy a pan Berger stál zrovínka u písmene „D". Hleděl na neúplnou sbírku Dickensových děl, zjevně sestávající z toho nejlepšího. *Náš společný přítel* podezřele chyběl, avšak *Oliver Twist* na polici své místo měl, stejně jako *David Copperfield*, *Příběh dvou měst*, *Kronika Pickwickova klubu* a pár dalších. Zdálo se, že jde o samá stará vydání. Pan Berger vzal do ruky *Olivera Twista* a pozorně si svazek prohlédl. Byl vázaný v hnědých plátěných deskách se zlacenými písmeny a značkou nakladatele vyraženou na patě hřbetu. Jako autor díla byl uvedený „Boz", ne Charles Dickens, což ukazovalo na jedno z prvních vydání, jak potvrdilo i jméno nakladatele a rok vydání: Richard Bentley, Londýn, 1838. Pan Berger držel v ruce první vydání románu.

„Prosím, buďte opatrný," ozval se stařík, který postával nervózně opodál, ale pan Berger už mezitím *Olivera Twista* vrátil a nyní si prohlížel *Příběh dvou měst*, svůj asi nejoblíbenější román od Dickense: nakladatelé Chapman & Hall, 1859, původní červené plátno. Šlo o další první vydání.

Největší překvapení mu však uchystala *Kronika Pickwickova klubu*. Svazek byl velmi tlustý a kromě tištěné verze obsahoval i rukopis. Pan Berger věděl, že většinu Dickensových rukopisů uchovává Viktoriino a Albertovo muzeum jako součást Forsterovy sbírky, vždyť je sám viděl, když je naposledy zpřístupnili veřejnosti. Zbytek odpočíval v depozitářích Britské knihovny, muzea Wisbech a Morganovy knihovny v New Yorku. Fragmenty *Kroniky Pickwickova klubu* se nalézaly ve sbírce Newyorské veřejné knihovny, nicméně kompletní rukopis knihy nikde neměli, alespoň pokud bylo panu Bergerovi známo.

Nikde s výjimkou Caxtonovy soukromé knihovny & knižního depozitáře v Glossomu v Anglii.

„To je –?" vyhrkl pan Berger. „Je to vůbec možné –?"

Stařík vzal něžně svazek z páně Bergerových rukou a vrátil jej zpátky na polici.

„Vskutku je," přikývl starý muž.

Hleděl nyní na pana Bergera jaksi pozorněji než prve, jako by jej zjevná náklonnost hosta ke knihám přiměla přehodnotit jeho charakter.

„Je v dobré společnosti," pravil.

Pokynul rozmáchle k řadám polic. Ubíhaly do tmy, neboť žlutavé světlo žárovek nedosahovalo do nejzazších koutů knihovny. Kromě polic byly napravo i nalevo řady dveří. Byly vsazené do obvodových zdí, ale při obhlídce budovy zvenčí pan Berger na žádné dveře nenarazil. Jistě, mohly být zazděné, ale ani tomu nic nenasvědčovalo.

„To všechno jsou první vydání?" zeptal se.

„První vydání nebo kopie rukopisů. Pro naše účely jsou ovšem první vydání zcela dostačující. Rukopisy jsou spíš takový bonus."

„Rád bych se podíval, jestli dovolíte," prohlásil pan Berger. „Na nic nebudu sahat, nebudu už je brát do ruky. Jen bych je rád viděl."

„Snad později," na to starý pán. „Pořád jste mi neřekl, proč jste přišel."

Pan Berger naprázdno polkl. Od nešťastné rozmluvy s inspektorem Carswellem s nikým o svém setkání s dámou na kolejích nemluvil.

„Nuže," nadechl se, „viděl jsem ženu spáchat sebevraždu; skočila pod vlak. A pak, o nějaký čas později, jsem ji viděl, jak se o totéž pokouší znovu; to už jsem jí v tom ale zabránil. Myslel jsem, že šla sem. Vlastně jsem si téměř jistý, že skončila tady."

„To je neobvyklé," poznamenal stařík.

„To jsem si také říkal," odvětil pan Berger.

„A máte nějaké tušení, kdo by ta žena mohla být?"

„Jistý si nejsem," povídá pan Berger.

„A troufáte si to odhadnout?"

„Bude to působit divně."

„Nepochybně."

„Možná mě budete mít za blázna."

„Drahý příteli, sotva se známe. S takovými soudy bych s dovolením počkal, až bychom se lépe poznali."

To považoval pan Berger za rozumné. Došel až sem: snad aby dokončil, co začal.

„Připadalo mi, že by to mohla být Anna Kareninová. Nebo její duch, i když na ducha vypadala trochu moc živě," dodal chvatně pan Berger ve snaze to na poslední chvíli zachránit.

„Nebyl to duch," prohlásil starý pán.

„Ne, také tomu nevěřím. Byla tak očividně hmatatelná. Asi mi teď povíte, že to nebyla ani Anna Kareninová, viďte?"

Stařík si opět zakroutil knír. V obličeji se mu chvilku zračil vnitřní boj.

„Ne," promluvil nakonec, „svědomí mi nedovolí popřít, že to Anna Kareninová opravdu byla."

Pan Berger se naklonil blíž a nápadně ztišil hlas. „Nějaká bláznivka, že ano? Žena, co si o sobě myslí, že je Anna Kareninová...?"

„Ne, ne. To vy si o ní *myslíte*, že je Anna Kareninová, ale ona *ví*, že *je* Anna Kareninová."

„Co?" vyhrkl pan Berger, lehce vykolejený staříkovou odpovědí. „Chcete říct, že je to Anna Kareninová? Ale Anna Kareninová je přece literární postava z Tolstého knihy. Není doopravdy skutečná."

„Ale sám jste právě řekl, že je."

„Ne, řekl jsem, že ta žena na kolejích byla očividně hmatatelná."

„A že jste myslel, že by to mohla být Anna Kareninová."

„Ano, ale snad chápete, že něco takového si člověk pomyslí jen v duchu, a nahlas to přinejlepším předloží jako hypotetickou možnost, ovšem v naději, že se dobere jaksi racionálnějšího vysvětlení."

„Ale žádné racionálnější vysvětlení neexistuje, nebo snad ano?"

„Mohlo by," hlesl pan Berger. „Jenom mě právě teď žádné nenapadá."

Panu Bergerovi se zatočila hlava.

„Dáte si šálek čaje?" zeptal se starý pán.

„Ano," přijal pan Berger s povděkem, „myslím, že ano."

10

Seděli v obývacím pokoji starého pána, pili čaj z porcelánových šálků a jedli ovocný koláč, který měl stařík uložený v plechové dóze. V krbu hořel oheň, v rohu plála lampa. Stěny zdobily olejomalby a akvarely, všechno samé krásné a velmi staré kusy. Styl mnoha z nich byl panu Bergerovi povědomý. Ruku do ohně by za to nedal, ale byl si skoro jist, že mezi nimi zahlédl alespoň jednoho Turnera, jednoho Constablea a dva Romneye, portrét a krajinku.

Stařík se mu představil jako pan Gedeon. Knihovníka Caxtonovy knihovny dělal už více než čtyřicet let. Jeho práce spočívala v tom „udržovat a v případě potřeby rozšiřovat sbírku; provádět restaurátorské práce na knihách, které to vyžadují; a samozřejmě starat se o postavy“, svěřoval se panu Bergerovi.

Právě při onom posledním sdělení se pan Berger zakuckal.

„O postavy?“ zopakoval.

„O postavy,“ přitakal pan Gedeon.

„O jaké postavy?“

„O postavy z románů.“

„To jako myslíte, že jsou živé?“

Pan Berger se začínal obávat nejen o svůj zdravý rozum, ale i o páně Gedeonův. Měl pocit, jako by se ocitl v nějaké podivuhodné knihomolské noční můře. Nepřestával doufat, že se znenadání probudí doma s bolestí hlavy a zjistí, že se nedopatřením nadýchal lepidla z knížek.

„Jednu z nich jste viděl,“ navázal pan Gedeon.

„Inu, někoho jsem viděl,“ zdráhal se pan Berger. „Víte, ale když jsem na večírku viděl muže převlečeného za Napoleona, také jsem neodcházel domů s tím, že jsem potkal Napoleona.“

„Napoleona nemáme,“ prohlásil pan Gedeon.

„Ne?“

„Ne. Tady u nás jsou pouze smyšlené postavy. I když musím přiznat, že se Shakespearem je to trochu složitější. Způsobilo to už nejeden problém.

Žádná přísná a nekompromisní pravidla neplatí. Kdyby to tak bylo, celý tenhle podnik by se spravoval o dost lépe. Jenže ani literatura není svázaná pravidly, že ano? Považte, jaká by to byla nuda!“

Pan Berger nahlédl do svého šálku, jako by čekal, že z uspořádání čajových lístků na dně vyčte pravou podstatu věcí. Jelikož ji nevyčetl, odložil šálek, spráskl ruce a odevzdal se tomu, co mělo přijít.

„Dobrá tedy,“ řekl. „Povězte mi o postavách...“

Všechno to mělo co dělat s veřejností, povídal pan Gedeon. V určitém okamžiku se některé postavy staly pro čtenáře tak známými – ještě ke všemu pro spoustu čtenářů –, že začaly žít vlastním životem mimo stránky knih.

„Dejme tomu takový Oliver Twist,“ říkal pan Gedeon. „Olivera Twista zná víc lidí, než kolik jich ve skutečnosti četlo knížku, které dal jméno. Totéž platí pro Romea a Julii, Robinsona Crusoea a Dona Quijota. Při zmínce jejich jmen první průměrně vzdělaný člověk, kterého potkáte na ulici, vám dokáže – aniž by ta díla četl – říct, že Romeo s Julií byli nešťastní milenci, Robinson Crusoe že ztroskotal na pustém ostrově a Don Quijote že měl nějaké nesnáze s větrnými mlýny. Podobně vám takový člověk řekne, že Macbeth sám sebe uvrhl do záhuby, že Ebenezer Scrooge dostal, co mu patřilo, a že d’Artagnan, Athos, Aramis a Porthos byli mušketýři.

Jistě, počet postav, které vejdou v tak širokou známost, je omezený. Tady se ocitají tak nějak přirozeně. Divil byste se, kolik lidí zná Tristrama Shandyho nebo Toma Jonese či Jaye Gatsbyho. Ale abych byl upřímný, nejsem si jistý, kde přesně se to láme. Vím jenom to, že v jistém okamžiku se postavy natolik proslaví, že se zhmotní a začnou existovat – a když se tak stane, objeví se v Caxtonově soukromé knihovně & knižním depozitáři nebo někde poblíž. Děje se to už od chvíle, co starý pan Caxton krátce před svou smrtí v roce 1492 založil první depozitář. Podle zdejších análů to udělal, poté co v roce 1477 zaklepali u jeho dveří někteří Chaucerovi poutníci.“

„Někteří?“ podivil se pan Berger. „Ne všichni?“

„Nikdo si nepamatuje všechny,“ opáčil pan Gedeon. „Na Caxtonově dvorku postávali Mlynář se Správcem, Rytířem, Jeptiškou a Bodrou ženou od Bath a všelijak se dohadovali. Jakmile starý Caxton pochopil, že to nejsou ani herci, ani šílenci, došlo mu, že je třeba poskytnout jim nějaké útočiště. Nechtěl, aby ho nařkli z čarodějnictví nebo z jiného podobného nesmyslu, a že měl nepřátele: tam, kde jsou knížky, najdou se vedle jejich milovníků i ti, kdo je nenávidí.

Tak tedy starý Caxton našel v zemi dům, a ten sloužil rovněž jako knihovna, kam uložil část své sbírky. Vymyslel dokonce i způsob, z čeho platit provoz knihovny, až zemře. Stejným způsobem se financuje dodnes. V kostce se to má tak, že si připíšeme, co se zaokrouhlí na cenách knih a honorářích autorů. A tyhle vejškrabky živí Nadaci."

„Nevím, jestli vám rozumím," hlesl pan Berger.

„Je to prosté, namouduši. Hlavní roli hrají půlpence, zlomky centů anebo lir, záleží, o jakou se jedná měnu. Má-li se autorovi vyplatit honorář – dejme tomu – ve výši devíti liber, deseti šilinků a šesti a půl pence; půlpence se zaokrouhlí a putuje k nám. Podobné je to i tehdy, když nějaká obchodní společnost dluží nakladateli sedmnáct liber, osm šilinků a sedm a půl pence – nakladatel si naúčtuje osm pencí; a půlpence jde za námi. Uplatňuje se to v celém knižním obchodě, dokonce i při prodeji v knihkupectvích. Někdy z toho pro nás vypadne jen zlomek penny, ale když si vezmete, že se to dělá všude na světě, a všechny ty drobečky sečtete, na provoz Nadace, údržbu knihovny a ubytování postav to bohatě postačuje. Je to tak zažitý systém, že už o něm dnes ani nikdo neví."

Panu Bergerovi to nešlo do hlavy. Při vedení Seznamů dlužníků by takový finanční šlendrián nestrpěl. Dávalo to nicméně smysl.

„A co je to ta Nadace?"

„No ovšem, Nadace... To už je dnes jen takové označení, které se vžilo. Ve skutečnosti dávno nefunguje, správní rada dávno nezasedá. Víte, prakticky vzato, tohle je Nadace. Já jsem Nadace. A až odejdu na odpočinek, stane se Nadací další knihovník. Není s tím moc práce. Ani nemusím vystavovat šeky."

Přestože finanční zajištění chodu knihovny bralo dech, pana Bergera daleko více zajímaly již zmíněné postavy.

„A jak je to s postavami knižních sérií?" zajímal se. „Co třeba takový Sherlock Holmes? Předpokládám, že ho tu taky někde máte, ne?"

„Samozřejmě," odpověděl pan Gedeon. „Dali jsme ho do pokoje číslo 221 B, aby se tu cítil jako doma. Doktor Watson bydlí hned vedle. V jejich případě obdržela knihovna celou sbírku prvních vydání kanonických děl."

„Máte na mysli původní díla Conana Doylea, že?"

„Ano. Nic po smrti Conana Doylea, tedy po roce 1930, se totiž nepočítá. To platí pro všechny kultovní postavy. Jakmile zemře tvůrce, přestane se psát jejich příběh – tedy alespoň pro nás. Knihy jiných autorů, kteří použili stejnou postavu, sem nepatří. Jinak by se to nedalo zvládnout. Netřeba podotýkat, že se tu objeví, až když jejich tvůrci zemřou. Do té doby se pořád můžou změnit."

„Těžko se mi to chápe," hlesl pan Berger.

„Drahý chlapče," naklonil se k němu pan Gedeon a chlácholivě jej poplácal po paži, „nemyslete si, že jste první. Když jsem sem přišel já, cítil jsem se úplně stejně."

„Jak jste se sem dostal?"

„Na zastávce autobusu číslo 48 B jsem potkal Hamleta," odpověděl pan Gedeon suše. „Stál tam pěkně dlouho, chudák. Ujelo asi osm autobusů, a ani do jednoho nenastoupil. Nejspíš se to dalo čekat, řekl bych. Má nerozhodnost v povaze."

„No, a co jste udělal vy?"

„Dal jsem se s ním do řeči; s těmi jeho monology to chce ale vážně trpělivost. Když o tom tak zpětně přemýšlím, vlastně nechápu, proč jsem tehdy nezavolal na policii a neoznámil, že jsem na zastávce autobusu 48 B potkal duševně narušeného člověka přesvědčeného, že je Hamlet. Vždycky jsem miloval Shakespeara, víte, a ten muž na zastávce mi úplně učaroval. Poté, co domluvil, jsem už nepochyboval. Vzal jsem ho sem a svěřil do péče tehdejšího knihovníka. To byl starý Headley, můj předchůdce. Vypil jsem s ním šálek čaje, podobně jako teď s vámi, a tak to začalo. Když odešel Headley do penze, nastoupil jsem na jeho místo. Bylo to jednoduché."

Panu Bergerovi to nepřipadalo jednoduché ani za mák. Naopak, jevilo se mu to složité jako zákony vesmíru.

„Směl bych –?" nadechl se pan Berger, ale pak se zarazil. Přišlo mu krajně neobvyklé žádat o to, oč chtěl právě požádat. Zmocnila se ho nejistota.

„– je vidět?" dokončil pan Gedeon za něj. „Beze všeho! Raději si ale vezměte kabát. Vzadu je krapet chladno."

Pan Berger poslechl. Vklouzl do kabátu a následoval pana Gedeona chodbičkami mezi knihami. Cestou přeskakoval očima z titulu na titul. Chtěl si na ty knihy sáhnout, vzít je do ruky a pohladit jako kočku, ale ovládl se. Vždyť mluvil-li pan Gedeon pravdu, čekalo ho daleko pozoruhodnější setkání se světem knížek.

11

Nakonec se to ukázalo poněkud nudnější, než pan Berger očekával. Každá z postav obývala malé, ale útulné apartmá zařízené v dobovém stylu a v duchu své povahy a potřeb. Pan Gedeon mu vysvětlil, že „ubytovna" není uspořádaná ani podle autorů, ani podle historických epoch, takže neexistovalo nic jako Dickensovo či Shakespearovo křídlo.

„Kdysi jsme to zkoušeli, ale nedělalo to dobrotu," vyprávěl pan Gedeon. „Ba co hůř, způsobovalo to značné problémy a občas i ostré šarvátky. Postavy mají pro tyhle věci obvykle cit a já je nechávám, ať si samy vyberou pokoj, kde se jim líbí."

Minuli číslo 221 B, kde se Sherlock Holmes nehnutě oddával drogovému opojení, zatímco opodál Tom Jones prováděl cosi nevýslovného s Fanny Hillovou. Pak tu byl zasněný Heathcliff a Fagin s provazem kolem krku, většina postav však podobně jako zvířata v zoo podřimovala.

„To dělají často," poznamenal pan Gedeon. „Viděl jsem některé z nich prospat roky, dokonce desetiletí. Hlad nemívají, i když občas jedí, aby to neměli tak monotónní. Asi síla zvyku, řekl bych. Víno se jim snažíme nedávat. Často po něm tropí výtržnosti."

„Ale vědí, že jsou smyšlené postavy, ne?" zeptal se pan Berger.

„Ovšem. Někteří to nesou lépe, jiní hůře; všichni se nicméně snaží smířit se s tím, že jejich život napsal někdo jiný a že jejich vzpomínky jsou výplod literární invence, i když – jak jsem se už zmínil – u postav vzniklých na skutečném historickém základě se nám to krapítek komplikuje."

„Ale říkal jste, že u vás skončí jen vymyšlené postavy," namítl pan Berger.

„Je to tak, taková jsou pravidla, ale po pravdě, některé historické postavy se stanou skutečnými až dík své literární podobě. Vezměte si třeba Richarda III. Většina toho, co o něm lidé vědí, pochází ze Shakespearovy hry a z tudorovské propagandy, no a *tenhle* Richard III. vlastně *je* vymyšlená postava. Z pohledu veřejnosti je to ale Richard III., skutečnější než jakýkoli výplod pozdější revize dějin. To je ale spíš výjimka potvrzující pravidlo: málo historických postav překročí tuhle hranici. Díkybohu, protože jinak by to tady praskalo ve švech."

O otázce prostoru chtěl pan Berger s knihovníkem již nějakou chvíli mluvit, a nyní podle všeho přišla příležitost.

„Všiml jsem si, že budova je zevnitř podstatně větší než při pohledu zvenku," nadhodil.

„To je skutečně zvláštní," prohlásil pan Gedeon. „Jako by nezáleželo na tom, jak vypadá budova zvenčí: jako by si postavy, když sem přijdou, s sebou přinesly svůj vlastní prostor. Často jsem se v duchu ptal, jak je to možné, a myslím, že jsem i našel vysvětlení. Je to přirozený důsledek toho, že jakákoli knihovna či knihkupectví mají schopnost pojímat celé světy, celé vesmíry, zkrátka vše ukryté na stránkách knížek. V tomto směru jsou každá knihovna či obchod s knihami vlastně nekonečné. Caxtonova je toho důkazem."

Minuli dvě přezdobené a od pohledu ponuré místnosti. V jedné seděl muž s popelavým obličejem a četl knihu, nezvykle dlouhé nehty vsunuté mezi stránky. Ohlédl se za dvojicí a vycenil přerostlé špičáky.

„Hrabě," špitl pan Gedeon úzkostlivě. „Být vámi, přidal bych do kroku."

„Máte na mysli Stokerova Hraběte?" zeptal se pan Berger a spadla mu brada. Oči Hraběte byly zarudlé a celá jeho bytost vyzařovala neodolatelnou přitažlivost. Pan Berger úplně cítil, jak ho nohy samy nesou do jeho komnat; Hrabě dokonce odložil knihu a chystal se jej uvítat.

Pan Gedeon uchopil pana Bergera za pravou paži a vtáhl jej zpátky do chodby.

„Říkal jsem vám, abyste přidal do kroku," ucedil. „S Hrabětem není radno trávit delší čas. Je nepředvídatelný, tenhle Hrabě. Bude vám vykládat, že upířinu pověsil na hřebík, ale osobně bych mu nevěřil ani nos mezi očima."

„Ale ven se nedostane, že ne?" chtěl vědět pan Berger, který už začal zvažovat, jestli náhodou on nepověsí na hřebík večerní procházky.

„Ne, vztahují se na něj zvláštní opatření. Knihy tady toho druhu uchováváme za mřížemi, což kdovíproč působí stejně i na postavy."

„Ale některé chodí ven," připomněl pan Berger. „Vy jste potkal Hamleta, já zas Annu Kareninovou."

„Ano, ale je to skutečně nanejvýš neobvyklé. Protože po většinu času se postavy ocitají v jakési zvláštní strnulosti. Hádám, že řada z nich zkrátka zavře oči a v duchu si přehrává celý svůj literární život, pořád dokola. Přesto se tu koná vážně napínavý turnaj v bridži a na Vánoce je vždycky pantomima, a u té se také náramně pobavíme."

„A jak se dostanou ven – tedy ty, co ven chodí?"

Pan Gedeon pokrčil rameny. „Nevím. Zamykám to tady a málokdy bývám pryč. Teď jsem si vzal pár dní volna, abych navštívil bratra v Bootlu, ale v součtu neopouštím knihovnu ročně víc než na měsíc. Proč také? Mám tu spoustu knih ke čtení a můžu si povídat s postavami. Můžu objevovat celé světy, to všechno pod jednou střechou."

Nakonec došli k jakýmsi zavřeným dveřím. Pan Gedeon na ně tiše zaklepal.

„*Oui?*" ozval se ženský hlas.

„*Madame, vous avez un visiteur,*" oznámil pan Gedeon.

„*Bien. Entrez, s'il vous plaît.*"

Pan Gedeon otevřel dveře a za nimi stála žena, kterou pan Berger viděl skočit pod vlak a jejíž život následně zachránil, alespoň měl ten pocit. Na sobě měla prosté černé šaty, nejspíš tytéž, kterým se v románu tolik obdivuje mladičká Kitty. Kudrnaté vlasy měla neposedně střapaté a na pevném krku jí visela šňůra perel. Zdálo se, že je překvapená, že pana Bergera vidí; neuniklo mu, že ho poznala.

Jeho francouzština byla přinejlepším lámaná, ale něco z paměti přece jen vydoloval.

„*Madame, je m'appelle Monsieur Berger, et je suis enchanté de vous recountrer.*"

„*Non,*" řekla Anna po chvilce, „*tout le plaisir est pour moi, Monsieur Berger. Vous vous assiérez, s'il vous plaît.*"

Posadil se a začala zdvořilá konverzace. Pan Berger co možná nejšetrněji předestřel, že se stal svědkem jejího skoku pod vlak, a to že jej vyděsilo. Anna se zatvářila velmi rozrušeně a hluboce se mu omlouvala za nesnáze, které mu snad přivodila, avšak pan Berger nad tím mávl rukou, že to byla maličkost, a zdůraznil, že si dělal starosti spíše o ni nežli o sebe. Pak řekl, že při druhém pokusu – je-li ovšem pokus správné slovo, když se jí to hned napoprvé povedlo – přirozeně cítil jako svou povinnost zasáhnout.

Počáteční zdráhavost je zvolna opouštěla a hovor příjemně plynul. Pan Gedeon přinesl v jedné chvíli čaj a další koláče, ale takřka si ho nevšimli. Pan Berger pozoroval, že se mu franština vrací, Anna však po létech strávených v knihovně ovládala vcelku dobře i angličtinu. Povídali si dlouho do noci, až pan Berger uviděl, kolik je hodin, a omluvil se, že Annu tak dlouho zdržel. Ujistila ho, že se v jeho společnosti cítila dobře a že beztak skoro nespí. Políbil jí ruku a prosil o dovolení smět přijít nazítří zas. Ochotně souhlasila.

Cestu zpátky našel pan Berger bez větších obtíží, vyjma toho, že se mu Fagin pokusil štípnout peněženku, což ten starý ničema udělal zkrátka a dobře ze zvyku. Pan Gedeon podřimoval v křesle. S citem ho probudil a starý knihovník ho šel vyprovodit.

„Kdyby vám to nevadilo," řekl pan Berger mezi dveřmi, „velmi rád bych se tu zítra opět zastavil, na kus řeči s Annou, jestli to však není příliš nevhodné."

„Není to vůbec nevhodné," ubezpečil ho pan Gedeon. „Zaklepejte na okno. Budu vás čekat."

S těmi slovy za ním zavřel dveře a pan Berger – zmatený, ale současně povznesený jako nikdy v životě – se vrátil do svého domku a usnul hlubokým spánkem beze snů.

12

Druhý den ráno se umyl a nasnídal a už spěchal do Caxtonovy knihovny. Cestou nakoupil v místním pekařství, aby doplnil vyjedené zásoby páně Gedeona, a z domova vzal sbírku ruské poezie v překladu, který měl nesmírně rád – chtěl ji darovat Anně. Když se ujistil, že ho nikdo nesleduje, odbočil do uličky vedoucí ke knihovně a tam zaklepal na okno. Na okamžik se ho zmocnily obavy, že pan Gedeon přes noc celou knihovnu přestěhoval – knihy, postavy, všechno – ze strachu, že když pan Berger odhalil pravou podstatu knihovny, mohl by jim způsobit potíže. Starý pán však na zaklepání přišel otevřít a byl podle všeho velmi rád, že pana Bergera vidí.

„Dáte si čaj?" zeptal se pan Gedeon a pan Berger souhlasil, byť měl už šálek k snídani a nemohl se dočkat, až zase uvidí Annu. Chtěl se nicméně pana Gedeona ještě na něco zeptat, zvlášť v souvislosti s onou dámou.

„Proč to dělá?" vyhrkl, sotva postavil mezi sebe a pana Gedeona talíř s jablečným koláčem.

„Dělá co?" nechápal pan Gedeon. „Ach tak, vy myslíte, proč skáče pod vlak?"

Sebral drobeček z vestičky a položil ho na talíř.

„Tak předně, rád bych poznamenal, že to nedělá nijak pravidelně," spustil pan Gedeon. „Za ty roky, co jsem tady, to neudělala víc než desetkrát. Pravda, v poslední době se to stává častěji; mluvil jsem s ní o tom ve snaze jí pomoct, ale podle všeho ani sama neví, co ji vede k tomu prožívat svůj nešťastný konec zas a znovu. Můžu vám k tomu říct jen to, co si myslím, a to je tohle: román se jmenuje podle ní, přičemž její život je tak tragický a její osud tak strašlivý, že se možná vtiskl do paměti čtenářů i jí samé až příliš hluboko a příliš živě. Je to tím, jak dobře je napsaná. Je to tou knihou. Knihy mají moc. To už snad nyní chápete. Proto tak úzkostlivě schraňujeme první vydání. Mezi nimi a mezi postavami, které sem k nám přijdou, existuje pojítko."

Zavrtěl se a sevřel rty.

„S něčím se vám svěřím, pane Bergere, s něčím, s čím jsem se ještě nikomu nesvěřil," prohlásil znenadání. „Před léty nám sem začalo zatékat dírou ve střeše. Nebyla nijak velká, ale i malá stačí, co si budeme povídat, viďte? Když voda pomalu kape, hodiny a hodiny, může napáchat velkou škodu. Objevil jsem to až po čase. Vrátil jsem se tehdy z biografu v Morehamu a uviděl, co se stalo. Totiž, krátce před tím jsem si dal stranou rukopisy *Alenky v říši divů* a *Bílé velryby*."

„*Bílé velryby*?" zarazil se pan Berger. „Netušil jsem, že se dochoval rukopis..."

„Ano, a je krapet neobvyklý," připustil pan Gedeon. „Odvíjí se to od zmatků mezi prvním americkým a prvním britským vydáním. Americké vydání nakladatelství Harper & Brothers vychází z rukopisu, zatímco britské vydání nakladatelství Bentley's je dělané podle amerických náhledů, a je mezi nimi asi šest set rozdílů ve formulaci. Jenže když Melville v roce 1851 pracoval na britském vydání, na tom podle náhledů – jejichž vysázení a vytištění si sám zaplatil, ještě než americký nakladatel podepsal smlouvu –, dopisoval ještě některé závěrečné části knihy a nadto přepsal pár pasáží, které už v Americe byly v tisku. Takže je otázka: kterou verzi by knihovna měla archivovat – americkou, vycházející z původního rukopisu, nebo britskou, která se nezakládá na rukopisu, ale na pozdějších přepisech? Nadace se rozhodla archivovat britské vydání a ještě k němu – pro jistotu – přiložit rukopis. Když se v knihovně objevil kapitán Achab, dorazila obě vydání."

„A rukopis *Alenky v říši divů*? Měl jsem za to, že je ve sbírkách Britského muzea."

„To se muselo věru chytře zaonačit," poznamenal pan Gedeon záhadně. „Možná si vybavíte, že původní devadesátistránkový rukopis věnoval reverend Dodgson Alici Lidellové, jenže ta byla nucena jej prodat, aby zaplatila náklady na pohřeb manžela, když v roce 1928 zemřel. Rukopis se dražil v aukční síni Sotheby's za vyvolávací cenu čtyři tisíce. Prodal se samozřejmě za čtyřnásobek, a sice jistému americkému zájemci. V tomto okamžiku se do věci vložila Nadace a nahradila originál rukopisu podobným opisem, a ten putoval do Spojených států."

„Takže Britské muzeum má padělek?"

„Ne padělek, ale pozdější opis, pořízený vlastnoručně Dodgsonem – na prosbu prostředníka Nadace. Nadace tehdy myslela dopředu; já se snažím ctít tuto tradici. Vždycky dávám pozor, jaká kniha nebo postava by se mohly významně proslavit.

Takže... Nadaci velmi záleželo na tom, aby získala původní rukopis *Alenky*: pochopte, je v něm spousta kultovních postav a navíc obsahuje ilustrace. Je to velmi mocný rukopis.

Ale to odbočuji. Šlo o to, že oba rukopisy potřebovaly jistou údržbu – opatrně očistit, zbavit prachu a dalších nánosů za pomoci speciální polyesterové fólie. Když jsem se vrátil do knihovny, málem jsem se rozplakal. Na rukopisy dopadlo pár kapek vody prosakující stropem: jen pár kapiček, nic víc, ale bohužel dost na to, aby se inkoust z *Bílé velryby* propil na jednu stránku rukopisu *Alenky*."

„A co se stalo?" zajímal se pan Berger.

„Na jeden den byla ve všech existujících výtiscích *Alenky* na čajovém dýchánku potrhlého Kloboučníka velryba," přiznal s vážnou tváří pan Gedeon.

„Cože? Na to si nevzpomínám."

„Nikdo si na to nevzpomíná, jen já. Trvalo mi celý den, než jsem tu stránku vyčistil a zbavil posledních stop Melvilleova inkoustu. *Alenka v říši divů* byla zase jako dřív, ale na ten jediný den se v každém vydání – a ve všech kritických komentářích – objevila na čajovém dýchánku bílá velryba."

„Potěš pánbůh! Takže knihy se mohou změnit?"

„Jen výtisky uložené ve sbírkách naší knihovny, a ty pak ovlivní všechny další. Tohle není jen knihovna, pane Bergere: je to *pra*knihovna. Má to co dělat s tím, jak vzácné jsou knihy ve zdejších sbírkách, a také s jejich propojením na postavy. Proto s nimi zacházíme tak opatrně. Musíme. Žádná kniha není neměnná. Každý čtenář čte knihu jinak a každá jinak působí na každého jednoho čtenáře. Knihy tady uložené jsou nicméně zvláštní. Jsou to ty, podle kterých vznikala další vydání. Povím vám, pane Bergere, že neuplyne den, aby mě tady něco nepřekvapilo – taková je pravda."

Pan Berger však už neposlouchal. Znovu myslel na Annu a na hrůzu jejích posledních okamžiků, na přijíždějící vlak, na její strach a bolest a na to, že je nejspíš odsouzená k tomu prožívat je znovu a znovu, protože kniha nesoucí její jméno má tak silnou moc.

Obsah knihy však nebyl jednou provždy pevně daný. Umožňoval nejen různé výklady, ale i skutečnou změnu.

Osud se dal změnit.

13

Pan Berger nezačal jednat hned. Nikdy se nepovažoval za mazaného lišáka a upřímně se snažil sám sobě namluvit, že důvěru pana Gedeona chce získat hlavně proto, že je rád v jeho společnosti a současně že je uchvácen Caxtonovou knihovnou... že pravým důvodem rozhodně není touha zachránit Annu Kareninovou před dalšími fatálními střety s lokomotivou.

Nakonec na tom bylo zrnko pravdy. Pan Berger skutečně rád pobýval v páně Gedeonově společnosti, neboť knihovník toho věděl spoustu o historii knihovny i o svých předchůdcích. Stejně tak nenajdete knihomola, kterého by neuchvátila sbírka takovéhle knihovny – a každý den strávený na její půdě vynesl na světlo nové poklady, z nichž některé zde skončily, protože byly raritní, a ne proto, že se k nim vázala nějaká konkrétní postava. Byly tu komentované rukopisy z dob zrodu knihtisku, včetně básnických děl Donnea, Marvella a Spensera; ne pouze jedno, nýbrž hned dvě vydání *Prvního Folia* Shakespearových her. Jedno patřilo samotnému rytíři Edwardovi, principálovi divadelního spolku King's Men a předpokládanému korektorovi rukopisů, z nichž *Folio* vzniklo. Obsahovalo ručně zanesené opravy chyb, jež se do výtisku vloudily – *Folio* totiž ještě za tisku procházelo korekturami a jednotlivé výtisky se od sebe lišily. Dalším pokladem byl soubor ručně psaných poznámek k nedokončeným kapitolám *Tajemství Edwina Drooda*, jež pan Berger přisoudil samotnému Dickensovi.

Poslední zmiňovaný artefakt objevil v neevidované složce obsahující též zahozenou verzi závěrečných kapitol *Velkého Gatsbyho* F. Scotta Fitzgeralda, v nichž za volantem automobilu, který přejede nevěrnou Myrtle, sedí Gatsby, nikoli Daisy. Gatsbyho zahlédl pan Berger letmo cestou na návštěvu Anny Kareninové. Jako zázrakem – typickým pro Caxtonovu knihovnu – měl Gatsby byt vybavený bazénem s luxusním altánem, třebas hladinu bazénu poněkud hyzdila vyfouknutá krví zbrocená matrace.

Pohled na Gatsbyho – sympatického, avšak zdrceného – a objevení druhé verze závěru knihy, jíž podobně jako Anna propůjčil floutek své jméno, přiměl pana Bergera k úvahám, co by se stalo, kdyby Fitzgerald vydal verzi uloženou v Caxtonově knihovně, a ne tu, která nakonec vyšla a v níž je za volantem automobilu osudové noci Daisy. Změnilo by to Gatsbyho osud? Patrně ne, usoudil: v bazénu by stále plula zkrvavená matrace, Gatsbyho smrt by ovšem vyznívala méně tragicky a vznešeně.

Skutečnost, že vůbec dokázal tímto způsobem uvažovat o koncích, které mohly nastat, ho utvrdila v přesvědčení, že Annin osud lze změnit. A tak se stalo, že začal trávit víc času v oddělení Tolstého děl a obeznamoval se s historií *Anny Kareninové*. Jeho výzkum odhalil, že i tento román – který Dostojevskij i Nabokov shodně popisují jako „bezchybný" – vykazuje jisté nesrovnalosti ohledně prvních vydání. Původně začal vycházet na pokračování v roce 1873 v *Ruském věstníku* a z redakčních poznámek k závěrečné části vyplývá, že poprvé vyšel v úplné podobě až knižně, a sice roku 1878. V knihovně měli jak časopisecké, tak první ruské knižní vydání, jenže znalost ruštiny pana Bergera byla – mírně řečeno – omezená, a tudíž nepovažoval za moudré zahrávat si s knihou v původním jazyce. Usoudil, že pro jeho účely postačí první anglický překlad, vydaný v New Yorku roku 1886 nakladatelstvím Thomas Y. Crowell & Co.

Uplynuly týdny a měsíce a on stále nic nepodnikl. Jednak se bál – nakonec plánoval přepsat jedno z největších děl světové literatury –, jednak se v knihovně neustále vyskytoval pan Gedeon. Ten dosud nesvěřil panu Bergerovi vlastní klíč a neustále na svého hosta dohlížel. Tu si pan Berger začal všímat, že se Anny zmocňuje stále větší neklid. Uprostřed rozhovorů o knihách a hudbě, nebo třeba při mariáši či pokeru najednou ztratila pozornost a začala šeptat jména svých dětí či svého milence. Navíc začala vykazovat nezdravý zájem o jisté jízdní řády vlaků, alespoň pan Berger jej za nezdravý považoval.

Nakonec se mu přece jen naskytla příležitost, na niž čekal. Bratr pana Gedeona v Bootlu vážně onemocněl a vše nasvědčovalo tomu, že brzy zemře. Chtěl-li pan Gedeon ještě naposledy vidět bratra živého, nemohl meškat s odjezdem. Tak tedy po krátkém rozmýšlení svěřil Caxtonovu soukromou knihovnu & knižní depozitář do péče pana Bergera. Nechal mu svazek klíčů a telefonní číslo na švagrovou do Bootlu pro případ nepředvídaných těžkostí a honem odjel, aby chytil poslední večerní vlak na sever.

Pan Berger zůstal v knihovně poprvé sám. Otevřel aktovku, kterou si doma sbalil po naléhavém páně Gedeonově telefonátu, a z aktovky vytáhl láhev brandy a oblíbené plnicí pero. Nalil si pořádnou sklenici vínovice –

větší, než bylo radno, jak doznal později – a vysunul z police Crowellovo vydání *Anny Kareninové*. Položil knihu na stůl pana Gedeona a nalistoval příslušnou pasáž. Dal si hlt brandy, pak ještě jeden a ještě další. Přece jen, chystal se změnit jeden z největších pokladů literatury devatenáctého století, takže se mu něco ostřejšího na posilněnou jevilo jako dobrý nápad.

Podíval se na sklenici. Byla již téměř prázdná. Znovu ji naplnil, znovu si zavdal na kuráž a otevřel pero. Tiše se pomodlil za odpuštění k bohu písemnictví a čtyřmi ráznými tahy škrtl jeden odstavec.

A bylo to.

Ještě jednou se napil. Šlo to snáz, než očekával. Počkal, až inkoust na Crowellově vydání zaschne, a pak knihu vrátil do police. To už byl trochu víc než namazaný. Cestou zpátky ke stolu ho zaujal další titul: *Tess z d'Urbervillů* Thomase Hardyho, první vydání od nakladatelství Osgood, McIlvaine and Co., Londýn, 1891.

Konec *Tess z d'Urbervillů* se panu Bergerovi nikdy nelíbil.

Vytáhl knihu z regálu, strčil si ji do podpaží a už za chvilku vesele vylepšoval kapitoly LVII a LIX. Pracoval celou noc, a když usnul, láhev brandy byla prázdná a kolem něj ležely knížky.

Pravda byla, že se pan Berger nechal krapet unést.

14

V historii Caxtonovy soukromé knihovny & knižního depozitáře se ono krátké mezidobí, jež následovalo po páně Bergerových „vylepšeních" světových románů a divadelních her, označuje jako Období zmatku a plyne z něj jedno zásadní ponaučení – podobných experimentů je třeba se do budoucna vyvarovat.

Pan Gedeon si poprvé všiml, že je něco v nepořádku, když cestou od bratra – který se zázračně zotavil do té míry, že vyhrožoval lékařům žalobou – míjel divadlo Liverpool Playhouse, kde zrovna dávali *Komedii Macbeth*. Promnul si oči, a když to nepomohlo, zapadl do nejbližšího knihkupectví. Tam našel *Komedii Macbeth* opatřenou kritickým komentářem, jenž dílo označoval za „jedno z nejspornějších Shakespearových dramat pozdější éry, vyznačující se nezvyklou směsicí násilí a nemístného humoru, až hraničícího s ranými laciným fraškami".

„Dobrý bože," vyhrkl pan Gedeon. „Co jen to provedl? Přesněji, co ještě provedl?"

Pan Gedeon se pokusil vybavit si romány či hry, k nimž měl pan Berger vážné výhrady. Vzpomněl si, že *Příběh dvou měst* ho vždycky rozplakal. Nahlédl tedy do knihy a zjistil, že Sydney Carton v závěru unikne gilotině, když přiletí letadlem Červený Bedrník a zachrání ho; v poznámce pod čarou stálo uvedeno, že scéna inspirovala pozdější baronku Orczyovou.

„Bože můj," vydechl pan Gedeon.

Pak tady byl Hardy.

Tess z d'Urbervillů nyní končila Tessiným útěkem z vězení, zosnovaným Angelem Clarem a partou demoličních inženýrů, zatímco ve *Starostovi casterbridgeském* bydlel Michael Henchard v růžemi porostlé chaloupce kousek od své čerstvě provdané nevlastní dcery a choval stehlíky. Závěr románu *Neblahý Juda* vypadal tak, že se Juda Fawley vymanil ze spárů Arabelly a přežil poslední zoufalou návštěvu u Sue, podniknutou v mrazu, po níž spolu ti dva utekli do Eastbourne a žili šťastně až do smrti.

„To je hrůza," děsil se pan Gedeon, byť musel přiznat, že závěry pana Bergera se mu zamlouvají víc než ty Thomase Hardyho.

Nakonec se dostal k *Anně Kareninové*. Najít v ní změnu mu trvalo o trochu déle, protože tady nebyla tak nápadná jako jinde: vymazaná pasáž namísto nevkusně přepsaných. Jistě, nepatřilo se to, přesto pan Gedeon chápal páně Bergerovy důvody. Možná, že kdyby pojal k některé z postav svěřených do své péče stejné city, našel by v sobě také odvahu zakročit podobným způsobem. Tolik jich viděl trpět, a to vše z pouhého rozhodnutí bezcitných autorů, jako byl ten ničema Hardy. A ten zdaleka nebyl sám... na prvním místě však zůstávaly knihy. Bylo třeba vše uvést do pořádku, i kdyby počínání pana Bergera bylo sebeoprávněnější.

Pan Gedeon vrátil výtisk *Anny Kareninové* do regálu a spěchal na nádraží.

15

Pan Berger se probudil s děsivou kocovinou. Chvilku mu trvalo, než se rozpomenul, kde vlastně je, nehledě na to, co udělal. Měl sucho v ústech a bolelo ho za krkem a v zádech, jak usnul za stolem pana Gedeona. Připravil si čaj a topinku, které s krajním vypětím udržel v žaludku, a zděšeně se zadíval na hromadu prvních vydání, jež předešlé noci znesvětil. Matně si vzpomínal, že to nebudou zdaleka všechna, protože některé knihy vracel hned zase zpátky do polic – a vesele si u toho prozpěvoval. Kdyby si vybavil všechny tituly, které zprznil, seklo by to s ním. Byl tak zděšený, že neviděl důvod proč zůstávat vzhůru. Tak se schoulil na gauč a doufal, že až otevře oči, svět literatury se sám napraví a bolest hlavy odezní. Jediná změna, které okamžitě nezalitoval, byl zásah do závěru *Anny Kareninové*. Ty tři tahy pera skutečně pramenily z lásky.

Probral se s neodbytným pocitem, že nad ním někdo stojí. Byl to pan Gedeon, v očích směsici hněvu a zklamání se špetkou lítosti.

„Potřebujeme si promluvit, pane Bergere," prohlásil, „a vzhledem k okolnostem by vám asi přišlo vhod menší osvěžení."

Pan Berger se odebral do koupelny, kde si opláchl obličej a horní polovinu těla studenou vodou. Vyčistil si zuby, učesal se a vůbec se vynasnažil vypadat co možná nejvíc k světu. Připadal si jako odsouzenec, který chce udělat dobrý dojem na kata. Po návratu do obývacího pokoje ucítil vůni silné kávy. Čaj by s přihlédnutím k úkolu, který je čekal, nestačil. Posadil se naproti panu Gedeonovi. Ten už si prohlížel změněná první vydání, ve tváři hněv, žádnou lítost.

„To je vandalství!" horlil. „Uvědomujete si, co jste udělal? Nejenže jste narušil svět literatury a změnil příběhy postav v naší péči, ale ještě ke všemu jste poškodil naše sbírky. Jak se mohl člověk, který se považuje za milovníka knih, dopustit něčeho takového?"

Pan Berger se starému knihovníkovi nedokázal podívat do očí.

„Udělal jsem to kvůli Anně," hlesl nakonec. „Nedokázal jsem se dál dívat, jak trpí."

„A ty ostatní postavy?" vyhrkl pan Gedeon. „Co Juda a Tess a Sydney Carton? A co Macbeth, u sta hromů?"

„Těch mi taky přišlo líto," přiznal pan Berger. „Vy snad nemyslíte, že kdyby jejich tvůrci věděli, že na sebe v budoucnu vezmou hmotnou podobu a obživnou, plni vzpomínek a prožitků, které jim podsunuli, že by si jejich konce rozmysleli? Vždyť jinak by to zavánělo sadismem!"

„Jenže takhle to ve světě literatury nechodí," podotkl pan Gedeon. „Vlastně ani v běžném životě to tak nechodí. Knihy jsou jednou napsané. A ani vy, ani já tu nejsme od toho, abychom je v tuto chvíli měnili. Ty postavy jsou tak silné *právě pro to*, čím je jejich tvůrci nechali projít. Když změníte konec, můžete ohrozit jejich pozici v literárním panteonu, a tudíž i jejich přítomnost na tomto světě. Nepřekvapilo by mě, kdybych teď na té naší ubytovně našel pár pokojů prázdných – bez jediné známky po tom, kdo v nich až do včerejška bydlel."

Na to pan Berger nepomyslel. Cítil se kvůli tomu ještě hůř.

„Mrzí mě to," řekl. „Tak moc mě to mrzí... Dá se s tím něco dělat?"

Pan Gedeon se zvedl od stolu a otevřel velkou skříň v rohu místnosti. Z ní vytáhl bednu s restaurátorskými pomůckami: lepicí pásky a nitě, tkalouny a závaží a štoček škrobeného plátna, jehly a štětce a šídla. Krabici postavil na stůl, vedle ní pár lahví s jakýmisi tekutinami. Pak si vyhrnul rukávy, rozsvítil lampy a pokynul panu Bergerovi, ať si přisune židli.

„Chlorovodík, kyselina citronová, kyselina šťavelová a kyselina vinná," ukazoval na láhve.

Poslední tři smíchal v misce a vybídl pana Bergera, ať směsí potře to, co připsal plnicím perem do *Tess z d'Urbervillů*.

„Roztok odstraní váš inkoust, ale ne tiskařskou barvu," vysvětlil pan Gedeon. „Buďte opatrný a nespěchejte. Naneste, nechte pár minut působit, pak vysajte pijákem a nechte zaschnout. To opakujte, dokud váš text zcela nezmizí. A teď už do toho, protože nás čeká několik hodin práce."

Pracovali celou noc. Ráno je únava přiměla na pár hodin si zdřímnout, ale brzy odpoledne už se zase vrátili k rozdělané práci. Až velmi pozdě večer měli nejhorší škody napravené. Pan Berger se dokonce rozpomněl, které tituly vrátil v opilosti do polic, byť jeden zůstal zapomenutý. Šlo o *Hamleta*, kterého chtěl kapánek zkrátit. Naštěstí se nedostal dál než ke IV. a V. výstupu, z nichž vyškrtl pár Hamletových monologů. Tak se stalo, že na začátku IV. výstupu Hamlet pronáší, že odbila dvanáctá, načež se zjevuje duch jeho otce. A pak, v polovině V. výstupu přichází po několika překotných změnách nečekaně ráno. Když po letech následovnice pana Bergera vyřazené monology našla, rozhodla se nechat je u ledu, protože *Hamlet* byl i beztak dlouhý ažaž.

Společně se pak vypravili do ubytovacích prostor zkontrolovat postavy. Žádná nechyběla a všechny se zdály být v pořádku, ačkoli Macbeth vypadal jaksi lépe naložený než dříve, což už mu zůstalo.

Zbývala už jen jediná neopravená kniha: *Anna Kareninová.*

„Musíme?" polkl pan Berger. „Jestli řeknete, že ‚ano', akceptuji vaše rozhodnutí, ale osobně mi připadá, že Anna je jiná než ostatní. Žádná z postav není nucená dělat to, co ona. Žádná si nezoufá tolik, aby zas a znovu hledala zapomnění. To, co jsem udělal, nijak neoslabuje vyvrcholení románu, pouze mu trochu přidává na nejednoznačnosti, a možná že právě tu trochu Anna potřebuje."

Pan Gedeon se zamyslel. Ano, byl knihovníkem a strážcem veškerého obsahu Caxtonovy soukromé knihovny & knižního depozitáře, ale také opatrovatelem postav. Byl povinován knihám i postavám. A nezískaly náhodou jedny převahu nad druhými? Pan Gedeon zvažoval, co pan Berger řekl: Nepozměnil by Tolstoj přece jen trochu svou prózu, kdyby věděl, že svým literárním nadáním odsoudí svou hrdinku k věčné sebevraždě? Nedopřál by jí alespoň trošku klidu?

A nebyla snad pravda, že Tolstého závěr románu v každém případě pokulhával? Namísto úvah o Annině smrti se Tolstoj zaměřil na Levinův návrat k náboženství, Koznyšovovu podporu Srbů a Vronského zapálenost pro slovanskou otázku. Poslední slova věnovaná Annině smrti nechal dokonce pronést Vronského zvrácenou matku: „Zemřela špatná žena, žena bez víry." Nezasloužila si snad Anna lepší připomenutí?

Pan Berger vyškrtl pouhé čtyři řádky z konce XXXI. kapitoly:

Stařeček přestal mumlat a padl na kolena vedle zkrouceného těla. Zašeptal modlitbu za její duši, avšak byl-li její pád nechtěný, její duše žádnou modlitbu nepotřebovala a spočívala dávno v Bohu. Pokud tomu bylo jinak, pak ji modlitba spasit nemohla. Přesto se modlil.

Pan Gedeon si přečetl předešlý odstavec:

*A svíce, při níž četla knihu plnou nepokoje, klamu, bolesti a zla, ta svíce vzplanula jasnějším světlem než kdy jindy, ozářila jí vše, co předtím bylo obestřeno tmou, zaprskala, začala skomírat a zhasla navždy.**

A víte – pomyslel si pan Gedeon –, že by XXXI. kapitola mohla docela dobře končit zde a Anně by to přineslo větší klid...?

Zavřel knihu a nechal ji tak, jak ji změnil pan Berger.

„Necháme to tak, viďte?“ řekl nahlas. „Běžte a vraťte ji do police.“

Pan Berger si od něj uctivě knihu vzal a něžně a láskyplně ji vrátil na místo. Pomyslel na to, jaké by to bylo moci ještě naposledy navštívit Annu, ale přišlo mu, že se nesluší ptát se pana Gedeona na dovolení. Udělal pro ni, co mohl, a jen doufal, že to bylo dost. Vrátil se do obývacího pokoje za panem Gedeonem a položil před něj na stůl klíč od Caxtonovy knihovny.

„Sbohem,“ řekl. „A děkuji vám.“

Pan Gedeon přikývl, ale neodpověděl, a pan Berger odešel z knihovny, ani se neohlédl.

---

* Citováno z českého překladu Taťjány Haškové, vydaly Mladá fronta/Naše vojsko, 1964; předchozí pasáž se v tomto vydání nevyskytuje – pozn. překl.

16

V týdnech, které následovaly, myslel pan Berger často na Caxtonovu knihovnu, na pana Gedeona a především pak na Annu, ale do zapadlé uličky se už nevrátil a schválně se také vyhýbal těm končinám. Četl své knihy a zase chodil na procházky podél kolejí. Každý večer čekal, až projede poslední vlak, a pokaždé se tak stalo bez nehody. Anna se už tolik netrápila, alespoň v to doufal.

Pak jedno odpoledne na sklonku léta kdosi zaklepal u jeho dveří. Šel otevřít a na prahu stál pan Gedeon, v každé ruce kufr a před vrátky taxík. Pana Bergera překvapilo, že ho vidí. Pozval ho dál, ale pan Gedeon odmítl.

„Odjíždím," prohlásil. „Jsem unavený a nemám už tolik sil jako dřív. Přišel čas odebrat se na odpočinek a předat Caxtonovu knihovnu do péče někoho jiného. Došlo mi to už onoho prvního večera, kdy jste sledoval Annu do knihovny. Knihovna si totiž vždycky sama najde nového knihovníka a přivede ho ke svým dveřím. Když jste pak změnil ty knihy, myslel jsem si, že jsem se ve vás zmýlil, a rozhodl jsem se čekat na dalšího nástupce, jenže pomalu mi začalo svítat, že jste to nakonec přece jen vy. Jediný prohřešek, kterého jste se dopustil, byla přílišná láska k jedné z postav. Tím pádem jste chyboval ze správných pohnutek, a dost možná jsme se z toho oba poučili. Teď vím, že Caxtonova knihovna i její postavy budou ve vašich rukách v bezpečí, než přijde zase další knihovník a nastoupí na vaše místo. Nechal jsem vám tam dopis, ve kterém je vše, co potřebujete vědět, a kdybyste měl přece jen nějaké otázky, můžete mi zavolat, ale myslím, že si poradíte."

Podal panu Bergerovi těžký svazek klíčů. Pan Berger na kratinký okamžik zaváhal a pak si ho od něj vzal. A panu Gedeonovi – jak tak předával knihovnu a postavy do péče nového opatrovníka – skanula po tváři slza.

„Víte, bude se mi po nich strašně stýskat," prohlásil pan Gedeon.

„Můžete nás kdykoli přijet navštívit," ujistil ho pan Berger.

„Možná jednou," řekl pan Gedeon, ale nepřijel.

Podali si ruce a pan Gedeon odešel. Už nikdy se nesetkali ani spolu nepromluvili.

17

Caxtonova soukromá knihovna & knižní depozitář dávno nesídlí v Glossomu. Na začátku století objevili městečko developeři a pozemky vedle knihovny vykolíkovali na stavební parcely a nové nákupní centrum. Lidé se začali ptát, co za podivnou starou budovu to stojí na konci ulice, a tak jednoho dne přijely anonymní náklaďáky s anonymními řidiči za volantem a do rána Caxtonovu soukromou knihovnu & knižní depozitář vyklidili. Nezůstalo v ní vůbec nic – ani knihy, ani postavy, zkrátka nic. Vše se přestěhovalo a zabydlelo v malé vesničce kousek od moře, daleko od měst a vlaků. Knihovník – sice starý, ale ani trochu shrbený – chodíval rád po večerech na procházky po pláži a společnost mu dělal malý teriér a za pěkného počasí i překrásná bledá žena s dlouhými tmavými vlasy.

Jednou v noci, když se léto lámalo v podzim, kdosi zaklepal na dveře Caxtonovy soukromé knihovny & knižního depozitáře. Knihovník otevřel a uviděl na prahu stát mladou ženu. V ruce měla *Jarmark marnosti: román bez hrdiny*.

„Promiňte," řekla, „vím, že to bude znít divně, ale jsem si naprosto jistá, že jsem právě viděla muže, co vypadal jako Robinson Crusoe – sbíral škeble na pláži a podle mě zašel sem k vám," – pohlédla na malou mosaznou cedulku napravo vedle dveří – „do *knihovny*?"

Pan Berger otevřel dveře, pustil ji dál.

„Prosím, pojďte dovnitř," vyzval ji. „Víte, sice to taky bude znít trochu divně, ale už vás očekávám..."

Krev Beránka

Podívala se na manžela, který právě postavil hrnek s čajem na úchvatný jídelní stůl z masivu, jehož leštěním strávila přinejmenším hodinu, a on se ani neobtěžoval vzít si podšálek. Zazoufala si. Občas si říkala, jestli nehloupne.

„Ježišikriste, co děláš?“ vyhrkla.

„Co jako? Dávám si čaj. Nemůžu si snad ve vlastním domě dát čaj bez toho, abych se musel ptát na dovolení?“

Zvedla se, popadla předmět doličný a postavila ho na krbovou římsu za ním.

„Před chvilkou jsem ten stůl leštila. Zůstane na něm kolečko...“

Přidřepla ke stolu a pohlédla úkosem na hladký povrch.

„Jen se podívej,“ řekla. „Odsud je to vidět. Udělalo se tam kolečko.“

Vytáhla zpod dřezu hadr a pustila se znovu do práce. Manžel strčil ruce do kapes kalhot. Před televizí uprostřed místnosti trůnilo žehlicí prkno. Vyvolalo v něm nepříjemnou vzpomínku na katafalk – takový, na který Clancyho hrobníci pokládali rakve. Přinutila ho koupit si novou košili, i když ty staré byly ještě pořád dost dobré, a musela ji stůj co stůj vyžehlit, byť jí sliboval, že si přes ni oblékne pletenou vestu a sako a nebude si je sundávat, takže si ani Pán nejvyšší nevšimne, že jsou na ní varhánky.

Měl pocit, že už o čaj nestojí. Chutnal by po leštěnce. Celý dům páchl leštěnkou a saponátem a dezinfekcí. Léta neměli tak naklizeno, a to přitom jeho manželka byla „domácí puťka“, takže to podle toho vypadalo. Úplně se bál šlápnout na podlahu, a to měl pantofle. Ve skutečnosti měl dojem, že v domě působí nepořádek už jen svou přítomností.

„Je to úžasný,“ poznamenal.

„Není to úžasný. Nic není úžasný. Nic.“

Dala se do pláče. Vytáhl ruce z kapes a nemotorně ji poplácal po zádech – jako by jí zaskočilo. Na tyhle věci nebyl stavěný. Svou ženu ze srdce miloval, ale nepotrpěl si na objímání ani na vodění za ruku, a když se rozplakala, nevěděl si s ní rady už vůbec. Plakala zřídka, ale na něj to bylo víc než dost.

„No tak, vždyť se nic nestalo," chlácholil ji. „No tak. Pláčem nic nespravíš."

Věděla, že má pravdu, ale současně že se plete. Nebrečela kvůli stolu, ale kvůli všemu ostatnímu. No vážně, nevěděla, co si myslet. Přijedou už zítra a ona nikdy neměla doma tak důležitou návštěvu, dokonce by ji ani nenapadlo, že kdy bude mít. Dost na tom, že k nim občas zavítal otec Delaney, ale tihle... Bože, to se k nim rovnou za chvilku pozve sám papež.

Našla v záhybech zástěry kapesník a osušila si s ním oči a nos.

„Podívej se na to tady," hlesla. „Je mi hanba, když pomyslím, že to někdo uvidí v takovým stavu."

Naježil se. Dřel se na domě do úmoru. Pořád na něčem pracoval a ještě pár let bude. Nebyl to žádný palác, ale byl to jejich dům a on se za něj rozhodně nemínil stydět, zvlášť ne po tom, co si jeho žena div nestrhla záda, aby ho kvůli návštěvě vygruntovala. Vždyť na něm s dcerou málem nechaly ruce.

Myšlenka na dívku v horním patře ho zasáhla jako úder pěstí na solar.

„To neříkej," pokračoval směrem k ženě. „Takhle uklizený dům nikdy neviděli, ani takhle láskou prodchnutý."

Postavila se a pohladila ho po paži. Ucítila jeho svaly, jeho teplé tělo. Bože, jak ho milovala – blázna, který pro ni ztratil hlavu.

„Máš pravdu," řekla nakonec. „Já jen, že..."

Nenacházela však slov a ani on ne.

„Já vím," hlesl, a to stačilo. Pořád mu svírala paži a čerpala z něj sílu. Stejně čerpal i on sílu z ní, třebas by jí to neprozradil, a kdyby přece jen, vyrazilo by jí to dech.

„Co když nám řeknou, že s ní něco není v pořádku?" nadhodila. „Co když ji někam odvezou?"

„Proč by to dělali?" opáčil. „A v pořádku přece je. Je prostě jen jiná, to je všechno. Zvláštní. A to, čím se liší, je dar od Boha."

„Jestli jo, přála bych si, aby ho dal někomu jinému. Přála bych si, aby ji vynechal – aby byla úplně obyčejná holka. Třeba ji toho ti kněží budou umět zbavit. Já nevím. Třeba se za ni pomodlí a pošlou to tam, odkud to přišlo."

„To, o čem mluvíš, je exorcismus, a ten ona nepotřebuje."

„Jseš si jistý?“

Teď nadešla chvíle, aby ji podržel. Sevřel její útlou paži do pevných dlaní, jejichž stisk až bolel.

„Takhle nemluv,“ zarazil ji. „Slyšíš?“

Němě přikývla. Znovu jí do očí vhrkly slzy. Prokristapána, posteskl si v duchu, je jak dešťové mraky. A je to tady; oba berou Boží jméno nadarmo, ona nahlas, on potichu, a pánové z Vatikánu jsou na cestě. Ti je samozřejmě neuslyší; to by museli mít radar, který zachytí, kdykoli někdo poruší přikázání. A otci Delaneymu se to taky nedonese, i když ten dovede člověka pěkně prokouknout, když na to přijde. Ve tmě zpovědnice pozná každého po hlase, takže je radno ke zpovědi moc nechodit, leda snad o Vánocích, kdy se patří smýt ze sebe hříchy. Ti chytřejší samozřejmě každé přiznání doprovodí slovy: „A toho i dalších svých hříchů upřímně lituji.“ Otci Delaneymu se s kopou lží, kleteb a chlípných myšlenek ale svěřují jen pro formu, aby mu udělali radost.

Podíval se na hodiny na krbové římse. Pár minut po deváté. Jejich dcera si šla lehnout brzy. Chtěla se na zítřek dobře vyspat. Nezdálo se, že je nervózní, ale u večeře toho moc nenamluvila a ani toho moc nesnědla. Ptal se, jestli jí nic není, a ona ho ujistila, že ne, ale připadala mu smutná. To bývala ale ostatně celkem často, zvlášť od doby, co se začal projevovat její dar. Sice by to ani jedné z nich nepřiznal, ale vskrytu duše se domníval, že má možná jeho žena pravdu a že se Pán ve své rozdavačnosti klidně mohl zaměřit na někoho jiného. Některé dary totiž nebyly o nic lepší než prokletí.

Rozpršelo se, do střechy bušily proudy vody, jako když sype mince do plechového kbelíku. Byl rád, že není venku v té slotě. V takovém počasí by ani psa nevyhnal.

„Ten čaj ti vystydne,“ poznamenala.

„No jo, ani nevím, proč jsem si ho udělal.“

„Myslela jsem si to. Takhle pozdě večer už čaj obvykle nepiješ.“

„Potřeboval jsem něco... nevěděl jsem, co s rukama,“ řekl.

Objala ho kolem pasu a nasála jeho vůni. Sahala mu sotva po prsa, protože byl o dobrou stopu vyšší. I přes to, co se dělo a co se mělo co nevidět stát, ji zalilo teplo. Napadlo ji, že by bylo hezké odevzdat se mu a zapomenout v tlukotu jeho srdce na všechno kolem.

„Já bych věděla, co bys s nimi mohl udělat,“ špitla a pohled na jeho překvapený výraz ji rozveselil.

„Kristepane, s kněžími za dveřma!“

„Neříkej ‚Kristepane‘,“ napomenula ho.

„Sama’s to před chvilkou řekla.“

„To teda neřekla!“

„Ale řekla,“ usmál se. „Jsi strašná ženská.“

A pak uslyšeli zaklepání na dveře.

Na prahu stáli tři muži, promočení až na kost po dlouhé cestě, vlasy přilepené k hlavě – tedy ti, kteří nějaké vlasy měli, neboť jeden byl dočista plešatý a druhý ho měl co nevidět dohnat. Černá saka jim na ramenou a na zádech ztmavla. Dva měli kolem krku kolárky. Třetí, ten s mohutným rezavým plnovousem, měl starý svetr a černou košili s rozepnutým horním knoflíkem. Měl vlasy horala a stejně tak i obličej. *Ošlehaný větrem*. Svým způsobem drsňák.

„Pan Lacey?“ promluvil vousáč a Lacey přikývl. Nakrátko oněměl a zmohl se jen na jedinou myšlenku – že si tu novou košili kupoval zhola zbytečně.

Konečně nalezl slova.

„Ano,“ řekl. „Vy jste –?“

Větu nedokončil. Samozřejmě že to byli oni. Kdo jiný by to byl?

„Já jsem otec Manus. A tohle jsou mí kolegové, otec Faraldo a otec Oscuro.“

Druzí dva kněží při vyslovení svých jmen přikývli. Faraldo byl z těch tří nejstarší, Oscuro nejmladší. Na temeni se mu leskla pleš větší než talíř na polívku. Neusmíval se, a Lacey znervózněl. Měl oči člověka, který nemá důvěru v mnoho věcí a víru v ještě méně. Jeho cesta do kněžského stavu musela být asi složitá, pomyslel si Lacey.

„Čekali jsme vás až ráno,“ prohlásil Lacey. „Alespoň tak nám to řekl otec Delaney.“

Po boku mu stanula manželka a mnula si ruce. Než přišla ke dveřím, stačila odhodit zástěru. Cítil její nervozitu, cítil, jak se jim začíná podbízet. Věděl, že pro to existuje slovo. Někde ho četl. Že by „servilnost“? Asi ano. Chtěl si ji vzít stranou a říct jí, aby se uklidnila, jsou to přece *jenom* lidé.

„Snad že bychom vám to vysvětlili uvnitř?“ navrhl otec Manus. Z okapu nad nimi crčela voda, jemu přímo na rameno. Lacey začal zvažovat, že vezme žebřík a podívá se na to, ale to půjde, až přestane pršet a za světla.

Manželka převzala iniciativu. Zlehka do manžela strčila bokem, a přinutila ho tak víc otevřít dveře.

„Ale samozřejmě," řekla. „Jste u nás vítáni bez ohledu na to, kolik je hodin. Prosím, pojďte dál. Smím vám nabídnout šálek čaje nebo něco k jídlu? Musíte být po tak dlouhé cestě vyhládlí!"

Napochodovali dovnitř, ale ještě předtím si pečlivě očistili boty o rohožku. Lacey vyhlédl ven do tmy, ale nikde neviděl auto. Předpokládal, že tam někde stojí. Řídili snad sami? Myslel by, že pro někoho tak důležitého z diecéze někoho pošlou, aby je vyzvedl na letišti. Letadlo ale nejspíš přistálo v Dublinu, takže jeli odtamtud. I tak to ale byla dlouhá stará cesta, na které mohl člověk snadno zabloudit. Říkal si, že se jich radši zeptá – čistě pro případ, že tam venku někdo zůstal a dal by si taky šálek horkého čaje, popřípadě sendvič nebo sušenku.

„To jste řídili sami, otcové?" nemeškal.

„Ne, na letišti nás vyzvedl šofér," odpověděl otec Manus.

„A cestu k nám našel bez problému?"

„Očividně ano."

Jeho přízvuk šlo těžko zařadit. Zněl trochu irsky – snad z Corku nebo jižního Kerry –, ale všechny hlásky měl jakoby obroušené a působil neutrálně, takže mohl být odkudkoli.

„To jsem rád," pronesl Lacey. „Nepotřebuje váš řidič něco?"

„Nemyslím si. Věřím, že se o sebe dokáže postarat."

Lacey ještě jednou pohlédl do tmy venku. Ještě jednou marně zamžoural, neuvidí-li auto, a nakonec zavřel dveře. Manželka se pokoušela usadit hosty v hezkém pokoji, ale otec Manus se nechal slyšet, že se vždycky lépe cítí v kuchyni.

„Když jsem byl malý, žilo se okolo kuchyňského stolu," vykládal. „Když přišla návštěva a sedělo se v obýváku, nevěděl jsem, kam se vrtnout."

Lacey je nenápadně předběhl a pro jistotu uklidil žehlicí prkno, co kdyby se nakonec přece jen rozhodli pro přesun do obýváku. Než se vrátil, stačila manželka postavit vodu na čaj a pokládala na stůl talíře a krájela kynutý chlebíček s rozinkami, který ten den upekla. Kněží si svlékli saka a Lacey je pověsil na ramínka na polici, kde mohla uschnout. Mezitím vyprávěli o cestě z Říma. Většinu mluvení obstarával Manus, druzí dva seděli mlčky, pouze otec Faraldo v jedné chvíli poděkoval Laceyho ženě za čaj a nechal si podat cukr a mléko. Mluvil se silným přízvukem a celou dobu se usmíval. Chlebíček si potřel máslem a pak se do něj s chutí zakousl.

Naproti tomu Oscuro komunikoval převážně gesty: pokyvováním a kroucením hlavou, drobnými pohyby pravé ruky. Chlebíček ochutnal evidentně ze slušnosti, Lacey viděl, že mu moc nechutná. Pomalu si o trojici kněží dělal obrázek a v duchu se mu rýsovaly jejich role: Manus měl srdce na dlani, i když s vřelostí šetřil; Faraldo byl tichý a blahosklonný, studnice vědomostí; a Oscuro byl skeptik, odměřený a odtažitý, připomínající nevěřícího Tomáše, šťourajícího se v ráně Spasitele, lhostejný vůči bolesti, kterou způsobuje.

„Asi bych měl zavolat otci Delaneymu a říct mu, že jste v pořádku dojeli," navrhoval Lacey, ale Manus zvedl odmítavě ruku.

„Radši bych s tím ještě počkal," řekl.

„Bude se zlobit," namítl Lacey.

Tohle bylo hájemství otce Delaneyho, a kdyby ho vynechali a nechali si návštěvu z Vatikánu pro sebe, nesl by to těžce. Otec Delaney pošetilce nestrpěl. Otec Delaney vlastně nestrpěl skoro nikoho.

„Objasním mu včas naše důvody, stejně jako je teď vyložím vám. Prosím, byl byste tak laskav a posadil se, pane Lacey?"

Lacey se posadil. Manželka před něho postavila šálek čaje, náhradou za ten studený, co stál pořád ještě na krbové římse. Jestli to takhle půjde dál, bude za chvilku dům plný hrnečků na čaj.

„Vaše dcera?" zeptal se Manus.

„Šla si nahoru lehnout, ale řekla bych, že už se asi probudila," odpověděla paní Laceyová. „Mám ji přivést dolů?"

Divila se, že se Angela ještě neukázala. Musela přece slyšet, že otcové přijeli. Možná zatím poslouchá na schodech. Zvuk se domem nesl jako ozvučnicí, takže kdovíco všechno za léta Angela už vyslechla, ať chtěně, nebo nechtěně. Proto se ostatně její rodiče naučili milovat se v tichosti.

„Ne," odpověděl Oscuro. „Snad až později, ale jenom na chviličku."

Laceyho ohromovalo, že právě mladý kněz tolik mluví. Měl tichý hlas, nikterak nepříjemný, ale vkrádal se mu do něho přízvuk podobně jako Faraldovi. Lacey netušil, jaké může být národnosti. Oscuro bylo italské jméno, nebo snad španělské?

„Přijeli jsme dřív," začal Manus, „čistě ze zkušenosti."

„Nerozumím," řekl Lacey.

Manus si srkl čaje. Na vousech se mu zachytilo pár kapek, které sice nemohl vidět, ale přesto si je utřel pravou rukou. Patrně další zkušenost, uvažoval Lacey, který si plnovous nikdy narůst nenechal právě z obavy, že by pak věčně řešil, jestli se mu na něm něco nezachytilo.

„Musíte pochopit, že ke všem případům, jako je tenhle, jsme nuceni přistupovat s největší opatrností a péčí," prohlásil otec Manus. „Musíme být připraveni na zázraky, jež jsou dílem Božím, ale současně si musíme dávat pozor na případné podvodníky. Tedy ne že bychom snad vás nebo vaši dceru podezírali z nepoctivosti, ale v minulosti už se nám staly… jisté *věci*."

„Jaké věci?" zeptala se paní Laceyová dřív, než její manžel stačil položit stejnou otázku.

„Velmi nešťastné," odpověděl Oscuro. „Neblahé."

Manus si nervózně poposedl. Očividně by si býval přál, aby se o tom nešířil, ale už to nakousli. Velmi nešťastné. Neblahé.

„Pokračujte," vyzval jej Lacey. „Potěšilo by nás, kdybyste k nám hned od začátku byli upřímní."

Manus nasadil chápavý výraz.

„Vloni nás poslali do Padovy –" začal.

„V Itálii," doplnil Oscuro.

„Vím, kde je Padova," ohradil se Lacey. *A do prdele.* Odsekl podrážděněji, než měl v úmyslu, ale nechtěl, aby ho ti tři měli za ignoranta. Nemínil se ve vlastním domě nechat od nikoho poučovat.

„Promiňte," řekl Oscuro ne moc přesvědčivě.

„Takže," nadechl se Manus a vrhl při tom na Oscura pohled, který jako by říkal: pro lásku Boží, to nemáš špetku zdravého rozumu? „Rozjeli jsme se do Padovy, protože se tam údajně jedné malé holčičce začala dělat stigmata."

„Poranění našeho Pána z kříže," poznamenala paní Laceyová, aby zase nedošlo k nějakému nedorozumění a aby ukázala, že ani ona není hloupá. I ona moc dobře věděla, kde je Padova, město svatého Antonína Paduánského. O svatém Antonínovi jim mohla klidně dát přednášku, protože o něm ještě na škole napsala řadu esejů a protože neustále něco ztrácela, takže mu slibovala šilinky, když jí ty věci pomůže najít. Svatý Antonín musel podle ní trávit všechen čas sehnutý pod postele a pod koberce.

„Přesně tak," opáčil Manus. „Ta holčička měla otevřené rány na dlaních a na chodidlech. Vždycky o nedělích, o svátcích a o svatém přijímání jí ty rány krvácely. Údajně se z nich linula libá vůně – odér svatosti, jak se někdy říká. Ty zkazky se donesly až k nám, a tak jsme to jeli přešetřit."

„Ale od začátku se nám to zdálo podezřelé," poznamenal Oscuro. „Kvůli povaze těch poranění."

Lacey se zatvářil nechápavě. „Jaké povaze?"

„Ty rány se jí objevovaly na dlaních a nártech," odpověděl Manus, „přesně jako je to na většině obrazů Ukřižování. Jenže Římané při ukřižování zatloukali hřeby do zápěstí, protože dlaně by neunesly váhu celého těla a hřeby by se z jejich měkkého masa mohly vytrhnout. Stejně tak nohy by nesměřovaly špičkami dolů, jako je to na většině krucifixů. Byly by vytočené do stran; asi takhle –" nemotorně napodobil pozici vsedě na židli, takže vypadal jako žába – „a hřeby by byly zatlučené někde v místě kotníků."

„Tak proč krvácela z dlaní?" zeptal se Lacey.

„Protože její rodiče znali ukřižování jenom z vyobrazení v kostele a z ilustrací v Bibli, kterou měli doma, takže dceru pořezali na nesprávných místech."

„Oni ji pořezali?" užasla paní Laceyová. „Její vlastní matka a vlastní otec?"

„Břitvou," upřesnil Oscuro, „a šroubovákem pak ty rány zvětšili. Ve skutečnosti to udělala matka."

„Holčička byla hluchoněmá," navázal Manus, „takže nemohla nikomu nic říct. Žila ve strachu z matky. Otec byl slaboch. Přivíral nad tím oči."

„A vůně linoucí se z ran?" zajímal se Lacey.

„Laciný parfém, který jí do nich lili," odpověděl Manus. „Muselo to hrozně bolet."

„Ale proč něco takového dělali?" zeptala se paní Laceyová.

„Byli chudí a lidé jim nosili oběti v podobě jídla a peněz v naději, že to jejich dcerušce přinese zdraví, hodného muže, bohatství," odvětil Manus. „Ale hlavně, její matka chtěl být důležitá, chtěla, aby si jí někdo všiml, a stigmata dcery jí ve městě získala jistou vážnost."

Lacey s manželkou se na sebe podívali. Jeden jako druhý sotva kdy vztáhli na Angelu ruku, protože zkrátka byla taková, jaká byla, a když už se někdy neudrželi, hluboce toho pak litovali. Nedovedli si představit, že by svou vlastní krev snad mučili.

„Přijeli jsme do Padovy o den dřív, než nás čekali," pokračoval Oscuro, „a zabránili jsme rodičům v přístupu k dceři, takže jsme si s ní mohli promluvit v jejich nepřítomnosti. Otec Faraldo prohlédl rány a zjistil v nich infekci. Kdyby to byla opravdová stigmata, žádná infekce by se v nich neudělala. Kromě toho objevil stopy zanechané v tkáni cizorodým předmětem. Nakonec jsme přivolali jednu ženu z Vigonzy, která uměla znakovou řeč, a s její pomocí jsme se dozvěděli pravdu a odhalili podvod. Matce jsme pod pohrůžkou zatčení a uvěznění uložili, že již nikdy nesmí své dceři takto ublížit."

„Chudák holčička," vzdychla paní Laceyová. „Doufám, že si nemyslíte, že bychom snad my něco takového udělali své dceři."

„Nevěřím, že byste toho byli schopni," ujistil ji otec Manus.

Lacey přemýšlel, kolik se za tím skrývalo pravdy, a jestli Manus neřekl totéž i rodičům dívenky v Padově – a při tom se na ně nedíval a v duchu si neříkal: já moc dobře vím, čeho všeho jste schopni. Lacey pohlédl na Oscura. Z těch tří právě on viděl v každém hned to nejhorší. Potíž s lidmi tady toho typu je, že jejich nedostatek pochopení pro druhé rozdmychává zlo jako plamen.

„Ale Angela, co jsem slyšel, žádná stigmata nemá," navázal Manus. „U ní jde o to, že v její přítomnosti krvácejí sochy, nebo se pletu?"

Pomalu se dostávali k jádru věci. Paní Laceyová se obrátila na manžela a beze slova mu dala svolení mluvit za ně oba. Chopil se toho a začal vyprávět, jak Angela, když jí bylo dvanáct, šla ke svatému přijímání do kostela svaté Bernadety a jak prošla kolem sochy Panny Marie, a ta začala ronit slzy. Nejdřív se myslelo, že je to nějaký žert, ale sochu důkladně prohlédli a nenašli žádné stopy po vnějším zásahu. Zprvu nebylo dokonce vůbec jasné, kdo vlastně úkaz způsobil, dokud otec Delaney nepověřil svatým přijímáním kaplana a neposadil se poblíž sochy a nesledoval okolní pohyb. Teprve tehdy odhalil propojení s Angelou.

A pak, při jejím biřmování začal Kristus na kříži nad oltářem krvácet z ran a z rány v Jeho boku se řinula voda a krev a pocákala zeď. Skvrna tam zůstala a nešla odstranit. Tedy, ne že by se otec Delaney nějak zvlášť snažil: možná s ním bylo krapet těžší pořízení, ale jeho víra byla pevná a o Angele dávno nepochyboval. Ostatně i z toho důvodu teď u nich v kuchyni seděli tři kněží z Vatikánu.

*

Pár dní poté, co Kristus krvácel z ran, začali za Angelou přicházet lidé a prosili ji, ať jim dá požehnání a ať se za ně pomodlí. Lacey s manželkou se je snažili zrazovat, ale dcera rodiče požádala, ať ty lidi nechají; řekla to tak přesvědčivě a vážně, že jí nedokázali odmítnout.

Zpočátku se děly jen takové nenápadné zázraky – pakliže to zázraky doopravdy byly: tu a tam odezněla bolest, nemocné děcko se uzdravilo. Jenže pak přivedla Irene Kellyová svou nejmladší dceru Kathleen, které lékaři diagnostikovali rakovinu – skoro všechny vlasy měla vypadané, oči vpadlé a páchla po zkaženém mase. Angela se Kathleen jednou dotkla – položila jí ukazováček pravé ruky na jazyk – a vzápětí prohlásila, že je jí špatně, a ten den už nemohla nikoho přijmout. Šla si lehnout a uprostřed noci ji rodiče slyšeli zvracet v koupelně. Když se šli podívat, co se děje, našli ji ležet na podlaze. Dlaždičky kolem byly pokryté žlučí a krví a kousky čehosi, co vypadalo jako zčernalé maso páchnoucí rozkladem.

Otec ji odnesl zpátky do postele a zavolal doktora Frenche. Jenže když lékař přijel, Angela tvrdě spala a kůži měla na dotek chladnou a suchou. Prohlédl ji, a nic nezjistil. Ukázali mu, co našli v koupelně na podlaze. French kousek tkáně odebral, uložil do sklenice a poslal do Dublinu na rozbor, ale než přišly výsledky, všichni dávno věděli, co to bylo: nádor malé Kathleen Kellyové. Angela Laceyová jí ho vytáhla z těla a vyzvracela ho na dlaždičky. Kathleen Kellyová se ještě týž den začala uzdravovat a doktoři u ní nenašli jedinou stopu po nemoci. Dívenka byla sice pořád slabá, ale zase jí začaly růst vlasy a také zápach zmizel.

Od té doby se staly další případy zázračného uzdravení, ale nic tak dramatického jako případ Kathleen. Lidé dál přicházeli k jejich dveřím a dál žádali Angelu o pomoc. Jindy na ni čekali před školou nebo po nedělní mši před kostelem – a ona nikdy neodmítla jejich prosbu o dotek či o modlitbu. Otec Delaney však nedávno vyhlásil, ať ji nechají na čas na pokoji, načež se začalo proslýchat, že mají přijet tři kněží z Vatikánu, aby Angelu prohlédli a zjistili přesnou povahu jejího daru. Otec Delaney se jí na její schopnosti samozřejmě ptal, ale ona mu je nedokázala nijak popsat. Nezakoušela o nocích žádné vize, žádná zářící zjevení Panny Marie. Nepromlouvaly k ní žádné hlasy ani se k ní neslétali andělé.

Nebo to alespoň tvrdila.

Teď tady byli tihle tři, pili čaj, jedli chlebíček s rozinkami a každý si po svém hloubal nad tím, co jim právě rodiče dívky říkali. Faraldo se hladil po bradě porostlé chmýřím připomínajícím plazivé výhonky břečťanu, na tváři úsměv a v očích pokojný pohled. Oscuro se naproti tomu tvářil znepokojeně, a dokonce i Manus ztratil něco ze své bodrosti.

„A vaši dceru nikdo neohrozil?“ zeptal se Manus.

„Cože?“ podivil se Lacey. „Proč by ji někdo ohrožoval?“

„Lidé se chovají všelijak, když se setkají s něčím, čemu nerozumí,“ vyložil Manus. „Fanatismus může mít spoustu podob.“

„Ne v naší vesnici,“ ujistil je Lacey. „Tady by nikdo Angele nepřál nic zlého. Bože můj, spíš mám pocit, že pár z nich by za ni dalo i život, zvlášť po tom, co udělala pro Kathleen Kellyovou.“

„Jestli nám říkáte pravdu,“ promluvil Oscuro, „její věhlas poroste. To přiláká další lidi: zoufalce a ztracené existence. Přijdou takoví, co by jí mohli ublížit nechtěně, a pak takoví, co o to budou vyloženě usilovat.“

„Panebože,“ vzdychla Laceyho žena. Tahle možnost ji očividně vůbec nenapadla. Přiložila si dlaň na ústa a manžel ji uchopil za druhou paži a něžně ji stiskl.

„Zacatecas,“ pronesl Oscuro a to slovo jako by ho naplnilo bolestí.

„Ano, Zacatecas,“ přitakal Manus.

„Co je to?“ zeptal se Lacey.

„Město v Mexiku,“ odpověděl Oscuro. „Z tamního předměstí pocházel jeden chlapec, José Antonio.“

„Dost,“ přerušil ho Manus.

„Ne,“ ohradil se Lacey, „nechte ho mluvit. Jak jsem říkal prve, máme právo dozvědět se o těchto věcech co nejvíc – o všem, co by mohlo nějak souviset s Angelou.“

Oscuro pohlédl na Manuse, který mu znaveným mávnutím ruky dovolil pokračovat.

„José Antonio měl podle všeho dar podobný tomu, který teď připisují vaší dceři,“ navázal Oscuro. „Uzdravoval nemocné, v jeho přítomnosti tryskala voda zpod kamenů ve vyprahlé poušti. Měl také stigmata, ale jen na zápěstích. Místní biskup se obrátil na Vatikán, aby potvrdil, že se skutečně jedná o zázraky. Jenže cesta do Mexika je velmi dlouhá a náročná, a tak trvalo téměř rok, než se podařilo vyslat kurii. Když vatikánští vyslanci dorazili na místo, chlapec nebyl nikde k nalezení a nikdo nedokázal říct, kde je mu konec. Byl jedináček a žil pouze s otcem.

Jejich dům byl opuštěný, i když v něm pořád zbývalo dost z rodinného majetku. Místní policie příliš nepomohla a tamní kněz jim svěřil, že zmizení těch dvou nechápe.

V předvečer návratu vyšetřovatelů do Říma zaklepal kdosi na dveře pokoje v hotýlku, kde přespávali. Na prahu stál starý venkovan – tulák, bezdomovec. Kůži měl pokrytou prachem, byl unavený a špinavý po dlouhé cestě. Řekl jim, že urazil mnoho mil, aby je zastihl, a tvrdil, že zná osud chlapce i jeho otce. Druhý den ráno, těsně po rozbřesku požádali vatikánští vyšetřovatelé svého šoféra, ať je odveze do pouště; starý tulák jel s nimi a ukazoval jim cestu. Nejprve je zavedl ke kamenné mohyle, pod kterou se podle jeho slov skrývaly ostatky chlapcova otce. Řidič začal odstraňovat kameny a po chvilce mezi nimi skutečně zazářily kosti. Vyšetřovatelé však nedokázali říct, jak dlouho už tam leží ani čí jsou.

Tulák je vedl dál po kamenité cestě k jakési jeskyni. Když do ní lezli, museli se sehnout, a kdyby je stařec nepřiměl vzít si baterky, vůbec nic by tam neviděli. Do útrob jeskyně nepronikalo žádné světlo.

A tam našli Josého Antonia. Byl mumifikovaný a ležel ve výklenku obklopený amulety: soškami, dřevořezbami, šperky, a dokonce i alkoholem a cigaretami. Tulák ukázal na díru v chlapcově lebce – díru způsobenou těžkým předmětem."

„Zavraždili ho?" vydechl Lacey.

„Ano."

„Ale kdo by něco takového mohl udělat dítěti?"

„Jeho vlastní lidi," odpověděl Manus. „Nebo si to aspoň myslíme. Možná že jeho dar je tak děsil, že měli pocit, že ho musejí zabít... nebo byl tak mocný, že sami sebe přesvědčili, že je třeba ho navrátit Bohu. Tak či tak, chlapec zemřel, a tím to skončilo. Teď už snad chápete, proč jsme přicestovali tajně a uprostřed noci a proč je třeba k Angele přistupovat s nejvyšší opatrností. Žijeme v obtížné době a nebezpečí hrozí i těm nejnevinnějším."

V té chvíli se Manus naklonil přes stůl a pevně stiskl Laceyho i jeho ženě rameno těžkou dlaní.

„Je mi to líto," řekl. „Tenhle rozhovor vzal neblahý obrat. Ale všechno snad dobře dopadne a vy byste se za to měli modlit. Teď je čas, abychom si šli po svých a vy jste si šli lehnout. Ráno je moudřejší večera. Ale než se rozloučíme, otec Faraldo by si rád promluvil s Angelou."

„Je u sebe v pokoji," řekla paní Laceyová. „A podle mě bude i vzhůru. Vlastně mě překvapuje, že se tu ještě neukázala. Půjdu a zavolám ji."

„Raději bychom šli za ní nahoru," na to otec Manus. „Bude lepší, když se s ní poprvé setkáme tam, kde se cítí nejlíp. Ukazuje se, že takovéhle detaily jsou nesmírně důležité."

Paní Laceyová se zvedla. „Jenom se podívám, jestli je slušně oblečená, a povím jí, že přijdete."

Manus jí poděkoval a žena odešla. Čtveřice mužů seděla v tichosti okolo stolu, dokud se paní Laceyová nevrátila.

„Angela je vzhůru," oznámila. „Můžete jít za ní nahoru."

Pokud otec Manus a ti druzí dva čekali od pohledu výjimečnou dívku, osud jim nadělil zklamání. Angela Laceyová byla na třináct let možná trochu vytáhlá, vcelku hezká, ale jinak vypadala úplně obyčejně. Ani její pokojík nevypovídal o jejích mimořádných schopnostech, které přijeli vyšetřit, vyjma malé sošky Panenky Marie stojící na parapetu. Pokoj byl malý a stála v něm postel, noční stolek, šatní skříň s prádelníkem a pod oknem malý psací stůl. Stěny pokrývala pestrá výmalba ve žlutém a modrém odstínu a k tomu plakáty populárních kapel a popových hvězd, které dokázal pojmenovat pouze otec Manus, zbylým dvěma tyhle věci nic neříkaly: ABBA měla značnou převahu a dál poznal jednoho televizního detektiva – hrál ho David Soul.

Angela seděla na posteli, na sobě župan a pod ním pyžamo. Na dvojici kněží, které jí rodiče přivedli do pokoje, se zvědavě podívala, ale nic neřekla.

Otec Manus představil sebe i svého kolegu, načež se zeptal Angeliných rodičů, jestli si smějí s jejich dcerou promluvit na chvilku o samotě. Laceyovy ujistil, že to opravdu bude jen chvilinka a že nechají pro všechny případy otevřené dveře. Působilo to stále tak nevinně, že se Laceyovi vůbec nezdráhali a přítomnost dvou kněží v dceřině pokoji je vůbec neznepokojila, zvlášť když děsivější Oscuro zůstal sedět dole v kuchyni. Laceyovi se k němu vzápětí připojili.

Otec Faraldo se posadil na malou židli u Angelina psacího stolu, Manus zůstal stát.

„Věděla jsem, že přijdete," řekla Angela. Byla to první slova, co pronesla od vstupu kněží do pokoje.

„Ovšem, nebylo to žádné tajemství," přitakal Manus.

„Ne, věděla jsem, že přijdete *dneska*. Vycítila jsem to."

Manus pohlédl na Faralda, který mlčky přikývl a usmál se, jako kdyby i on tohle očekával. Mezi ukazovákem a palcem převaloval korálky růžence, jako kdyby vylupoval hrách z lusku.

„Tví rodiče nám toho o tobě hodně pověděli," začal Manus. „Zdá se, že jsi velmi výjimečná mladá dáma. Nebalamutila bys lidi, viď že ne, ani bys na ně nezkoušela žádné triky?"

„Snědla jsem nádor Kathleen Kellyové," ucedila Angela. „Chutnal jako zkažený játra. A z žaludku Tommyho Spancea jsem vytáhla vředy, přeměnila je na pecky a vyplivla do záchodu. To nebyly žádný triky."

„Děti, jako jsi ty, se vyskytují jen vzácně," mluvil dál Manus, „velmi vzácně."

Angela na něho upřela oči, jejich pohled byl mnohem vědoucnější než pohled dospívající dívky.

„To na situaci nic nezmění, a vy to víte."

„A co na ní něco změní?"

„To, co se chystáte udělat. Myslíte si, že to můžete zastavit, ale to se pletete."

„Jsi jenom dítě, Angelo. Nemáš potuchy, co můžeme a co nemůžeme udělat. Nebojíš se?"

„Ne," odpověděla Angela, když Faraldo vstal ze židle a korálky jeho růžence zablýskly ve světle lampy jako černá očka. „Nebojím se."

Manus a Faraldo sešli zpátky po schodech a vrátili se do kuchyně. Manus vypadal zasmušileji než prve a Faraldo se přestal usmívat. Poprosili ještě o čaj a pak asi půl hodiny Laceyovým vysvětlovali, jak bude vypadat vyšetřování. Po téhle návštěvě měly podle všeho následovat mnohé další. Také se měli dostavit nestranní lékaři, aby prohlédli ty, které Angela údajně uzdravila. Měli zasednout rady kleriků a teologů. Mohlo by prý dojít i na to, že Angela pojede do Říma, a když paní Laceyová namítla, že si cestu do Říma nemohou dovolit, Manus opět poněkud pookřál a ujistil ji, že to všechno samozřejmě zaplatí Vatikán a že o ně bude dobře postaráno.

„Myslíte si, že bychom se mohli setkat s papežem?" zajímala se.

„Domluvíme vám audienci," odvětil Manus, „u toho ostatně můžeme začít."

Paní Laceyová se celá rozzářila.

*

Kněží nakonec odcházeli krátce po jedenácté. Déšť trochu polevil a na konci ulice na ně čekalo auto: černý mercedes s mužem v obleku za volantem. Lacey jim nabídl deštníky, aby cestou do auta nezmokli, ale Manus zdvořile odmítl.

„Je to jen pár kroků," řekl. „Nejsme z cukru. Uvidíme se ráno a ještě jednou děkujeme za vaši pohostinnost."

Laceyovi se za nimi dívali, dokud nenasedli do auta a neodjeli. Paní Laceyová šla ještě nahoru zkontrolovat Angelu, ale ta tvrdě spala. Tak se za ni tiše pomodlila a následovala manžela do postele.

Rozednilo se a nový den vykouzlil modrou oblohu, ačkoli ve vzduchu visel chlad a vlhkost. Lacey vstal jako první, umyl se a oholil. Oblékl si novou košili, uvázal kravatu a přes to si navlékl pletenou vestu, aby neprochladl. Postavil konvici na plotnu. Shora slyšel ženiny kroky. Trochu si přispali, takže když začal prostírat k snídani, bylo už po osmé. Koupil čerstvou slaninu a chystal se usmažit ji s vajíčky. Obvykle si takhle dopřávali jen o sobotách, ale podle všeho je čekal dlouhý a náročný den, a tak si říkal, že si Angela vydatnou snídani zaslouží. Právě když vložil slaninu na pánev, ozvalo se zaklepání na dveře. Sundal pánev z plotny a šel se podívat, kdo to je. Doufal, že to nebude trojice kněží v doprovodu otce Delaneyho. Neměl dost vajec ani slaniny, aby jim mohl nabídnout, a těšil se, že si snídani vychutná…

Otevřel dveře a na zápraží ho přivítala zavalitá postava otce Delaneyho. Za ním stáli dva zcela neznámí muži středního věku, na sobě černé obleky a kolárky, v ruce kožené kufříky.

„Francisi," oslovil ho otec Delaney. „Doufám, že nejdeme moc brzy. Tohle je otec Evans a otec Grimaldi. Kněží z Vatikánu."

Nahoře v patře se paní Laceyová rozkřičela.

Sen o zimě

Když jsem byl malý, chodil jsem do školy, která stála vedle hřbitova. Seděl jsem v poslední lavici, té nejblíž oknu s výhledem na hřbitov. Celé roky jsem se k tomu temnému místu otáčel zády. Vzpomínám, jak jsem vždycky na přelomu podzimu a zimy míval pocit, že oknem odtamtud táhne chlad a dýchá mi na záda jako sama smrt.

Jednoho dne uprostřed lednové ponurosti, kdy se stmívá už ve čtyři odpoledne, jsem se ohlédl přes rameno a uviděl muže, jak na mě zírá. Nikdo jiný si ho nevšiml, jenom já. Měl popelavě bledou kůži a oči černé jako dno mého kalamáře. Dásně mu ustupovaly a obnažovaly kořeny zubů, což mu propůjčovalo vyzáblé vzezření. Jeho obličej vypadal jako hladová maska.

Neděsil mě. Vím, že to může znít divně, ale je to pravda. Věděl jsem, že je mrtvý a že mrtví nad námi nemají moc, pokud jim ji sami nedáme. Prsty se dotkl skla, ale nezanechal na něm jediný otisk. Pak zmizel.

Roky plynuly, a já na něj nikdy nezapomněl. Zamiloval jsem se a oženil. Stal jsem se otcem. Pochoval jsem rodiče. Zestárnul jsem, ale tvář toho muže za školním oknem se mi stále důvěrně připomínala. Zdálo se mi, že vidím její odraz v každém okně. Nakonec jsem usnul, a když jsem se probudil, nic nebylo jako dřív.

Vedle hřbitova stojí škola. V zimě po setmění chodívám k jejím oknům a dotýkám se prsty skla.

A občas se po mně ohlédne kluk.

Lamie

Když to skončilo, nejhorší bylo, že ho pořád všude viděla: cestou po ulici; cestou pro noviny nebo pro mléko; kdykoli posbírala odvahu vyjít na delší dobu z domu – a sednout si třeba v kavárně s knížkou nebo zajít do kina nebo jednoduše do parku na procházku, ovšem před západem slunce, protože po setmění už ven chodila nerada. Pomalu v ní zrálo přesvědčení, že možná blázní. Logicky na všech těch místech být nemohl, leda by ji fanaticky pronásledoval. Ale ve světlejších chvílích si uvědomovala, že je to malé město a ona by měla velkou smůlu, kdyby potkávala právě muže, který se jí nejvíc oškliví a kterým nejvíc opovrhuje.

Soud ji málem zničil – zranil a ponížil takřka stejně jako jeho agrese. Jistě, policie se k ní chovala laskavě a právní zástupkyně obžaloby s ní všechno předem ohleduplně prošla – prý si přála vidět ho za mřížemi úplně stejně jako Carolyn (to ale těžko mohla být pravda, leda by ji také znásilnil). Slibovala, že udělá všechno, co bude v jejích silách, aby ve vězení opravdu skončil, ale znáte to...

Carolyn věděla své. Po tom, co se to stalo – po tom, co se díval, jak se obléká, jak si navléká roztrhané punčocháče a rozervané kalhotky, co kouřil cigaretu a zeptal se, jestli by se ještě někdy nemohli vidět, bože můj – udělala to nejhorší, co mohla: šla domů a tam se osprchovala. Víc než cokoli na světě ho chtěla ze sebe smýt, chtěla se očistit, vydrhnout stopy, které na ní i v ní zanechal. Pořád byla trochu opilá, ale ne tolik, aby si neuvědomovala, co se jí právě stalo. Pořád mu opakovala „NE“, bránila se ze všech sil, ale byl větší a silnější než ona a choval se, jako by šlo o nějakou hru – celou dobu se usmíval a šeptal jí, že má rád holky, co se perou.

Bylo to tak úchylné, alespoň pro ni. Přitom on si zjevně vůbec nemyslel, že udělal něco špatného. Nejspíš se o tom sám přesvědčil, protože jak jinak by s něčím takovým mohl žít? Ona tomu uvěřit nedokázala. Během soudního procesu mu četla v očích jednu věc, slyšela ji i v každém slově jeho svědecké výpovědi: že si připadá ukřivděný. Jak se snažil porotě vnutit svou verzi, oháněl se slovy „oboustranně dobrovolný“, a jelikož tomu sám věřil, působil značně přesvědčivě. Nakonec to bylo jeho slovo proti jejímu a porota uvěřila jemu. Alespoň tak to viděla Carolyn, která se po vynesení rozsudku v předsálí soudní síně rozplakala, zatímco ji právní zástupkyně chabě chlácholila. Konejšivým hlasem jí vysvětlovala, že roli sehrály pochopitelné pochybnosti a nedostatek důkazů.

Teď si Carolyn zoufala nad troskami svého života, trosečnice v šedém moři, vydaná na pospas příboji vzteku a deprese. V práci si vzala volno. Slíbili jí, že jí místo podrží, dokud se nebude cítit na to se tam vrátit, ale pomalu jim už docházela trpělivost. Nenápadně na ni tlačili, ať se vrátí, jinak prý ji mohou také vyplatit. Ta druhá varianta by znamenala její konec, tím si byla téměř jistá. Pořád doufala, že dokáže zase zapadnout do starých kolejí. Terapeutická sezení, kam jednou týdně docházela, pomáhala navozovat dojem, že to všechno je jen otázka vnitřního nastavení. Bohužel ten dojem jí vydržel den dva a pak zase začala bloumat. Rodiče jí dávno zemřeli, takže u nich útěchu hledat nemohla, a její jediná sestra žila v Austrálii. Pravidelně spolu mluvily přes skype, ale to nebylo ono. A tak se Carolyn stále více vzdalovala realitě...

Jeho život se naproti tomu nijak nezměnil. Soud ho očistil, byť trocha špíny na něm přece jen ulpěla. Práci si nicméně udržel a Carolyn dokonce slyšela, že si snad i našel přítelkyni. V duchu se ptala, jestli ta dívka ví o soudním přelíčení. Nejspíš o něm nevěděla, a pokud ano, svěřil se jí patrně z nutnosti a jistě ze sebe udělal oběť, chudáka křivě obviněného pomatenou ženskou – takový to byl pokrytec! Carolyn si občas pohrávala s myšlenkou, že jeho přítelkyni zavolá a poví jí pravdu. Věděla, jak se jmenuje a kde pracuje.

Panebože, jak strašně ho nenáviděla. Strašně, strašně moc.

Ten lístek přišel prvního listopadu. Byl napsaný na luxusním dopisním papíře a vložený do luxusní obálky, co měla vypadat jako ručně dělaná – taková dopisní sada stojí víc než knížka. Vzkaz uvnitř napsal někdo rukou. Stálo na něm:

Můžu Vám pomoci

Pod to pisatel stejně úhledným rukopisem připojil adresu. Odkazovala kamsi do jižní části města. Žádné telefonní číslo, žádná e-mailová adresa.

Carolyn na lísteček chvíli zírala a pak ho vzala, roztrhala a vyhodila do koše. Od skončení přelíčení jí přišlo úchylných dopisů už dost. Její totožnost měla zůstat utajená, přesto mívala pocit, že si o ní cvrlikají i vrabci na střeše. Chodily jí citáty z Bible, většinou ty zapovídající sex před svatbou a obsahující narážky na to, že dostala, co si zasloužila. To byly ještě ty lepší. Pak přicházely dopisy, které to – že má, co jí patří – říkaly *přímo* a ještě sem tam přidaly slůvko „kurva" nebo „děvka", kdyby to náhodou nebylo dost jasné. Ve schránce našla i pár vzkazů vyjadřujících podporu, často od žen, které si prošly tím samým; navrhovaly jí zajít na kafe a popovídat si, co kdyby jí to třeba pomohlo... ale vyhazovala je spolu s těmi ostatními. Na větu napsanou na luxusním papíře si už nevzpomněla, dokonce ani později večer, když na lístek smetla z talíře netknutou večeři. Vzala si prášek na spaní a odplula do oceánu zapomnění.

Týden nato přišel druhý lístek, stejný jako ten první. I ten putoval do odpadkového koše, ačkoli po poněkud delším zaváhání.

Když našla v poště třetí, už ho neroztrhala.

Ten dům stál v malebné ulici řadových domků postavených na sklonku devatenáctého století. Všechny byly pěkně udržované a takřka přede všemi parkovala nová nebo relativně nová auta. Domy neměly předzahrádky, pouze kamenné terasy, které většina obyvatel zkrášlila květinami nebo dřevinami v květináčích – vlastně to udělali všichni kromě majitele čísla popisného 65, před kterým nyní Carolyn stála a dívala se na čistá okna, zatažené závěsy a červené vstupní dveře, z nichž se zvolna odlupoval lak.

Otevřela vrátka, došla po krátkém chodníčku ke dveřím a zmáčkla zvonek. Neslyšela však žádné zvonění, takže přemýšlela, není-li rozbitý. Za chvilku se ale dveře otevřely a v nich se objevila vysoká houževnatá žena s předčasně šedivými vlasy a obličejem, který vypadal jako lebka potažená kůží. Ta kůže byla tak napjatá, až měla Carolyn dojem, že ženě na tvářích prosvítají lícní kosti a chystají se co nevidět prorazit ven. Pomyslela si, že by jí při tom nejspíš neukápla ani kapka krve. Oči měla žena šedomodré a vypoulené jako dvě bubliny.

Carolyn nevěděla, co říct. Vytáhla proto navštívenku a začala vysvětlovat, kdo je, ale žena beze slova ustoupila stranou a pokynula jí, ať jde dál. V předsíni panovala téměř tma; osvětlovala ji pouze lampa vrhající matný žlutavý svit, který jako by pohlcoval víc světla, než kolik vydával. Červeno-bílé tapety evokovaly styl starých barů a hospod a vzorovaný koberec byl tak tlustý, že Carolyn neslyšela vlastní kroky. Kdesi uvnitř tikaly hodiny, jinak panovalo ticho.

Carolyn postoupila dál do domu a dveře za ní se zavřely.

A tehdy si uvědomila ten zápach.

Až teprve později, po návratu domů, kdy dala prát šaty, vysprchovala se a umyla si vlasy, ho dokázala zařadit. Vybavila si návštěvu zoologické zahrady, kam ji jako malou vzali rodiče, a spolu s ní i svérázný odér pavilonu plazů plného ještěrek a hadů a aligátorů, co leželi nehybně jako kameny u jezírek. A právě tenhle zápach prostupoval domem číslo 65. To ji však ve chvíli návštěvy nenapadlo. Vysoká žena ji totiž zavedla do zadního pokoje, jemuž vévodilo velké polohovací lůžko podobné těm, jaká mají v nemocnicích. Vedle lůžka stál invalidní vozík a v něm seděla další, mladší žena, nohy přikryté kostkovanou dekou. V pokoji bylo dost teplo a Carolyn se začala potit.

Žena v kolečkovém křesle nebyla krásná, ale spíš pozoruhodná. Měla dlouhé a tmavé vlasy na jedné straně protkané stříbřitými šedinami. Oči měla zelené a pleť skoro tak bílou jako její společnice, ovšem na každé tváři se jí červenalo nenápadné zdravíčko. Na kráse jí značně ubírala ústa, velmi široká a s tak úzkými rty, že téměř nebyly vidět.

„Dobrý den, Carolyn," pozdravila ji. „Jmenuji se Amélie. Ta dáma za vámi je má ošetřovatelka, slečna Bronstonová. Doufaly jsme, že přijdete. Prosím, odložte si a udělejte si pohodlí. Omlouvám se za to horko. Jsem hrozně zimomřivá. Smím vám nabídnout čaj, nebo si dáte něco jiného?"

Carolyn poprosila o studenou vodu. Říkala si, že jí to třeba pomůže vyrovnat se s tou teplotou. V pokoji bylo jako v papiňáku. Slečna Bronstonová vzala džbán stojící v koutě a nalila jí z něj do sklenice vodu. Carolyn usrkla. Trochu ji to osvěžilo. Uchopila sklenici oběma rukama tak, aby se jí dotýkala zápěstími. Někde četla, že to ochlazuje krev.

„Vlastně nevím, proč jsem tady," připustila Carolyn.

„Jste tady, protože jste dostala ten lístek."

„Ano, ale nechápu, co znamená."

„Znamená to, co v něm stojí. Že vám můžu pomoct."

„Ale s čím?"

„S vaším problémem. S Davidem Reesem. Prosím, posaďte se."

Slečna Bronstonová přisunula Carolyn zezadu židli. Jakmile se Carolyn posadila, ošetřovatelka se otočila a odešla z místnosti. Tiše za sebou zavřela dveře.

„Jak jste se o něm dozvěděla?" zajímala se Carolyn.

„Sledovala jsem váš případ v novinách."

Mávla líně rukou směrem k hromádce novin na podlaze. Na nočním stolku vedle sebe měla štos výstřižků. Carolyn poznala ten navrchu – článek o tom, jak toho, kdo ji znásilnil, zprostili viny. Trvalo jí týdny, než si ho dokázala přečíst.

„Zabývám se podobnými případy," navázala Amélie. Mluvila tichým hlasem, takže se Carolyn musela naklonit blíž, aby něco nepřeslechla. Bylo to jako poslouchat vzkaz namluvený plynovým hořákem. „Nebylo těžké zjistit jeho jméno, a mimochodem ani vaše. Je mi jasné, že nejsem první, kdo vám v souvislosti s tím napsal. Lidé jsou vynalézaví, zvlášť ti vedení zlomyslností."

Všimla si Carolynina překvapeného výrazu.

„Nebojte se, nečtu vám poštu," ujistila ji Amélie. „Ale případy jako ten váš mají charakteristický rukopis a nejsem jediná, kdo se o ně zajímá. Jsou lidé – a bohužel mezi ně patří i ženy –, kterým přináší nesmírné potěšení moci potýrat oběti sexuálních zločinů. Kdybych mohla, sprovodila bych je všechny ze světa, do posledního z nich."

Tón jejího hlasu se změnil a Carolyn v něm zachytila zlobu. Okamžitě ji napadlo, jestli si i tahle žena kdysi neprošla stejným utrpením, ale na tom teď nezáleželo. Udělala chybu, že přišla. Amélie nejspíš jen toužila po společnosti, po někom, komu by si mohla postěžovat. Jenže Carolyn měla hlavu plnou vlastního trápení. Nestála o to přidávat k němu ještě to cizí.

„V tom vzkazu stálo, že byste mi mohla pomoct," připomněla Carolyn. „Jak? Tím, že si popovídáme? Docházím na terapii, a vůbec mi to nepomáhá, takže další terapeutku nepotřebuju – ani kdyby to bylo zadarmo."

Carolyn se zvedla a odložila prázdnou sklenici vedle džbánku.

„Děkuju za vodu," řekla, „ale asi už půjdu."

„Posaďte se," pronesla Amélie, oči upřené na Carolyn. Působilo to, jako by vstala z vozíku a fyzicky svou návštěvnici zadržela.

A Carolyn se posadila.

„Jak moc se zlobíte?" zeptala se Amélie.

„Na Davida Reese?“

„Na koho jiného?“

„Hodně.“

„To je málo. Potřebuju víc. Jak moc Davida Reese nenávidíte?“

„Víc, než jsem kdy v životě koho nenáviděla. Nenávidím ho, když ráno vstávám, a nenávidím ho, když večer usínám. Vzal mi všechno, a jeho život jde dál. Je šťastný. Má dobrou práci. Má přítelkyni. Je to, jako kdyby se nic nestalo. Znásilnil mě a prošlo mu to.“

„Přejete si, aby byl potrestaný?“

„Ano. Víc než cokoli jiného.“

„A my ho právě můžeme potrestat. Stačí říct.“

„Potrestat jak?“

„Záleží na tom? Nenávidíte ho a chcete, aby trpěl. A to se dá zařídit.“

„Myslíte tím, že mu ublížíte, nebo že ho –?“

Carolyn otázku nedokončila. Strávila dost času na policii, ve společnosti právníků a v soudní síni – dost na to, aby se naučila být opatrná.

„Řekněme, že polovičatá řešení nepovažujeme za řešení,“ odpověděla Amélie. „Žádné ženě už nikdy neudělá to, co udělal vám.“

Mohla to Amélie myslet vážně? Carolyn váhala. Teď, když konečně přišla příležitost pomstít se, dostala strach ji využít.

„Já nevím,“ řekla.

„Samozřejmě že nevíte,“ přitakala Amélie. „Nicméně tahle nabídka nemá neomezenou platnost. Chlapů, jako je David Reese, běhá po světě spousta, a stejně tak je i spousta žen, které kvůli nim musely trpět. Když na to nekývnete, kývne nějaká jiná.“

„Myslíte to vážně?“

„Ano. Smrtelně vážně.“

Carolyn se zatočila hlava. Najednou měla pocit, že je v pokoji ještě větší horko, a do toho ten smrad...

„Vážně bych radši šla,“ hlesla a připadala si, jako by se ptala na dovolení.

„Vždyť běžte,“ prohlásila Amélie. „Nikdo vám nebrání.“

Carolyn se zvedla na nohy. Zapotácela se, ale rovnováhu udržela. Dveře za ní se otevřely a objevila se slečna Bronstonová, aby ji vyprovodila. Carolyn prolétlo hlavou, jestli neposlouchala za dveřmi.

„V nadcházejících dnech se vám bude honit hlavou spousta věcí,“ dodala ještě Amélie. „Kromě jiného dostanete chuť promluvit si s právníkem, nebo dokonce s policií. Nedoporučovala bych vám to. Když naši nabídku odmítnete, pouze umožníte jiné ženě ji přijmout a nás by netěšilo, kdybychom se najednou musely chránit. Navíc, kdo by vám věřil? Nebo vám věřili, že vás znásilnil? Nevěřili. Proč by tedy měli věřit čemukoli, co jim budete vykládat?“

Amélie se usmála a její tenké rty tak skoro zmizely.

„Běžte, Carolyn, a přemýšlejte o tom, o čem jsme tady mluvily.“

Amélie natočila obličej ke světlu, které pronikalo dovnitř oknem za ní. Zatetelila se v jeho teple a bledým jazykem si olízla suché popraskané rty.

Carolyn ujížděla domů, a čím víc se vzdalovala od Amélie, slečny Bronstonové a čísla 65, tím nesmyslnější se všechno jevilo, a to až do chvíle, než přijela domů, osprchovala se a nalila si sklenku vína. Tehdy na sebe celé setkání vzalo podobu snu. Chvíli se zkoušela dívat na televizi, ale uvědomila si, že se nedokáže soustředit. Nakonec to vzdala a šla si lehnout. Ještě si nalila trochu vody, aby mohla zapít prášek na spaní, a studený dotek skla na kůži ji přenesl zpátky do přetopené ložnice. Podívala se na malou bílou věc ve své dlani a poprvé po dlouhých měsících tu berličku odložila.

Tu noc se jí zdálo, jak ji David Reese znovu znásilňuje. Když se probudila, ruka s práškem na spaní putovala k ústům. Ani si nestačila uvědomit, co dělá. Dalo jí velké přemáhání nepoložit prášek na jazyk a nespolknout ho. Opět ho odložila na noční stolek, ale znovu už neusnula. Příliš se bála, co by ji čekalo ve snu.

Druhý den byla jako mátoha, klubíčko únavy a pocuchaných nervů. Vůbec nevyšla z domu, dokonce se ani neosprchovala a neoblékla. Vzpomínka na Davida Reese a na to, jak jí ublížil, se vrátila bolestivěji než kdy dřív. Když večer uléhala do postele, držela v ruce lahvičku s prášky na spaní a věděla, že si buď nevezme žádný, nebo všechny. Někdy během noci usnula, ale moc toho nenaspala, protože jakmile začala snít, škubla sebou a naráz se probudila.

Ráno se osprchovala, oblékla, udělala si kávu a topinku a rozjela se zpátky do čísla 65. Slečna Bronstonová jí přišla otevřít, ani nestačila zazvonit, a Amélie ji čekala usazená v kolečkovém křesle, na sobě tytéž šaty, na kolenou tentýž pléd a na tváři tentýž úsměv.

„Ano,“ řekla Carolyn. „Udělejte to.“

*

A takhle se to mělo uskutečnit. Carolyn měla kontaktovat Reese – sama si mohla vybrat jak: Amélie navrhovala veřejný telefonní automat a rozhodně ji zrazovala od e-mailu, protože ten se dá zpátky vysledovat – a připustit, že udělala chybu, když na něj podala žalobu. Carolyn se zděsila, ještě než Amélie stačila domluvit.

„Připustit *co?*" vykřikla Carolyn. „To nemůžu. Nemůžu mu dopřát takové zadostiučinění."

„Budete muset udělat ještě horší věci než tohle," zarazila ji Amélie. „Nejen že se mu omluvíte, že jste ho vláčela po soudech, ale ještě mu povíte, že se vám líbilo, co s vámi dělal, a že jste ho zažalovala jenom proto, že vám to bylo tak trapné, že jste si to nechtěla přiznat. Požádáte ho, aby za vámi přišel k vám do bytu. Požádáte ho, aby vám ještě jednou udělal to samé."

„Ne," pronesla Carolyn. Z toho pomyšlení se jí zvedal žaludek. Už jen mluvit s Reesem by bylo hrozné, ale říkat mu takové věci... nebyla si jistá, že to ze sebe dokáže vůbec vypravit. A co se týkalo možnosti zvát ho k sobě do bytu a snášet jeho přítomnost na jediném místě, kde se cítila v bezpečí...

Jenže to nebyla tak úplně pravda, co? Necítila se tam v bezpečí. Reese ji nestrašil a netrýznil ve snech jen proto, že brala prášky na spaní.

Svezla se na židli. Byla tak naivní. Doufala, že by k potrestání Reese mohlo dojít bez jejího přičinění. Doufala, že si o tom pak jen přečte v novinách. Takhle však uvažuje zbabělec: Ať udělá špinavou práci někdo jiný. Já nechci nic vidět, nic slyšet, nechci přijít o svůj klid. Nechci si špinit ruce od krve.

Jak o tom tak přemýšlela, uvědomila si, že zápach v místnosti není tak silný jako předtím, ale možná si na něj už zvykala. Dokonce ani horko už jí tolik nevadilo. Uvažovala, co asi bude Amélii. Nejspíš rakovina. Dneska má rakovinu každý druhý...

„Jak víte, že se se mnou bude chtít sejít?" zajímala se Carolyn. „Čekala bych, že když mě uvidí, obloukem se mi vyhne."

„Bude souhlasit, protože je ješitný a žije v bludu," odpověděla Amélie. „Svolí, protože vy jediná můžete potvrdit to, čemu sám uvěřil: že byl křivě obviněný, že jste před soudem lhala a že po ničem na světě netoužíte tolik jako po jeho mužném objetí."

Carolyn se zdálo nemyslitelné, že by Reese mohl na znásilnění nahlížet takhle, ale pak si vzpomněla na výraz jeho obličeje v soudní síni a na to, jak popisoval, co sám označil slovem „styk". Jestli doopravdy uvěřil, že to on je poškozený, pak si stoprocentně zasloužil všechno, co se mu mělo stát.

„Má přítelkyni," připomněla Carolyn, ale i jí samotné to znělo jako chabá námitka, jako poslední snaha se na něco vymluvit.

„Odkdy něco takového odradí chlapa jeho ražení od toho, aby si dopřál potěšení jinde?" zeptala se Amélie a dál nebylo třeba cokoli dodávat. Požádala Carolyn, ať nechá udělat náhradní klíče ke svému domu a bytu, s tím, že se s ní slečna Bronstonová spojí.

„Hlavně ho dostaňte k sobě do bytu," zněla poslední Améliina slova, než se Carolyn začala zvedat k odchodu. „My zařídíme zbytek."

Šlo to snáz, než Carolyn čekala, ale přece jen hůř, než tvrdila Amélie. Reeseovi zavolala na mobil z telefonní budky u záchodků v nákupním centru. Dalo jí pořádnou práci zabránit mu, aby zavěsil, což v první chvíli málem udělal. Vysypala to ze sebe, ani se nezakoktala. Několik dní si to ostatně pilně nacvičovala, dokud jí nepřišlo, že to zní skoro přesvědčivě. Souhlasil, že se druhý den sejdou v kavárně – v takové laciné umakartové, kam by ho normálně nedostali ani heverem, což na druhou stranu znamenalo, že ho tam s ní neuvidí nikdo známý. To i jí víc než vyhovovalo.

Do kavárny dorazila s předstihem a objednala si děsivě mléčnou kávu. Bylo jí to fuk. Usrkla s vědomím, že ji stejně nedopije, navíc se jí tak strašně klepaly ruce, že většina nápoje skončila v podšálku.

Když ho uviděla ve dveřích, škubla sebou a bolestivě jí píchlo v zádech. Měl modrý oblek, trochu moc vypasovaný, ale on se vždycky oblékal mladě na svůj věk. Byl hezký, ale takovým hodně konvenčním způsobem, jako model z laciného katalogu. Když se na něj teď dívala, nechápala, čím jí mohl učarovat. Panebože, vždyť ani nebyl její typ. Sváděla to na víno, ale to bylo tak jediné, nač to mohla svést. Zbytek obstaral on.

Objednal si čaj a posadil se naproti ní.

„Je fajn znovu tě vidět," prohodil. „A za lepších okolností než naposled."

Usmál se na ni. Vzpomněla si, že stejně se na ni usmíval i při jejich první schůzce. Nejspíš si myslel, že ho ten úsměv dělá klukovsky roztomilým. Měla sto chutí vychrstnout mu kávu do obličeje, rozlomit podšálek a vrazit mu ostré střepy do očí. Místo toho jen pod stolem zaryla nehty levé ruky do stehna.

„Ano," řekla nakonec. Naprázdno polkla a konečně našla vhodná slova. „Mrzí mě, co se stalo – to všechno."

Tak to bylo snadné. Chvilku mluvili, ona se zmohla na pár nucených úsměvů a on souhlasil, že příští pátek zajdou někam na skleničku. Už ho viděla, jak si v duchu maluje hladký průběh večera, a také to, jak ten večer skončí. Zahlédla, že se mu ve tváři mihlo znechucení. Ráda by věřila, že byl znechucený sám sebou, ale tak bláhová zase nebyla.

Zaplatil jí kávu a pak, když odcházeli z kavárny, ji zlehka políbil na tvář. A na tom málem ztroskotala. Na poslední chvíli se ale ovládla a odvrátila se, aby si v jejích očích nepřečetl, jak moc ho nenávidí. Když byl z dohledu, otřela si důkladně tvář vlhčeným ubrouskem. Tak se do toho zabrala, že na rohu do někoho vrazila. Zvedla oči a uviděla před sebou slečnu Bronstonovou. Vysoká žena nic neřekla, pouze tázavě povytáhla obočí.

„Pátek," odtušila Carolyn. Slečna Bronstonová natáhla ruku a Carolyn jí do dlaně vtiskla duplikáty klíčů. Pak šla zase dál.

Do orientálně stylizovaného baru, míle vzdáleného od jejich oblíbených podniků, dorazili Carolyn a Reese takřka současně. Objednal nějaké chuťovky a hned ji zkoušel oblbnout alkoholem. Usrkávala však s rozvahou z jediné sklenky vína. Když se zeptal, proč skoro nepije, pověděla mu, že si chce uchovat jasnou hlavu. Chytila ho za ruku.

„Chci si to užít," špitla. „Víš, potom. Nechci to mít rozmazané."

Uchopil její ruku a ukazováčkem jí líně začal kreslit kroužky do dlaně. Naklonil se k ní přes stůl a políbil ji na ústa. Dobýval se do nich jazykem a ona ho vpustila, ale jen na krajíček – aby v něm nevzbudila podezření a měla jistotu, že je ptáček chycený.

Vzali si taxíka a jeli k ní. Cestou jí neustále strkal ruku mezi nohy. Odháněla ho trochu důrazněji, než by se mu líbilo, ale vždycky se na něj nakonec usmála. Když přišli do bytu a svlékli si kabáty, začal být už vyloženě neodbytný. Opětovala jeho polibky a nechala se i trochu osahávat, ale pak ho zase odstrčila.

„Potřebuju na záchod," vymluvila se. Vzala ho za ruku a vedla do ložnice. Povolil si uzel na kravatě a rozepnul si košili. Políbila ho na nahou hruď.

„Pokračuj," vybídla ho. „Jsem tu za chvilinku."

Na odchodu ještě stočila ruce za záda a začala si okatě rozepínat sukni. Pak – přesně podle instrukcí – zapadla na toaletu a zamkla se tam. Posadila se na záchodové prkýnko a čekala.

Reese se vysvlékl do spodního prádla. To si nechával až na konec, až se Carolyn vrátí ze záchodu. Aby viděla to velkolepé odhalení. Věděl přesně, co s ní chce dělat. Bude ji šukat až do neděle do rána a pak jí naplive do ksichtu za to, co mu udělala. A jestli se k němu ještě jednou přiblíží, oznámí to na policii – ať ji zatknou za obtěžování.

Seděl na posteli a prohlížel si sám sebe v zrcadle toaletního stolku. Zatáhl břicho a zase ho povolil. Nezáleželo mu na tom, jestli se jí bude líbit. Nesnažil se na ni udělat dojem. Toužil jen po tom ji ponížit. Poprvé v životě si přál být tlustší a ošklivější než ve skutečnosti. Už jí to trvalo moc dlouho. Aspoň že měla tak velkou postel. To bylo dobře.

Najednou se za ním něco ozvalo. Neslyšel, že by se otevřely dveře od záchodu, ale možná to jen přeslechl – nakonec se nechal celkem unést představou toho, co všechno jí udělá. Ohlédl se přes rameno, ale dveře byly pořád zavřené. Zase ten lomoz. Přicházel odněkud z podlahy. Měla snad kočku? Kočky nesnášel. A co ten smrad?

Překulil se a vyhoupl na všechny čtyři, aby se podíval pod postel, když tu se na druhé straně lůžka objevila ženská tvář. Měla tmavé vlasy, bledý obličej a ústa bez rtů. Kristepane, zarazil se Reese, musela být schovaná pod postelí. Spolubydlící? Šlo snad o nějaké ujeté sexuální hrátky? Nic proti, ale mohly se ho aspoň zeptat.

Ženiny ruce sevřely matraci a jejich majitelka se přitáhla na lůžko. Horní polovinu těla měla nahou. Malá prsa pokrývala suchá, olupující se kůže.

„Kdo, do pr –?“

Reese zahlédl křivku hýždí a slova mu uvázla v krku.

Žena neměla nohy. Místo toho jí na zádech tmavla kůže černo-rudými šupinami a pod kostrčí jí stehna srůstala v jedinou houževnatou končetinu, zužující se na tloušťku mužské paže. Připomínala ocas škorpiona, a to včetně tmavého zahnutého bodce na konci.

Žena se k němu přiblížila, respektive přitáhla se po matraci. Reese chtěl utéct, ale tělo ho neposlouchalo. Žena na něj upírala oči a její pohled ho paralyzoval – byl jako mrtvý hmyz ve vitrině entomologa. Tmavý ocas se vyklenul vzhůru a z ostnu na konci ukápla čirá tekutina.

„Prosím," žadonil a ani pořádně nevěděl o co, kromě toho, aby ho nechala naživu. „Prosím."

Bodec vystřelil a zasáhl jej do nahé hrudi, přesně na totéž místo, kam ho před chvilkou políbila Carolyn. V té chvíli ucítil, jak se mu tělem rozlévá jed, jak ho zevnitř spaluje. Tělo se mu zachvělo a ústa otevřela tak doširoka, až uslyšel a ucítil, jak se mu vykloubila čelist. Pohlédl na bodec a viděl, jak se rozdvojuje, rohovinová skořápka se rozevírá a odkrývá špičatý růžový orgán porostlý lesklými chloupky.

Žena ho uchopila za trup a on ucítil její dech. Položila ho na záda a pak se prohnula tak, že mu bodec přisunula těsně k ústům. Zasténala – snad bolestí či rozkoší – a Reese slyšel, jak jí křuplo v zádech, zatímco mu bodec vrazila do úst a pomalu mu ho zasouvala do krku.

Carolyn slyšela Reeseova poslední slova, po nichž následovaly zvuky zápasu na posteli. Chtěla se podívat. Chtěla to vidět. Ale řekly jí, že to právě nejde. Jenže po tom, co jí udělal, to prostě chtěla vědět...

Otevřela dveře a zůstala zírat na položenu na své posteli. Amélie se skláněla nad Reeseovým tělem, a to jí od pasu dolů mizelo v hrdle. Reese měl obličej zbrocený krví a ústa roztržená silou jejích nohou srostlých v ocas, který mu před chvilkou zarazila až do krku. Upřela na Carolyn oči a horní polovina těla se jí dál kymácela, jak požírala umírajícího muže.

Než stačila Carolyn jakkoli zareagovat, přišla zprava další osoba. Slečna Bronstonová. Přitiskla Carolyn k ústům polštářek, děsivý výjev před očima se rozplynul a vytratil se jí z mysli, stejně jako se vytratil život z Reeseových očí.

Carolyn se probudila ve vlastní posteli. Reeseovo tělo bylo pryč. Stejně tak zmizely i Amélie a slečna Bronstonová. Málem by uvěřila, že se jí to celé jen zdálo, nebýt slabého plazího zápachu, který zůstal viset ve vzduchu, a nebýt toho, že bylo vyměněné povlečení.

Přetáhla si peřinu přes hlavu a pokusila se usnout.

Uplynuly měsíce, než se Carolyn odvážila do čísla 65. Tak trochu čekala, že dům najde neobydlený, ale přišla jí otevřít táž slečna Bronstonová a v přetopené místnosti ji přivítala táž Amélie na kolečkovém křesle, dolní polovinu těla zakrytou kostkovaným plédem.

„Přišla jsem vám poděkovat," řekla Carolyn Amélii.

„Takže nelitujete?"

„Ne. Ničeho. Ale říkala jsem si..."

„Ano?"

„...jestli bych pro vás mohla já něco udělat na oplátku?"

Amélie se podívala za ni, kde stála ve stínu schovaná slečna Bronstonová a naslouchala jejich rozhovoru.

„Zatím ještě ne," odpověděla Amélie, „ale později bychom pro vás možná měly jistý návrh."

Amélie naposledy šmikla nůžkami a podala Carolyn novinový výstřižek.

Přišla zima. Slečna Bronstonová byla už tři měsíce po smrti. Carolyn byla s ní, když umírala. Slečna Bronstonová jí tehdy pověděla všechno, co potřebovala vědět.

„Tenhle," pronesla Amélie.

Carolyn si článek přečetla a vytáhla z kapsy notes. Znala ten případ. Zalistovala a našla jméno a adresu, které hledala. Pak se posadila ke starému psacímu stolu a vytáhla luxusní dopisní sadu. Úhledným krasopisem napsala:

Můžu Vám pomoci.

Stínový král

Bylo nebylo, v jednom dalekém ostrovním království žil byl slavný král s královnou, obdivovaní pro lásku a věrnost, jež chovali jeden k druhému, a stejně tak i pro moudrost a laskavost, s nimiž vládli. Král byl pohledný, královna překrásná a k dokonalosti jim chyběly už jen děti. Oddávali se místo toho své lásce, a ta je začala stravovat na těle i na duchu.

Po mnoha letech ve znamení míru se jim doneslo, že se od severu blíží hrozba: zem prý zahaluje těžká neprostupná mlha, polyká statky a vesnice i celá města. Nic, čeho se dotkne, nepřežije a nic, co pohltí, už se z ní nevynoří. Lidé před ní prchali a valili se jako řeka na přímořskou pevnost, kde však jen zjistili, že už nemají kam dál utéct, tak jim nezbylo než se otočit a čelit té věci, jež je pronásledovala. Ti, kdo přicházeli ke králi, říkali, že se z mlhy vynořují prapodivné bytosti – nestvůry s čelistmi v útrobách, muži se dvěma hlavami jedoucí na dracích bez křídel.

Král jim naslouchal a dostal strach. Vyslal posly na severní hranice říše, aby ho lépe zpravili o postupu mlhy, ale žádný se nevrátil. A zanedlouho spatřil z cimbuří svého přímořského hradu první šedavé jazyky mlhy, jak prorůstají do vzdálených lesů. Netrvalo dlouho, a jeho království nebylo vůbec vidět. Někteří lidé se nalodili na koráby ve snaze odplout do vzdálených krajů, ale mlha zachvátila i moře a nikdo jí neunikl. Všichni zemřeli, skryti pohledům.

Královský hrad však zlověstný opar nezahalil a stejně tak i pláně mezi hradbami a lesem zůstaly holé a jasné. Jenže to nepřineslo žádnou útěchu, jelikož z bílé masy se ozývaly nadpozemské skřeky, řev a výkřiky těch, kdo nestačili včas utéct a najít útočiště v hradních zdech. Král poslouchal, jak ho volají na pomoc. A jak rostla jejich trýzeň, jejich výkřiky sílily, dokud jeden po druhém neodezněly v milosrdné náruči smrti.

Král už to nedokázal déle snášet. Povolal rytíře a jezdce, vyzbrojil všechny bojeschopné muže a vyslal je do boje. Královna se jej nepokoušela zastavit, šla by dokonce s ním, kdyby jí to dovolil, ale on jí přikázal, ať dohlíží na ty, kdo zůstanou, a vládne v jeho nepřítomnosti. Políbila ho a řekla: „Nenajdu klid, dokud se nevrátíš, a plakat budu až s tebou, neboť slzy stesku pro tebe ronit odmítám."

Královna shlížela z nejvyššího hradebního ochozu, jak král vede své vojsko do mlhy. Ta spolkla tisícovku hrdinů jako jednoho muže.

V následujících dnech se ozývaly zvuky vzdáleného boje, tóny trubek a řinčení zbraní, pak ale zavládlo ticho a trvalo měsíc a jeden den, než mlha začala ustupovat. Z lesů, nyní opět viditelných, vyjel na koni jediný jezdec a královna v něm poznala svého krále. Sledovala ho, jak se blíží. Brány hradu se otevřely a dostalo se mu bouřlivého uvítání. Lidé ho oslavovali, jeho obličej však zůstal vyzáblý a kůže bledá. Seděl na hřbetě vyhublého koně, jeho kůže byla spálená a rozedraná a připomínal stín muže, jímž kdysi býval. V očích se mu zračila hrůza a šílenství. Jakmile mu pomohli ze sedla, nebohé zvíře padlo mrtvé k zemi.

Královna zavedla krále do jejich komnat a sňala z něj pozůstatky zkrvavené zbroje. Omyla mu rány, a když pak stál nahý a zranitelný před ní, uronila jedinou slzu. Král ji slíbal z její tváře a spolkl a v očích mu zazářila někdejší jiskra. Od té chvíle sílil a stále více se připodobňoval sám sobě za starých časů, avšak nemluvil. Jako by ho nakazilo ticho zavládnuvší po boji a udělalo z něho němého. Vládl jako kdysi, ale za pomoci posuňků a pera, a večer co večer uléhal po boku své choti do královského lože.

Mlha však nezmizela: pouze se stáhla za hranice království a královna ji cítila. Cítila ji jako chlad v kostech, vídala ji koutkem oka.

Rok po návratu se král objevil na nádvoří v sedle nejlepšího koně a v plné zbroji. Když se ho královna ptala, kam se chystá, ukázal na sever a ona věděla, že se vrací do mlhy. Na otázku proč však pouze zavrtěl hlavou, a tak podruhé řekla: „Nenajdu klid, dokud se nevrátíš, a plakat budu až s tebou, neboť slzy stesku pro tebe ronit odmítám."

Tentokrát byl král pryč pouze jednu noc. Vrátil se opět vyzáblý a přízračný, v sedle splašeného koně, prchajícího před přízraky, které viděl. Královna uronila jednu slzu a král ji slíbal z její tváře a opět se zocelil.

Tak to pokračovalo celých devět let: co rok, to jedna cesta, co rok, to jeden návrat a jedna slza. Království opět začalo vzkvétat a z krajin za mlhou přijížděli do země obchodníci. Velkému lesu, kde se mlha usídlila a kde panovalo ticho, se obloukem vyhýbali. Nevyletěl odtamtud ani ptáček, z podrostu na kraji se nevynořil ani srnec, a každého, kdo byl tak bláhový, že do lesa znovu vstoupil, už nikdy nikdo neviděl.

Desátý rok však už královna nedokázala skrýt zvědavost a vyslala jednoho z nejvěrnějších a nejodvážnějších dvořanů v králových stopách, ať za ním vstoupí do mlhy. S sebou na cestu mu dala svůj nejcennější a nejmocnější talisman, aby ho chránil: flakonek s krví jediného dítěte, které donosila – dcerušky, jež se však narodila mrtvá.

A tak onen dvořan putoval ve stopách krále, který se neohlížel. Zanedlouho přijeli k lesu. Dvořanovi se při pohledu na mlhu, jež les halila, zastavilo srdce, ale velmi miloval svou královnu a nepřežil by tu hanbu, kdyby se vrátil s nepořízenou. Mlha se před králem rozestoupila a zase se za ním zavřela.

Dvořan odzátkoval flakonek s krví mrtvého dítěte a potřel jí čelo sobě a svému koni, přesně jak mu poradila královna. Oba se okamžitě stali neviditelnými. S krví stékající jim zvolna po kůži vstoupili muž a jeho kůň do mlhy.

Všechny stromy v lese byly mrtvé, větve holé a kmeny zešedlé, takže vypadaly přízračně jako okolní mlha. Dvořan dohlédl pouze několik kroků před sebe, přesto rozpoznával cestu, jíž si lesem razil jeho král. Objevil kosti mužů. Pokrývaly zem jako sněhové závěje. Minul ostatky dvouhlavého obra přišpendleného kopím ke kmeni letitého dubu a vzápětí kůží potaženou kostru nestvůry, jež kdysi bývala ženou s pavoučíma nohama – té pro změnu trčela ze zad sekera.

Nejhorší, nač narazil, byly lidské obličeje obtisknuté do kůry stromů. Zprvu myslel, že jde o jakousi hru stínů, ale když přišel blíž, uviděl, že jsou to obličeje těch, které znával – rytířů, pážat, vojáků – vypreparované z bezvládných těl a hřeby přibité na kmeny stromů.

Nezahlédl však jedinou známku života.

Nakonec stanul na kraji paseky, uprostřed níž stál jeho král. Mlha kolem poněkud prořídla, ale dvořan měl dojem, že z ní vystupují tvary těl jako mraky přeskupující se na obloze. Ze všech stran zazníval šepot.

„Ať žije stínový král."

Král sesedl z koně a došel k tělu muže visícího na silné větvi javoru. Nezůstal na něm cár kůže, a tak bylo patrné obnažené, zvolna hnijící maso, skrz než prosvítala žebra. Pouze zdobená přilbice dávala tušit, kým kdysi býval, neboť se na ní vyjímal královský odznak.

Zatímco dvořan přihlížel, král se vyzul z bot, odložil brnění i šat a nakonec i kůži a maso – vyloupl se z té slupky jako had z kůže. Na mýtině najednou nestál jeho král, ale bytost s pokrouceným tělem a znetvořenou lebkou, s nosem připomínajícím spíše zoban supa mrchožrouta nežli lidský orgán.

A třebaže dvořan nikdy předtím toho tvora nespatřil, znal jeho jméno, neboť ve všech zemích kolovaly zkazky o Křivozobovi. Někteří říkali, že je zplozencem zlého boha a lidské ženy a že své matce rozerval lůno, když jej přiváděla na svět, a tím ji usmrtil. Jiní sice tento původ popírali, ale zase tvrdili, že se zrodil z temnoty na konci vesmíru. Vždycky prý existoval a vždycky existovat bude. Jedno se o Křivozobovi vědělo jistě – že ubližuje živým tvorům a že mu to činí nesmírné potěšení.

Kůň stojící vedle krále při pohledu na děsivou přeměnu pomateně zaržál, neboť ze všech bestií, šelem a nestvůr byl Křivozob ten nejkrvežíznivější. Kůň však stál přivázaný ke stromu, aby neutekl, a jeho hrůza vzrůstala. Křivozob mu nevěnoval pozornost, jeho ržání nicméně účinně maskovalo jančení neviditelného koně dvořanova. Křivozobovy černé oči se ďábelsky zaleskly, načež se hluboce uklonil viselci na javorové větvi.

„Vaše Veličenstvo," pronesl. „Vypadáte vskutku k sežrání!"

A s těmi slovy urval cár masa z rozkládajícího se těla a nacpal si ho do chřtánu.

„No ovšem," dodal, zatímco přežvykoval, „kéž byste chutnal alespoň způli tak dobře, jako vypadáte. A kéž by vaše královna uronila víc než jen jednu slzu..."

Jedl a u toho drmolil.

Co rok to jedna slza,
co krok to sousto dobré;
zdi jsou z masa
a hradní příkop plný krve.
Krásnou královnu jen mít,
a Stínového krále probudit.

Polkl poslední kus masa a obrostl zase novým tělem: krev a kosti, svaly a tuk a tenká vrstva kůže, až opět připomínal starého krále. Křivozob, vyčerpaný z přeměny, se zhroutil na zem a usnul hlubokým spánkem.

Dvořan nepotřeboval vidět ani slyšet víc. Obrátil koně a cválal ke hradu.

*

Královna spala, když mu otevřeli bránu, ale přikázala, ať ji s jeho příjezdem probudí. Vstoupil bez doprovodu do jejích komnat a vyprávěl jí o všem, čeho se stal svědkem. Když domluvil, pověděla mu královna, ať na ni počká v předpokoji a hlavně ať s nikým nemluví. Přistoupila k oknu a tam v tichosti stála, dokud se na obzoru neobjevil jezdec na koni. Tehdy opustila svou ponurou hlídku a povolala dvořana zpět. Když před ní poklekl, vytáhla nenápadně z rukávu nůž a zarazila mu jej hluboko do pravého ucha. Byl na místě mrtev. Pak si roztrhala roucho a přivolala stráže. Ten muž ji prý napadl...

Po celou tu dobu se ku hradu blížil Stínový král.

A taková je pravda: jsou lidé, kteří dají přednost naději před upřímným žalem, kteří se raději spokojí se stínem lásky, než aby se smířili s osaměním. Možná že královna patřila k tomuto druhu lidí, nakonec kdoví, k jakému šílenství může člověka dohnat hluboký smutek a co všechno mu může zlomit srdce?

Když se jí vrátil Stínový král, královna ho vzala za ruku a odvedla do postele.

A zatímco ji objímal, plakala a plakala a plakala...

Děti doktorky Lyallové

Dokonce i uprostřed suti a prachu se dají vydělat peníze.

Německé bombardéry proměnily ulice v hromady cihel a útržky vzpomínek a Felder si nedokázal představit, že tam v dohledné době bude zase někdo bydlet, leda by stál o to spát s krysami. Některé oblasti byly dosud tak nebezpečné, že jejich dřívější obyvatelé ani nesměli v troskách hledat pozůstatky majetku stojící za záchranu. Místo toho jen stáli za kordony, plakali pro ztracené věci a modlili se, ať se aspoň něco zachrání, až se domy prohlásí za bezpečné, popřípadě se strhnou nebo samy zřítí.

„Pohřbený poklad," tak tomu Felder říkal; peníze, šperky, oblečení – cokoli, co se dalo za něco vyměnit nebo prodat. Člověk si ale musel dávat majzla. Policajti neviděli rabování rádi a Felderovi a jeho partě to nemusel nikdo dvakrát připomínat. Právě se vrátili z návštěvy Pentonvillské věznice neboli „Villu", kde si zrovna odpykával pět let Mlaďas Rádiovka, dlužno dodat že pěkně krušných pět let, protože poldové zlomili při zatýkání Rádiovkovi pravou nohu tak ošklivě, že ji měl už do konce života tahat za sebou jako kus hadru.

Fízlové se ale jinak moc nepřetrhli. Válka je oslabila a Felder a jeho parta dokázali většinu z nich přechytračit. Mlaďas Rádiovka měl prostě smůlu, tak to bylo. Navíc mohl dopadnout daleko hůř: šuškalo se, že Černýho Harpera zastřelili vojáci, když na křižovatce Seven Dials vykrádal vybombardované krejčovství pro boháče. Ututlalo se to ale, aby zbytečně neklesla morálka. Stačilo, že Londýňany zabíjeli Němci... ještě aby jim v tom pomáhali naši. Taky se proslýchalo, že Billy Hill – co se pomalu pasoval na šéfa londýnského podsvětí – se dost intenzivně zajímal o jméno toho vojáka, co vystřelil osudnou kulku, protože Černej Harper byl Billyho kumpán, a za války byla o dobrý lidi nouze.

Billy Hill a jeho lidi se ale pohybovali na jiný úrovni než Felder, ačkoli měl podobný ambice. Felder, Greaves a Knight: to znělo úplně jak nějaká advokátní kancelář. Přitom se drželi u dna, paběrkovali v bahně a dávali si bacha, aby je nesežrala nějaká větší ryba. Celou jejich partu – ještě s Mlaďasem Rádiovkou – ve skutečnosti Němci na začátku války osvobodili… věznice tehdy propouštěly každého, komu z trestu zbývaly míň než tři měsíce, a pasťáky zase kluky, co měli jít ven do půl roku. Knight, Greaves a Mlaďas Rádiovka spadali do druhé kategorie. Felder byl starší, a když ho ve třicátým devátým pouštěli, byl už třikrát trestaný za přechovávání kradeného zboží. Nenarukoval. Před odvodem ho zachránilo, že v osmi letech přišel o levé oko, když to schytal kamenem; svoje postižení pochopitelně před komisí náležitě zveličil.

Mlaďas Rádiovka byl naproti tomu duševně zaostalý. Knight přijel do Londýna za prací ze Severního Irska a pár týdnů nato ho šoupli do Borstalu za napadení, takže byl technicky vzato vojenské služby neschopný, akorát že se před tím nehlásil na úřadech. A Greaves měl zase kardinálně ploché nohy. Všichni čtyři, včetně Mlaďase Rádiovky, měli za války vykonávat veřejně prospěšné práce, ale drželi se ze všech sil mimo radar Jeho Veličenstva. Okopáváním brambor nebo uklízením po nemocných a umírajících v nemocnicích totiž ještě nikdo nezbohatl. Vážně gang k pohledání, říkával si kolikrát Felder: jednookej, idiot, platfusák a protestant z Belfastu s tak silným přízvukem, že by klidně mohl mluvit svahilštinou a lidi – kromě jeho parťáků – by mu rozuměli úplně stejný prd. Tak to vypadalo, že Billy Hill kralující na trůně si zrovínka s nimi starosti dělat nemusí.

A teď zůstali jenom tři. Svým způsobem bylo štěstí, že s nimi Mlaďas Rádiovka už nebyl. Pravda, vždycky udělal, co mu Felder řekl, a taky měl sílu a uměl rozdávat rány pěstí, ale na cestě za svým snem nemohl Felder potřebovat někoho tak pomalého, jako byl Rádiovka. Pro Billyho Hilla žádní idioti nepracovali, protože idiot z člověka boháče neudělá. Hillova parta se na začátku války vloupala do Carringtonova klenotnictví na Regent Street. Vjeli tam tehdy autem a ukradli šperky v hodnotě šesti tisíc liber – částka, která se doteď vymykala Felderově chápání. Hill prodával všechno od hedvábí až po střívka na klobásy a šuškalo se, že válka z něj udělala milionáře. To Felder si největší úspěch připsal ve čtyřicátým prvním, kdy byli s Knightem o ulici vedle, když do tančírny Café de Paris na Coventry Street spadly větrací šachtou dvě německé bomby a zabily přes třicet lidí. Felder s Knightem tam naběhli a pod rouškou záchrany raněných okradli mrtvé a umírající o prsteny, zlaté hodinky a peněženky. Ten večer vydělali stovky liber, ale pak už to tak dobré nikdy nebylo.

Teď stáli Felder s Knightem na rumišti, které dřív bývalo cihlovou terasou, a v měsíčním svitu hleděli na dům. Stál tam jako vykotlaný zub v ústech staré bezzubé ulice. Bylo nepochopitelné, že se jako jediný nezřítil. Felder ale dávno věděl, že bombardování je podobně jako cesty Páně nevyzpytatelné. Někdy třeba bomba spadne a nevybouchne. Někdy strhne jeden dům nebo obchod, zatímco všechny okolo zůstanou netknuté, nebo jako v případě nebohých hostů Café de Paris zasáhne s krutou přesností na nejzranitelnějším místě jinak bezpečné stavby.

Pak tady byly bomby, co likvidovaly celé vesnice a čtvrti a nechávaly po sobě jedinou budovu jako památník toho, co kdysi bývalo. Tenhle dům byl o něco větší než ostatní, ale zase příliš se nevymykal: patrně středostavovské obydlí uprostřed ulice dělnických domků. Felder si ho vyčíhl, když jeho všímavé oko zachytilo kvalitu závěsů v oknech a letmý pohled do haly v přízemí napověděl, že tam možná visí na stěnách originály olejomaleb, na zemi leží vzácné koberce a nad nimi se tyčí – a to sehrálo rozhodující roli – příborník plný rodinného stříbra. Nenápadné poptávání po okolí přineslo zjištění, že jde o domov staré vdovy, jakési paní Lyallové, která tam bydlí sama od chvíle, co se její manžel v posledních dnech války odporoučel na onen svět.

Felder měl zásadu: nevloupávat se do obydlených domů. Bylo to příliš riskantní a hrozilo nebezpečí nežádoucího střetu s probudivšími se obyvateli. Násilí se sice Felder neštítil, ale měl tolik soudnosti, aby mu došlo, že je lepší se mu pokud možno vyhnout. Doba byla nicméně zlá a den ode dne zlejší. Felder sice byl ctižádostivý, ale smířil se s tím, že má-li své živobytí pozvednout, je potřeba navázat spojenectví. A jako nejlepší alternativa slibující lepší úroveň a zbohatnutí se jevil gang Billyho Hilla. Hill by nicméně požadoval důkaz, projev Felderových schopností a úcty k bossovi. Proto se nakonec Felder po krátkém rozmýšlení rozhodl z dnešní noční fušky vyškrtnout Greavese – vlastně ho vyškrtnout jednou provždy. Greaves byl slaboch a moc velká citlivka na to, aby pekl s gaunery typu Billyho Hilla. Navíc byl zásadový, a to do té míry, že odmítl podíl z rabování v Café de Paris, který mu Felder nabídl jako projev dobré vůle, byť se ho Greaves neúčastnil. Vykrádání domů po mrtvých byla zřejmě jedna věc; okrádání přímo jich samých druhá. Felder na takovou měkkosrdcatost nebyl zvědavý a pochyboval, že Billy Hill bude jiný.

V kapse kabátu ho tížil krátký obušek, Knight měl nůž a doma dělaný boxer ze dřeva, pokrytý šrouby a maticemi. Dával mu přednost před běžně dostupnými boxery, protože byl svým způsobem kutil. Zbraně u sebe ale měli jenom na efekt. Ani jeden z nich nečekal, že jim stará vdova bude klást odpor, ale staří lidé bývají někdy tvrdohlaví a pohrůžka násilím jim může rozvázat jazyk.

Felder se obrátil na Knighta.

„Připravenej?"

„Jo."

A společně vstoupili do domu.

Později, když Felder umíral – nebo spíš když jeden Felder v něm umíral – přemítal, jestli na něho ten dům a jeho obyvatelé náhodou nečekali; totiž, jestli na něj nečekali odjakživa, jestli zákony pravděpodobnosti a nekonečná provázanost příčin a následků kdysi dávno neurčily, že se jejich cesty nakonec nevyhnutelně protnou. Knightovi v tom žádnou roli nepřipisoval. Ten ostatně dělal, co se mu řeklo, takže smrtelný ortel vyneslo Felderovo rozhodnutí vloupat se právě do tohoto domu. Vždyť Knight si od chvíle, co o tom domě poprvé mluvili, mohl na kterémkoli rozcestí postavit hlavu a jít si po svých. Příležitostí měl stovky, tisíce... Neměla právě tohle na mysli ta stará paní? uvažoval Felder, zatímco krvácel z neviditelných ran. Ne jednu, ale mnoho příležitostí. Ne nekonečno, ale téměř nekonečno, moře, na jehož břehu se pro muže Felderova typu už nic nemění, zvlášť ocitají-li se na té nejdůležitější křižovatce ze všech, křižovatce mezi životem a umíráním, mezi bytím a nebytím.

No ovšem, jistou útěchu mohlo skýtat vědomí, že je to konec cesty pouze jednoho z mnoha Felderů. Kdyby jich tak Felder znal víc, a ne jen toho jediného...

Ale to všechno přišlo až později. Teď tady byl dům, jeho okna zpola zatažená všudypřítomnými roletami, přimhouřená jako oči jestřába. Nevstoupili dovnitř hlavním vchodem, nýbrž přelezli přes zeď na zahradu, kde našli odemčené zadní dveře. Ani je to příliš nepřekvapilo. Uvnitř nahlédli do naklizené kuchyňky se stolem a dvěma židlemi z borového dřeva, osvětlenými svící vsazenou do skleněné lampy. Podobné svíce osvětlovaly i chodbu. Pod schodištěm byly zamčené dveře vedoucí podle všeho do sklepa. Neslyšeli nic než tikání neviděných hodin.

Té zvláštní kresby na stěnách chodby si jako první všiml Knight. Zprvu ji považoval za vzor na tapetách, ale při pohledu zblízka usoudil – stále mylně –, že jde o praskliny v omítce, připomínající krakeláž starých olejomaleb. Knight ani s Felderem, ani s ostatními příliš nemluvil o své minulosti ani o svém původu. Nezajímali se jeden o druhého, ne pokud se jich to přímo netýkalo. Objekt takového zájmu se navíc kolikrát netvářil, že mu to skýtá zvláštní potěšení. Přesto Felderovi neuniklo, že Knight se celkem vyzná v umění a v literatuře a je lépe vzdělaný, než dává tušit jeho křupanský přízvuk. Ve skutečnosti Knight pocházel z domu plného olejomaleb a z rodiny, jejíž členové trousili mezi řečí výrazy jako abraze či blanšírování, gesso a albumin. Kdyby se mu Felder před smrtí svěřil s tím, co mu bylo vyjeveno, mohl Knight příběh vyprávěný vzorem na stěnách daleko lépe ocenit.

Oba muži přistoupili ještě blíž, Felder s nataženými prsty, aby si osahal to, v čem po chvilce rozpoznal kresbu tuší na jinak holých stěnách domu – složité vzory připomínající snad větve jakéhosi popínavého šípkového keře. Jako by vnitřek domu zarostl plevelem, který s prvním mrazivým výdechem zimy shodil listy, pokud ovšem nějaké listy vůbec kdy měl. Ten dojem ještě podtrhovaly červené tečky, nahodile rozmístěné jako plody přirostlé k uhynulému keři. Vedle každého červeného kolečka stály iniciály: E. J., R. P., L. C. Žádná kombinace písmen se neopakovala.

Ačkoli se v té ornamentální výzdobě nedala najít žádná logika, Felderovi i Knightovi se zdálo – pochopitelně každému zvlášť –, že její tvůrce začal jedinou linkou, která se po pár centimetrech rozdvojovala: jedna větev pokračovala dál a druhá končila vodorovným tahem přeškrtnutým svislicí jako slepá ulička. Přesto se místy vzor od této pravidelnosti odchyloval a některé odbočující tahy se postupně napojovaly na hlavní kmen. Stejně tak u některých linek byla uvedená čísla, v nichž Felder tušil data nebo – u zvlášť dlouhých popisků – hodiny, minuty a vteřiny. Ornamentální vzor pokrýval stěny cele; některé větve se dokonce pnuly i po stropě, kam se dalo vylézt po žebříku opřeném vedle vstupních dveří. Spleť tahů a čar stoupala po stěnách podél schodiště, patrně nahoru do patra, předpokládal Felder. V kuchyni, zdálo se, ornamentální výzdoba chyběla, nejspíš proto, že skýtala sotva tolik místa, aby se tam vešly skříňky kredence, dřez a plynový sporák se čtyřmi plotýnkami. Jenže pak se Knight, veden zvědavostí, vrátil a jedna dvířka kredence otevřel – spleť rozdvojujících se větviček byla schovaná na zdi pod ní, místy dokonce i vyrytá do dřevěného táflování.

I tady Felder, zatímco čekal na smrt – na *čísi* smrt – vytušil další rozhodující okamžik, možný bod zlomu, kdy si mohli oba zachránit život, kdyby se na patě otočili a odešli z toho domu. Sice si nic neřekli, ale ve tvářích se oběma mihlo znepokojení. Pak si ale Felder vzpomněl na Billyho Hilla a na podíl z bohatství, které válka přinášela těm, kdo byli dost bezohlední, aby se včas chopili příležitosti. Hill by při pohledu na kresbu tuší svědčící o nepopiratelném šílenství autora nezaváhal. Naopak, vydedukoval by z ní, že jeho oběť bude o to zranitelnější a snáz podlehne jeho útoku.

Za kuchyní se otevíraly dveře do jídelny, prázdné a zaprášené, skrz niž se dvoukřídlovými dveřmi vcházelo do salonu. Podobně jako v chodbě i tady byly stěny pokryté tahy a čarami.

Teprve tehdy si Felder uvědomil, že ve vstupním salonu – v tom se vzácnými koberci a olejomalbami, a hlavně tím prosklenými příborníkem plným rodinného stříbra – někdo je. Sotva postřehnutelně se mihl stín, sotva slyšitelně kdosi vydechl. Zavrzalo křeslo a Felder zaslechl slabé lomození spáče, jehož probudil šramot dvou mužů vniknuvších do cizího domu. Zašoupaly kroky na koberci. Začaly se otevírat dveře.

Knight zareagoval jako první. Předstihl Feldera, než vůbec starší muž stačil zhodnotit situaci. Vrazil prudce do dveří. Ozval se jediný výkřik – hlas staré hudrující ženy – a pak několik tlumených úderů, v nichž Felder zachytil praskání lámajících se křehkých kostí, jako když se jedlík zakousne do křepelky.

Felder vstoupil do místnosti a přistihl Knighta na podlaze, jak obkročmo sedí na staré paní, jedno koleno na její hrudi, pěst pozvednutou k úderu. Ženiny oči pomalu získávaly vytřeštěný výraz člověka v šoku. Felder chytil Knighta za zápěstí, než stačil zasadit ránu.

„Přestaň!“ sykl. „Pro Kristovy rány, vždyť ji zabiješ!“

Cítil, jak se Knightova pravice vzpouzí a silou táhne dolů, ale pak napětí mladšího muže polevilo. Knight se pomalu zvedl a přejel si rukou po tváři. Zřídkakdy jednal takhle horkokrevně a zuřivě. Byl od přírody kliďas a vlastní prudkost jej očividně zarazila.

„Já –“ koktal Knight. Pohlédl dolů na starou paní a zakroutil hlavou. „Já –“ zopakoval, ale na nic dalšího se nezmohl.

Felder poklekl a něžně uchopil starou paní pod bradou a otočil jí hlavu, aby na ni viděl. Měla přeražený nos, to bylo jasně vidět, a levé oko se jí pomalu zavíralo. Napadlo ho, že jí Knight možná rozdrtil i levou lícní kost, dost možná i pochroumal oční důlek. Rty měla zkrvavené, horní ret rozseknutý, ale podobně jako Knight se pomalu vzpamatovávala a stávala se zase sama sebou. Pokusila se vstát. Felder jí pomohl na nohy, a i když žena vážila jen o málo víc než šaty, které měla na sobě, Knight mu s ní pomohl a společně ji téměř donesli zpátky k ušáku, ve kterém ještě před chvilkou podřimovala.

„Přines trochu vody," přikázal Felder, „a studený obklad."

Knight udělal, co mu řekl. Felder staré paní něžně odhrnul šedé vlasy z tváře a zastrčil jí je za pravé ucho.

„Je mi to moc líto," omouval se. „To se stát nemělo."

Žena nic neřekla. Pouze si zdravým okem Feldera zklamaně měřila.

Vrátil se Knight, v jedné ruce utěrku, z níž crčela voda, ve druhé šálek. Felder si všiml, že mu z pravé kapsy saka čouhá láhev brandy. Už se natahoval pro utěrku, ale Knight zůstal stát ve dveřích, oko upřené na stěnu, do níž bylo vsazené okno. Felder se podíval tím směrem: další linky a klikyháky, další rozvětvování, další ornamenty, další červené bobulky. Zbylé tři stěny pokoje zakrývala knihovna a skříňky. Podivné fresky zdobící celý dům zde pokračovaly pouze na stěně s oknem.

„Kašli na to," povídá Felder, „a podej mi tu utěrku."

Jeho slova zrušila kouzlo a Knight mu podal obklad i šálek s vodou. Felder otřel paní z tváře krev a doufal, že lehkým přítlakem možná zmenší otok, který se jí dělal kolem oka. Jenže sotva se jí dotkl, vyjekla bolestí, a Felder věděl, že se prve nemýlil: Knight jí roztříštil kosti kolem očního důlku. Felder ji přiměl, ať se trochu napije, a zbytek vody vylil na utěrku. Kývl směrem na Knighta, aby jí šálek naplnil brandy. Knight otevřel láhev, zhluboka se napil a nalil na dva prsty do šálku. Felder ženu znovu přinutil, aby se napila, a mokrou utěrkou jí setřel pramínek krve stékající po bradě.

„To vám udělá líp," řekl.

Vtiskl jí šálek do dlaně a ovinul jí kolem něj prsty. Dýchala mělce, jako by ji každé nadechnutí bolelo. Felder si znovu vybavil Knightovo koleno zabořené do jejího vpadlého hrudníku. Přiložil na místo ruku, ovšem opatrně, aby jí nesáhl na prso.

„Bolí vás to tady?" zeptal se.

Paní nepatrně přikývla. Felder se odvrátil.

„Měli byste jít," zasípala s výdechem.

„Co?" vyhrkl Felder.

„Měli byste jít. Nebude se jim to líbit."

„Komu?“

„Říkals, že tu bydlí sama!“ vyhrkl Knight. V ruce se mu zaleskla čepel zavíracího nože jako záblesk měsíčního svitu.

„Drž hubu,“ ucedil Felder, pozornost stále upřenou na starou paní.

„Komu?“ zeptal se znovu, ale neodpověděla, pouze loupla pravým okem po knihovně nad krbem.

Felder se postavil. Obrátil se na Knighta.

„Jestli tady bydlí ještě někdo další, dávno bys ho vyburcoval tím rambajzem, cos nadělal,“ prohlásil. „Ale i tak, běž a prohledej dům. Když už jsme tady, podojíme tak tu krávu, co to půjde. Šperky, prachy, však sám víš.“

„Proč se jí nezeptáš, kde to má všechno schovaný?“

„Viděls, jak je ten dům velkej? Není to žádnej Buckinghamskej palác. Nahoře nebude víc jak pár pokojů.“

„Já vím, ale –“

„Možná ji chceš zase praštit, vyzkoušet, jestli to i tentokrát přežije...“

Knight měl dost slušnosti na to, aby se zatvářil zahanbeně.

„Co chceš dělat?“ zeptal se.

Felder si sáhl pod kabát a rozvázal tkalouny, jimiž měl připevněný pytel. Kývl bradou směrem k příborníku.

„Chci vyřídit tohle. A teď už běž, ať s tím pohneme.“

Knight jako by chtěl ještě něco říct, ale zjevně nestál o to se s Felderem dohadovat, zvlášť když mu před očima krvácela stará paní. Felder mu ztrátu sebeovládání ještě spočítá, až odsud vypadnou. Odešel a Felder slyšel, jak ztěžka dupe po schodech. Když se ohlédl zpátky na starou paní, usmívala se na něho.

„Děkuju vám,“ řekla.

„Za co?“

Zakuckala se a z úst jí vystříkla krvavá sprška.

„Za to, že jste mě zabili.“

Felder před očima staré paní vyprázdnil příborník do pytle. Šlo o kvalitní zboží. Trochu se bál, aby nádobí nebylo jen pocínované, ale už při prvním nakouknutí dovnitř oknem mu zkušené oko napovědělo, že to nebude ten případ. Vážilo docela dost, ale pytel byl pevný a ještě nikdy ho nezklamal. Jedinou starost mu dělalo, jak to všechno dostanou do bezpečí, aniž by je u toho chytili policajti – protože pytel plný rodinného stříbra nevysvětlí.

Rozhodl se, že poslední slova staré paní pustí z hlavy. Schytala to koneckonců párkrát do hlavy, a kdoví, co jí to tam nadělalo za guláš? Jakmile byl příborník prázdný, zběžně prohlédl police a zásuvky, ale našel jen pár florinů a půlkorun zabalených do kapesníků a jedny zlaté pánské hodinky s vyrytým monogramem a letopočtem 1912. Chvilku zvažoval, že je taky přihodí do pytle, ale pak si je strčil do kapsy, aby se mezi nádobím nerozbily. Slyšel, jak nahoře Knight prohledává šatní skříně a šuplata.

Zapálil si cigaretu a rozhlédl se kolem. Při prohledávání polic si nějak nestačil všimnout, co vlastně za knihy na nich je. Ani jediný titul mu nic neříkal, tedy ne že by byl Felder nějak sečtělý; většinou šlo o naučnou literaturu.

„Ty byly vašeho manžela?“ zeptal se stařeny. „Nebo snad syna?“

Upřela na něj pravé oko.

„Moje,“ řekla.

Felder povytáhl obočí. V jeho světě nečetly ženy vědecké knihy. Vlastně nečetly skoro žádné knihy. Sice slyšel o ženách-vědkyních, ale osobně nikdy žádnou nepotkal, takže je řadil do stejné kategorie jako zapomenuté kmeny v hloubi Afriky nebo jezerní příšery ve Skotsku. A teď nějak nevěděl, jak se v přítomnosti takové ženy chovat.

„Takže jste vědkyně?“

„To už je dávno.“

„A co za vědkyni jste?“

„Fyzička, i když mám vzdělání i v oboru chemie.“

„Takže jste co? Profesorka Lyallová?“

Jestli ji překvapilo, že zná její jméno, nedala to na sobě znát.

„Doktorka Lyallová,“ řekla.

„Doktorka Lyallová, fyzička. A tohle všechno –“ Felder se rozmáchl rukou a obsáhl ornamenty na stěnách – „to je jako fyzika?“

Lyallová se znovu rozkašlala, ale tentokrát z ní vyšlo jen málo krve. Dech se jí poněkud zvolnil. Mohlo to znamenat, že se její stav zlepšuje, ale o tom Felder pochyboval. Spíš měl podezření, že se jí tělo uvolňuje, protože umírá. Chtěl, aby sebou Knight hodil. Jakmile vypadnou z toho domu, honem najde telefonní budku a přivolá sanitku. Jenže to už by taky mohlo být pozdě.

„Kvantová fyzika,“ řekla.

„A to je jako co?“

„Věda zabývající se výzkumem vesmíru na té nejelementárnější úrovni."

„Aha." Felder znovu potáhl z cigarety a přistoupil ke zdi. „Ale co to všechno znamená?"

Viděl, že se skoro usmála.

„Chcete, abych vám poskytla odborný výklad?"

„Možná ale taky třeba jenom chci, abyste nepřestala mluvit, protože když mluvíte, tak jste vzhůru a taky naživu. Seženem vám pomoc, slibuju. Nebude to trvat dlouho. Jenom zkuste zůstat při vědomí."

„Na to je už příliš pozdě."

„Ne, není. Mluvte. Povídejte o kvantový fyzice."

Usrkla trochu brandy.

„Objevila se teorie," začala doktorka Lyallová, „že je nekonečné množství možných existencí a že pokaždé, když uděláme nějaké rozhodnutí, jedna z těch existencí začne existovat. Současně s ní ale mohou existovat i všechny další možné, či spíše pravděpodobné existence. Je to ještě trochu složitější, ale snažím se to co nejvíc zjednodušit."

„Poněvadž si myslíte, že jsem hlupák?" Řekl to bez špetky hořkosti.

„Ne, protože si sama nejsem jistá, jestli to chápu až do důsledku."

Felder se zadíval na vzorce na zdi ve snaze je pochopit.

„Takže každý to rozdvojení tady je nějaký rozhodnutí?" poznamenal.

„Správně."

„Je to váš život," pokračoval a do hlasu se mu vloudil úžas. „Všechny ty větve, ty rozdvojky a slepý uličky, to jsou rozhodnutí, co jste udělala. Všecky jste je sem zakreslila."

„Ano."

„Proč?"

„Abych pochopila."

„Pochopila co?

„Kde jsem chybovala," řekla a nadechla se tak zhluboka, jak jí obavy dovolily. Chystala se na delší proslov. „Protože některá rozhodnutí, a tudíž činy, napáchají víc škody než jiná. A já si myslím, že když je dost často opakujeme, může dojít ke změně reality. Říkám tomu ‚konfluence'. Kdybych žila dost dlouho, vydala bych o tom pojednání."

„Konfluence," zopakoval Felder zálibně, i když slovu vůbec nerozuměl. „Ale jakejch špatnejch věcí se dáma jako vy mohla dopustit?"

Zamračila se a malinko zvýšila hlas.

„Nepovažuji je za špatné. Někdo by třeba mohl, ale já ne. Měly nicméně dohru, kterou jsem nemohla předvídat. Konfluence nastává v extrémech a nejzazším extrémem je, když vyvstane možnost, že člověk udělal něco, co změnilo povahu jsoucna. Neudělala jsem nic špatného. Pomáhala jsem. Jenže všechny cesty se rozdvojují a některé pak mohou vést do stínů. A ve stínech se dějí věci."

„Co maj bejt ty červený puntíky?" zeptal se Felder.

Odpovědi se nedočkal. Otočil se a viděl, že doktorka Lyallová zavřela oči.

„Hele," houkl. „No tak."

Bez hnutí sledoval, jak její dech slábne a slábne, až zeslábl docela. Sklenka brandy jí vyklouzla z ruky a dopadla na dlaždice před krbem.

A Felder si najednou uvědomil, že už neslyší nad hlavou štrachat Knighta.

V poschodí měl dům čtyři pokoje: samostatnou toaletu – značně luxusní, alespoň Knightovi to tak připadalo –, dvě ložnice a jednu komůrku, která byla tak maličká, že Knight nedokázal přijít na to, k čemu mohla sloužit, když se tam ani postel nevešla. Připomínala spíš telefonní budku. Vršilo se v ní nejrůznější harampádí, jaké se v domě najde: rozbité kufry, staré noviny, rám dámského kola a další knihy. Knihy ostatně zabíraly i ony dvě ložnice, a dokonce i ten parádní záchod, ale na rozdíl od obýváku dole tady stály v křivolakých komíncích na podlaze, hlavně aby zbylo dost místa na ty pekelné klikyháky na zdi.

Knight pořád nemohl pochopit, proč se na starou paní vrhl – ne že by se snad štítil praštit dámu, nebo dokonce divnou holku, co dámu v nejmenším nepřipomínala, ale divil se, jak zuřivě po ní skočil. V té vteřině ho přemohla jednak zloba doutnající uvnitř, jednak hluboký a nepolevující pocit strachu. Přitom ornamenty na stěnách ho samy o sobě k takovému jednání dohnat nemohly. Byly divné a znepokojivé, to ano, ale nic víc. Napadlo ho, jestli s ním něco není, ale než s Felderem vstoupili do toho domu, cítil se dobře. To místo působilo nepříjemně, jako by tam vzduch byl otrávený. Přitom to uvnitř nepáchlo o nic zatuchleji než v jakémkoli jiném domě, kde žije stará babka – nebo pomalu umírá, záleží na úhlu pohledu.

V každém případě štrachání v pokojích přece jen přineslo plody. V hlavní ložnici našel sbírku šperků, většinou zlatých, včetně zdobeného medailonku vykládaného rubíny a diamanty, a pak krabičku, kterou tedy musel vypáčit nožem, ale zase v ní bylo sto liber v papírových bankovkách a malá hromádka zlatých sovereignů. Knight dva sovereigny vzal a strčil si je do vnitřní kapsy kabátu. Věděl, že Felder plánuje předat většinu kořisti Billymu Hillovi, a v zásadě to schvaloval, ale to neznamenalo, že dočista přišel o rozum. Pořád existovala možnost, že si Billy Hill zboží vezme a jeho a Feldera vykopne zpátky na ulici. Možná je na rozloučenou ještě nechá zmlátit, aby jim došlo, jak moc byli bláhoví, když si mysleli, že by si mohli koupit jeho přízeň. Dík ulitým sovereignům by je odmítnutí nemuselo tolik bolet, ať v doslovném, nebo přeneseném slova smyslu. A Knight by měl navíc rezervu, kdyby se potom rozhodl Feldera opustit. A kdyby je Billy Hill přibral do party, tím líp: sovereigny by posloužily jako slušný základ pro opravdové zbohatnutí.

Právě když Knight ukládal kořist do kapes, zaslechl na ochozu za dveřmi kroky. Nejdřív si pomyslel, že je to Felder, ale bylo to příliš lehké našlapování a navíc Felder by se k němu v cizím domě takhle nepřikradl. Knight se otočil a zahlédl ve dveřích něco, co vypadalo jako bosá levá nožka a lýtko malého dítěte. Dítě jako by jej sledovalo a teď se bálo, že ho Knight nachytá. Kluk, pomyslel si Knight, byť ho zahlédl jen letmo. Ale kde se schovával? Dole se schovat nebylo kde a v patře to Knight důkladně prohledal. Mohl se snad krčit mezi harampádím v tom malém kamrlíku? Možné to bylo, ale nepříliš pravděpodobné, tedy pokud se záměrně nezahrabal pod štosy knížek, tašek a kufrů.

A pak mu to došlo: sklep. Sice na něj nezapomněli, ale ukázalo se, že je zamčený, a Knight nikde nemohl najít klíč. Možná že je ten kluk viděl vcházet do domu, dostal strach, klíč vzal a zamkl se ve sklepě. Jinak se to nedalo vysvětlit. A teď se nějak protáhl Felderovi za zády a utekl nahoru, ačkoli Knightovi nešlo na rozum, proč se nesebral, nevyklouzl ven a neutíkal pro pomoc. Jenže kdoví, co se honí hlavou malému vyděšenému dítěti?

Knight se pustil za ním. Rozkopl dveře, vpadl na ochoz nad schodištěm a pak se zastavil.

Už to nebyl ten stejný dům. Ochoz byl ztemnělý a stěny holé, vyjma pruhů vybledlých tapet lnoucích zatvrzele k omítce – s obrysy smutečních lilií vábících Knighta do šera. Podlahu sice stále osvětlovaly svíce, patřila však mnohem většímu domu; Knight napočítal osmery dveře v nyní delší a rozlehlejší chodbě končící schodištěm. Jedny z těch dveří, ty vpravo uprostřed, se Knightovy před očima pomalu zavíraly.

„Feldere?“ zavolal. „Feldere, slyšíš mě?“

Ale nikdo neodpověděl.

Knight zalovil v kapse a vytáhl znovu nůž. Byl japonské výroby a patřil k jeho nejcennějšímu majetku a současně k věcem, které měl už od dětství a které si vzal s sebou z domova, když utíkal do Anglie. Nůž svědomitě brousil, takže stačilo neopatrně zavadit o ostří a člověk se mohl pořezat tak, že potřeboval šití. Páčení krabičky staré paní na jeho oceli nezanechalo ani škrábnutí. Držet nůž v ruce dávalo Knightovi alespoň jakýs takýs pocit jistoty, byť v duchu ani za mák nechápal, jak mohl vejít do pokoje v jednom domě a vyjít ven v úplně jiném.

„Feldere?“

Tentokrát jeho volání přineslo odezvu. Ozvalo se dětské zachichotání a po něm *pššt*, rovněž dětské. Takže ne jen jedno dítě, ale přinejmenším dvě.

Knight tiše vykročil chodbou a cestou bral za kliky dveří. Všechny byly podle všeho zamčené, až na ty vpravo uprostřed. Ty byly pootevřené. Jak se k nim blížil, uslyšel za nimi někoho utíkat – děti se asi snažily dostat co nejdál, pryč z jeho dosahu. Tiché dupání po chvilce odeznělo doztracena, jako by pokoj byl nesmírně velký a měl hodně vysoký strop.

Knight stanul přede dveřmi. Pomalu zvedl levou ruku a opřel se do nich. Dveře se nehlučně otevřely. Před sebou uviděl řadu vysokých oken, ovšem bez výhledu ven, protože je zakrývaly závěsy. Pod okny stály dětské postýlky, vyrovnané vedle sebe a očividně používané. Knight překročil práh a u zdi naproti oknům uviděl další řadu postýlek. Jediné osvětlení skýtala lampička na nočním stolku. Knight napočítal v každé řadě dvanáct postýlek a pak, když jeho oči přivykly tmě, postřehl, že ve tmě se ztrácejí další a další. Netroufal si odhadnout, jak je pokoj velký, ani jak vysoký má strop. Byl rozhodně vyšší než ten venku na chodbě.

Jeho pozornost opět přilákala okna. Ano, bylo za nimi černo, to ale znamenalo, že závěsy je musely zakrývat *zvenčí*. Přistoupil k nim, nůž pevně sevřený v ruce. Zahlédl svůj odraz ve skle, strašidelný obraz trosečníka. Dotkl se prsty skleněné tabule. Sklo děsivě studilo, třebas v místnosti bylo celkem příjemně teplo.

A jak tam tak stál a jeho vlastní obraz na něj hleděl a prsty mu křehly, cítil, že černotu za okny nemají na svědomí žádné závěsy ani tma venku, ale jakási nicota, která se zhmotnila a strhala hvězdy z oblohy a zahalila dům, který teď plul jako koráb v prázdnotě. Knighta se zmocnil děsivý pocit osamění a beznaděje, kterých člověka zbaví pouze zapomnění. Vakuum ho hypnotizovalo a v tu chvíli pochopil, že by tam takhle mohl stát, dokud by ho prázdnota venku pomalu a beze zbytku nevysála, takže by po něm zbyla jen slupka, a ta by po chvíli spadla na podlahu a rozpadla se jako vysušená schránka mouchy zapomenutá v pavučině.

Knight zaslechl vysoko nad hlavou lomoz: tiché cupitání. Roztřásl se. Dostal strach, že okolní prostor zachytil představu pavouka a jeho oběti a začne ji zhmotňovat. Pomalu zvedl oči ke stropu. Lampa u dveří zazářila a její světlo se rozlilo do stran a vzhůru. V tom světle se zaleskl bezpočet černých oček jako střípky obsidiánu vsazené do omítky. Knight zachytil i pohyb; spleť bledých nahých těl držících se stropu tlustými pahýly končetin; a nyní začaly slézat po stěnách dolů jako hmyz, oči upřené na Knighta.

Byly to děti, stovky malých dětí ne starších než pár měsíců. Byly živé, a přesto neživé, těla kropenatá počínajícím rozkladem. Knight na ně zíral, na jejich buclatý vodopád valící se po stěnách. A za zády, skrytá jeho pohledu se mu natáhla ručka a dotkla se zlehka prstíkem jeho šíje. Knight ucítil bodnutí, pavoučí polibek. Nůž mu vyklouzl z ruky na zem a on jej následoval. Padl na kolena, ochromený neznámým jedem. Svezl se na pravý bok, oči otevřené. Nedokázal se pohnout, promluvit, dokonce ani mrknout. Přilezly až k němu, ručky natažené a šmátrající po jeho nose, ústech, očích – zkoumající, objevující děti, stále více dětí, až se ztratil pod masou jejich tělíček a zemřel strnulý, zavalen tvory radujícími se z nově objeveného tepla, které z něj zvolna vyprchávalo. Když vyprchalo docela, děti se daly do pláče.

Felder dole v obývacím pokoji došel ke dveřím a zavolal Knightovo jméno. Když se nedočkal odpovědi, vykročil do chodby. Schody do ložnice tam sice pořád byly, ale vedly do černoty, která všechno pohlcovala. V místě, kde předtím byly vstupní dveře, našel jen zeď a na ní vysoké zrcadlo. Rovněž kuchyně zmizela a i místo ní zbylo zrcadlo, takže Felder stál mezi nimi, lapený bezpočtem vlastních obrazů. Ohlédl se na tělo staré paní, ale i ono bylo změněné – nebo vlastně nezměněné, napadlo jej, protože na obličeji neměla šrámy a vypadala, jako že spí. Ve spánku sebou malinko škubala a křeslo pod ní slabě vrzalo. Z úst jí vycházelo tiché chrápání, jako by nikdy nebyl žádný Knight ani jeho pěsti. V okamžiku, kdy se za Felderem začaly zavírat dveře, otevřela oči. Nedokázal však říci, zda jej doopravdy viděla nebo jestli se jí jenom zdál. Dveře se za ním zavřely a on jí zmizel z očí. Slyšel zarachotit v zámku klíč. Odrazy v zrcadlech najednou vybledly a začala praskat zeď. Sledoval, jak se pukliny rozrůstají – rozdvojují se, rozbíhají, postupují kupředu, končí – a uviděl na omítce zasychat černou tuš kresby pletenců svého vlastního života.

Otevřely se první dveře a pak se začaly otevírat další. Slyšel vrznout i ty do sklepa a pak tiché našlapování dolů po schodech. Felder si nenaříkal. Nepral se s tím ani nekřičel. Jednoduše šel za tím zvukem.

Ve sklepě byl Knight. Seděl zhroucený na židli, hlavu zvrácenou dozadu a oči – přesněji prázdné oční důlky – zvednuté ke stropu. Stěny ve sklepě pokrývaly zavařovací sklenice. Ani jedna nebyla prázdná.

Nebude se jim to líbit.

Na pracovním stole stála brašna a vedle ní sada blyštivě čistých chirurgických nástrojů. Felder si všiml také neoznačených flakonků s lektvary a prášky a tabletkami. Znovu se podíval na zavařovací sklenice a na jejich obsah plovoucí v konzervační tekutině. Slyšel už o ženách, jako byla doktorka Lyallová. A slyšel o mladých neprovdaných dívkách s dobrou pověstí, kterou je třeba chránit, o manželkách, které přišly k dítěti, zatímco jejich muži bojovali na frontě v zámoří, o matkách s těly tak sešlými, že by je další dítě zabilo. Ty všechny přicházely za doktorkou Lyallovou a jinými jí podobnými, které udělaly to, co lékaři udělat odmítali. Felder nikdy nepomyslel na to, jakou cenu za to člověk může zaplatit ani jak ho to pak tíží. A ona si je všechny poznačila na zdi, co červená tečka, to jedna návštěva.

Děkuji vám...

Konfluence. Bytí a nebytí, trhání přediva skutečnosti na stěnách mezi vesmíry.

...za to, že jste mě zabili.

Ještě jedno zrcadlo bylo dole ve sklepě. Felder v něm uviděl sám sebe: Feldera nynějšího okamžiku, jasně vymezeného rozhodnutími a činy, které ho zavedly do tohoto domu. Stěny se od něj začaly vzdalovat, zůstávaly toliko stíny za nimi, a z těch stínů se nořily děti. Některé byly sotva narozené, jiné se již batolily a další, starší si ho obezřele měřily. Jejich zloba štípala jako mráz, protože neexistuje silnější zloba než zloba dětí. Pociťoval ji jako bezpočet chirurgických kleští a skalpelů, které se mu zarývají do masa. Jeho obraz v zrcadle začal krvácet, takže si pomyslel, že i on sám musí nutně krvácet, i když neviděl žádné rány. Cítil je však, hluboko uvnitř je cítil.

Pomalu umřel, nebo spíš jeden z mnoha Felderů v něm – ten, který jako jediný to mohl vnímat. A v jasném záblesku umírající mysli pochopil, že v nějakém jiném vesmíru – v mnoha jiných vesmírech – bude doktorka Lyallová a její děti trpět dál. Tady v tom vesmíru jejich utrpení skončilo, stejně jako jeho vlastní muselo zcela nevyhnutelně a milosrdně skončit.

A zatímco z něj zvolna vyprchával život, po špinavé zdi se vinula linka černé tuše a postupně vybledla.

Rozlomený atlas – pět fragmentů

I. Děs a bázeň králů

Couvret čekal u *het Teken van de Eik*, Znamení dubu, na loď, jež ho dopraví do Anglie. Už týdny spával po hostincích a jeho neklid vzrůstal. Mezi hugenotskými uprchlíky kolovaly zvěsti o hrozící odplatě katolíků a Couvret jaksi nevěřil, že bude v Amsterodamu v bezpečí. Klid najde, až teprve když ho od starého kontinentu bude dělit Severní moře.

Jeho žena a děti byly mrtvé, zemřely při epidemii neštovic. Zpráva o jejich smrti ho zastihla téměř současně s novinou, že Jindřich Navarský ukončil obléhání Paříže a stáhl se před postupujícím osvobozeneckým vojskem španělských katolíků pod velením vévody z Parmy. Jindřichovo obléhání prý mělo na svědomí smrt čtvrtiny obyvatel města. Katolíci to jistě budou chtít někomu přičíst na vrub, a Jindřich to nebude. Proslýchalo se, že se chystá konvertovat, a prý už se za něj přimlouvají v Římě.

Jindřichova situace se nicméně zkomplikovala smrtí Sixta V., k níž došlo krátce po skončení obléhání, a vzápětí i nečekaným skonem jeho následovníka Urbana VII., který zemřel pouhých dvanáct dní po zvolení. Sixtovu smrt Jindřich patrně uvítal, pomyslel si Couvret: Felice Peretti byl náruživým odpůrcem reformace a posvětil plánovanou invazi Filipa II. do Anglie, z níž ovšem nakonec sešlo. Když zemřel Urban, kardinálové zvolili papežem Niccoló Sfondratiho, známého jako Řehoř XIV., jenže Řehoř byl slaboch. Španělští kardinálové zosnovali jeho zvolení pouze proto, aby posílili vlastní pozici vůči Francii, a tím ještě zúžili Jindřichův prostor pro manévrování. Takže jestli z Jindřicha nebude do Vánoc katolík, stane se z Couvreta žid.

Bože, v Amsterodamu byla taková zima – byl studený skoro jako sami Holanďané. Couvret kalvinisty v lásce neměl, ale nepřítel nepřítele je člověku přítelem a přetrvávající konflikt mezi Španěly a Holanďany byl jediným důvodem, proč se dostal tak daleko. Bylo to ovšem nebezpečné město: kalvinisté tím, že potlačovali katolicismus, dosáhli pouze toho, že se v Nizozemí zvedla prudká protireformační vlna, a tak se nyní znovu otevíraly kněžské semináře a v protestanských enklávách se usazovali katoličtí misionáři. A Couvret, ježto patřil mezi Jindřichovy právní poradce, byl hledaný muž. Kdyby kterýkoli z těch katolických fanatiků, co se krčili ve stínu, přišel na to, kdo doopravdy je, jeho život by vzal rychlý konec.

Kapitán oné anglické lodi mu ve jménu jejich protestantského bratrství sliboval bezpečnou plavbu, jenže to pouto nebylo tak silné jako obchodní zájmy a Couvret musel za své nalodění zaplatit nemalý obnos. Nezáleželo mu na tom. Tady už na něj nic nečekalo a v Londýně si mohl najít práci. Měl u sebe dopisy od dvou advokátů z právnických kolejí a od obou se mu dostalo ujištění, že se dočká vřelého přijetí.

Prozatím ale musel čekat U Dubu na zprávu o připlutí lodi, s níž měl odplout. Zdržoval se převážně v pokoji, a když už se vzdálil z hostince, snažil se co možná nejmíň mluvit, aby svým přízvukem nepřilákal nežádoucí pozornost. A tak jedl a pil v osamění, pročítal Ženevskou Bibli a myslel na mrtvou ženu a dcerku.

Přesto i člověk v Couvretově postavení zatouží po lidské společnosti – byť jen pro těch pár povrchně hřejivých slov. Ta potřeba byla tak silná, že se jednoho večera Couvret U Dubu posadil ke stolu v rohu hostince, třeba dál od krbu a hlučného davu ostatních hostí. Povečeřel *hutspot* – už čtvrtý den po sobě –, protože to bylo laciné a vydatné jídlo. Před ním stála sklenice *jeneveru* a vedle ní cukr se lžičkou. Couvret poslouchal, o čem si lidé kolem povídají. Holandsky moc neuměl, ale U Dubu se scházeli příslušníci všech možných národností, většinou boháči a obchodníci. Řadoví námořníci jedli a pili jinde.

Pronásledovaný člověk – má-li vyváznout živý – se naučí předvídat počínání svých pronásledovatelů a současně si vypěstuje cit, dík kterému pozná jiné sobě podobné štvance. A tak se stalo, že Couvretovu pozornost přilákala postava sedící napravo od něj, schovaná ve stínu a mnoho nemluvící, vyjma pár slov nezbytných k objednání jídla a pití. Couvret však jen zaznamenal jeho přítomnost, do řeči se s ním nedal. Spokojil se pro jednou zas jen s vlastní společností. Pak ho ovšem z úvah vytrhla láhev *jeneveru*, jíž před něj na stůl postavil právě onen cizinec. Překvapilo ho to.

„Smím vám nabídnout něco k pití?“

Couvret zvedl oči k tazateli. Šlo o nebývale štíhlého a bledého muže s dlouhými jemnými vlasy, skrz něž prosvítala kůže. Jeho šaty zhodnotil Couvret jako dobře ušité, ale na míru jaksi mohutnějšímu muži. Buď patřily původně někomu jinému, nebo si pronásledování na cizinci vybralo svou daň – a to jak po tělesné, tak po duševní stránce. Pokud se Couvret nemýlil, žil ten muž v neustálém strachu. V očích měl pohled králíka, na něhož se snáší stín jestřába, a i kdyby vypil sebevíc alkoholu, ruce se mu třást nepřestanou.

„Ne, děkuji vám," odpověděl Couvret. „Právě jsem se chystal jít spát." Možná že stál o společnost, ale ne o takovouhle; bál se, aby jim nešli po krku stejní pronásledovatelé.

„Jste Couvret," pronesl muž.

Couvret stěží zamaskoval leknutí. Dokonce ani onen anglický kapitán neznal jeho jméno.

„Mýlíte se. Jmenuji se Porcher."

Začal se zvedat k odchodu, ale muž mu položil ruku na rameno. Možná že strádal na duchu i na těle, ale síly měl pořád dost. Couvret se mu pochopitelně mohl vzepřít a nejspíš by ho i přetlačil, ale zbytečně by tím přilákal pozornost.

„Nejste žádný pasák vepřů a stejně tak nepocházíte z nuzných poměrů.* Mě se nemusíte obávat. Neprozradím vaše tajemství. Jmenuji se van Agteren a žádám vás jen o trochu času. Na oplátku vám slibuji, že se s vámi podělím o tuhle láhev a také o jeden příběh."

„Znovu vám povídám, že se mýlíte."

„Snad. Buďte si tedy Porcher a já zůstanu van Agterenem. Nabídka platí. No tak, oba potřebujeme společnost, trochu si popovídat. Váš pokoj vám za hodinu neuteče – a bude stejně prázdný, jako by byl teď.

A," navázal van Agteren, „považujte to za projev křesťanské dobré vůle. Až si vyslechnete, co mám na srdci, pochopíte, jakou vám prokazuji službu. No tak, smím si přisednout?"

Couvret si Holanďana změřil zpytavým pohledem. Domníval se, že ho právnická praxe naučila odhadnout charakter člověka za krátkou chvilku. Ve van Agterenovi neviděl jedinou známku zlých úmyslů či nepřátelství, pouze strach, který muž držel na uzdě silou vůle. Ano, kroužili nad ním dravci, ale to nad Couvretem jakbysmet. Navíc byl Couvret osamělý a vlastní společnost se mu už zajídala.

„Posaďte se," svolil nakonec, „ať si poslechnu ten váš příběh."

---

* Porcher znamená francouzsky pasák vepřů, ale i špindíra – pozn. překl.

*

Van Agteren pocházel z Tilburgu, městečka na jihu země. Jeho rodina bydlela vedle kostela svatého Josefa, nazývaného místními Heuvelse. To vysvětlovalo i původ jména van Agteren, v jeho jazyce totiž znamenalo „zpoza, odzadu" a odkazovalo na skutečnost, že se narodil v blízkosti svatostánku. Byl to chytrý kluk a už v útlém věku šel na studia k věhlasnému holandskému učenci jménem Cornelis Schuyler, jenž vynikal zejména v aritmetice, geometrii a astrologii.

Bylo zvláštní, že se učenec jako Schuyler vyskytoval právě v Tilburgu: městečko vzniklo „mezi stády", to jest mezi ovčími pastvinami, a bylo plné tkalců a tkalcovských stavů. Schuyler bydlel v malém přeplněném domku kousek od *Kerkpadu* vedoucího ke kostelu svatého Dionýsa, řečenému Heikese. Zřídkakdy svůj příbytek opouštěl. Van Agterenovi sdělil, že vše, co bude potřebovat ke své práci, najde „tamhle" – a ukázal na stohy papírů a spisy zabírající všechny police v domě – a pak ještě „tadyhle", a zaťukal si na hlavu. Samozřejmě to nebyla tak úplně pravda; k Schuylerovi neustále přicházeli návštěvníci přinášející dokumenty a mapy a vědecké přístroje, jejichž účel van Agterenovi unikal. Nebyl však sám. Znala jej jen hrstka největších vzdělanců, a mezi ně patřil jeho mistr.

Schuyler byl vdovec a měl jedinou dceru, Eliene. Ta se potatila a jako pomocnice mu byla víc k užitku nežli van Agteren, byť vinou svého pohlaví musela o svých schopnostech mlčet a v přítomnosti starých pánů, co přicházeli za jejím otcem, se držet v ústraní. Mezi Eliene a učedníkem jejího otce postupně přeskočila jiskra a začalo se mluvit o svatbě, ovšem pouze v soukromí. Schuyler se k dceři stavěl silně majetnicky, ale van Agterena měl rád, a tak mladým milencům připadalo, že jejich sňatek zajistí všeobecnou spokojenost. Van Agteren totiž neměl v úmyslu odejít ze služeb svého mistra, takže mladičká Elien měla dál zůstat pod otcovou střechou.

Jedné noci, bylo to v zimě roku 1589, se ozvalo zaklepání na dveře Schuylerova domu. Van Agteren šel otevřít. Na prahu stál jakýsi dělník, v podpaží balíček, a ptal se, zdali je pán doma. Prý pro něho má něco, co by ho mohlo zajímat. Bylo už pozdě, ale van Agteren muže pustil dovnitř a zavedl za Schuylerem. Ten právě prováděl pitvu opice, kterou mu prodal námořník, co ji s sebou všude nosil, dokud nezemřela. Když si bral od Schuylera peníze, plakal.

Dělník vysvětlil, že je zaměstnaný kousek od kostela Heuvelse. Prý se tam v sousedství zřítil jeden dům, na jehož místě teď staví nový, větší. Dělník patřil k partě kopáčů, kteří hloubili základy. To, co přinášel Schuylerovi, našel v zemi.

Byla to kniha, velmi neobyčejná a nákladná kniha, vázaná v kůži, kterou ani Schuyler, ani van Agteren nepoznávali a na níž byly viditelné jizvy a žilní kresba. Měla tmavě rudou barvu a mladšímu muži nepříjemně připomínala čerstvé maso. Schuyler se ji chystal otevřít a prostudovat obsah, ale dělník se jen zasmál.

„Přál bych vám, abyste měl větší štěstí než já, *mijnheer*," poznamenal.

Kniha nešla otevřít. Jako by její stránky někdo potřel lepidlem a přitiskl k sobě. Schuyler vzal tenký nůž a opatrně se pokusil listy od sebe oddělit, ale nešlo to. Kniha mu odmítala vydat své tajemství.

„Třeba je to falešná kniha," nadhodil van Agteren.

„Co tím myslíš?" zeptal se Schuyler.

„V Utrechtu jsem viděl jeden svazek *Tetrabiblios*, který na první pohled vypadal jako kterýkoli jiný, ale ukázalo se, že jde o napodobeninu. Byla to vlastně krabice, ne kniha. Učenec, který ji vlastnil, do ní schovával zlato před zloději, kteří jak známo o knihy nejeví zájem."

Schuyler přejel palcem po krajích stránek.

„Na omak mi to připadá jako papír," podotkl. Poklepal na několika místech na obálku a poslouchal, zda se zvuk nezmění, ale nic takového se nestalo. „Jsem přesvědčen, že je to opravdu kniha," uzavřel nakonec, „ale je pro mě záhadou, proč je tak zapečetěná."

Zřícený dům patřil jistému Dekkerovi, největšímu hlupákovi pod sluncem. Bylo tudíž nepravděpodobné, že kniha byla jeho. Kopáč to potvrdil. Schuylerovi řekl, že knihu objevil až pod tenkou vrstvou balvanů a kamení hluboko pod úrovní, na které si postavil svůj dům Dekker.

„A ještě jedna věc je zvláštní, *mijnheer*," konstatoval kopáč, „ta kniha tam nejdřív nebyla a pak tam najednou byla. Nevykopal jsem ji. Jednoduše se mi objevila před očima. Jak ráčíte vidět, není nijak poškozená ani ušpiněná."

To byla pravda. Kniha byla bez poskvrnky. To by jeden nečekal u věci, která podle všeho ležela dlouhá léta pod zemí. Schuyler nahlas uvažoval, zda není možné, aby knihu upustil nějaký kolemjdoucí nebo aby vypadla z okna. Kopáč ho však ujistil, že na pozemek žádná taková okna neshlížejí, a že když knihu objevil, byl dočista sám, což vylučovalo zase první možnost. A přesto třetí alternativa – že kniha spočívala pod zemí – se jevila jako nanejvýš neuvěřitelná, zvlášť když se kopáč musel před jejím objevením prokutat vrstvou kamení a balvanů.

Zbývala tedy poslední možnost: kopáč knihu ukradl a teď se snažil trhnout za ni trochu peněz u jediného muže z Tilburgu, který dokázal docenit její hodnotu. Jenže van Agteren znal kopáče i jeho rodinu a neměl důvod jej podezírat z nečestných úmyslů. To také pošeptal Schuylerovi, vždyť po letech dokázal už docela dobře předvídat, kam se budou ubírat učencovy myšlenky.

Nakonec Schuyler svolil, že dá kopáčovi trochu peněz za námahu, a další mu slíbil, jestliže se mu knihu podaří otevřít a ukáže se jako nanejvýš cenná. K van Agterenovu překvapení kopáč ani nezkoušel smlouvat a ani se neohradil, že je částka, kterou mu věnoval učenec, příliš nízká. Jednoduše strčil peníze do kapsy a odešel. Zdálo se, že se mu snad i ulevilo.

Van Agteren vyprovodil kopáče ke dveřím a na prahu ho uchopil za paži.

„V Utrechtu nebo v Eindhovenu bys za tu knihu dostal jistě mnohem víc,“ utrousil k němu.

„Já vím,“ připustil kopáč. „Vlastně jsem uvažoval, že se do Eindhovenu vypravím, ale teď jsem rád, že jsem tam nejel. Chtěl jsem se té knihy hlavně zbavit. Kdybych měl peněz na rozdávání, ochotně bych tvému mistrovi zaplatil za to, že si ji ode mě vezme.“

„Proč to říkáš?“ podivil se van Agteren.

„Ty ses jí ještě nedotkl,“ odvětil kopáč, „ani v ruce jsi ji nedržel. Je to jako sáhnout na živou bytost. Ona tepe a je cítit po krvi. Našel jsem ji teprve dneska a povím ti, nestál jsem o to strávit s ní noc pod jednou střechou. Dokonce i peníze od tvého mistra skončí v pokladničce kostela Heuvelse, protože mám strach, že kdybych je utratil za jídlo nebo pití, ještě bych otrávil sebe i svou rodinu. A –“

„Ano, co ještě?“

Kopáč se ohlédl přes rameno do noci, jako by se bál, že se z mlhy za ním někdo vynoří.

„Když jsem odcházel z domova, zahlédl jsem v mlze postavu – muže, ale opravdu velkého muže, většího, než jsem kdy v životě viděl, a přesto byla jeho silueta nezřetelná. Sledoval náš dům a jsem si jistý, že šel za mnou i sem. Myslel jsem, že za sebou uslyším kroky, ale když jsem se ohlédl, nic jsem neviděl, a i teď jako by se po něm zem slehla. Asi jsem se splet.“

S těmi slovy kopáč odešel a van Agteren už ho živého neviděl. Druhý den se na něho zřítila zeď, a než ho stačili jeho kumpáni vyprostit, byl mrtvý.

Van Agteren se vrátil do Schuylerovy pracovny a našel učence, jak si prohlíží knihu, ohmatává její hřbet a obálku, jestli náhodou neukrývají nějaký mechanismus, pomocí kterého by se dala otevřít.

„Pozoruhodné," mumlal si pro sebe Schuyler a hladil rukou obálku knihy. „Sáhni si, Maartene. Je teplá na dotek, jako živá."

Van Agteren nestál o to na knihu sahat, ne po tom, co mu pověděl kopáč. Svěřil se s tím svému mistru, ale Schuyler se jen zasmál a poznamenal, že mlha člověka často dovede ošálit.

Van Agteren odešel a zavřel za sebou dveře. Na chodbě potkal Eliene. Nesla svíci.

„Kdo to tady byl takhle pozdě večer?" zajímala se.

„Jeden kopáč. Našel pod zemí knihu a přinesl ji tvému otci, aby ji prohlédl."

„Knihu? Jakou knihu?"

„Nevím," odpověděl van Agteren.

„Ale přece jsi ji viděl?"

„Ano, a mrzí mě, že na ní mé oči vůbec spočinuly, i když nedokážu říct proč."

Eliene na něho zírala.

„Někdy," promluvila, „si myslím, že jsi nanejvýš podivínský."

„A ty – jestli mě miluješ – jsi také podivínská."

„Ano, to nejspíš jsem."

Zlehka pootevřela rty a on ji políbil.

„Můj otec –" řekla.

„Je cele zabraný do zkoumání té knihy."

„Už se blíží mé dny," řekla, „ale dnes ještě můžeš přijít za mnou do postele."

A to také udělal.

Van Agteren nezůstal u Eliene celou noc. Domácí práce obstarávali dva staří sloužící, a těm nechtěl dávat další důvod k roznášení drbů. Už takhle to stačilo. Také choval jistou úctu k Schuylerovi, ale ne zas takovou, aby s jeho dcerou nespal. Nevěděl, kolik se toho starý učenec o jeho vztahu s Eliene dovtípil, bylo nicméně zbytečné utvrzovat jej v jakémkoli podezření.

Když se van Agteren probudil, dveře do pracovny byly otevřené. Než vstoupil, zaklepal. Nedočkal se však odpovědi. V místnosti nikdo nebyl a výklenek, v němž Schuyler spával, byl také prázdný. Stejně tak nenašel Schuylera ani v kuchyni či jinde v domě. Vstupní dveře byly ovšem odemčené, a to znamenalo, že mistr buď velmi pozdě, nebo velmi časně někam odešel. Služebníci už připravovali snídani a pána od rána neviděli. To bylo nanejvýš podivné.

Eliene vstala, ale ani ona netušila, kam mohl její otec zmizet. Nedělala si o něho nicméně starosti. Míval různé vrtochy, ačkoli ty ho zřídkakdy přiměly vyrazit v tak nezvyklou hodinu do ulic. Van Agterena se ovšem zmocnil neklid.

Tilburg byl malé město, ale on svého mistra nikde nenašel.

V hostinci U Dubu mezitím van Agteren nalil Couvretovi další sklenku *jeneveru*.

„Přiznávám, že jste vzbudil můj zájem," prohlásil Couvret, „ačkoli stále nechápu, proč jste si za posluchače tohoto svého příběhu vybral právě mne."

„Nu, on ten příběh ještě neskončil," odvětil van Agteren, „a pokračování navíc bude značně neblahé."

Van Agteren se omluvil, že se musí jít vymočit, a zanechal Couvreta o samotě. V hostinci začalo být natřískáno a příjemně teploučko a Couvret vypil víc, než by si býval přál. Cítil, že potřebuje na vzduch. Zamířil ke dveřím a vyšel ven. Přede dveřmi jakýsi chlapec zametal sníh, aby se příchozí nemuseli brodit závějemi, jenže už zase začínalo sněžit. Za chlapcem Couvret spatřil mohutnou postavu v černém, směřující k Nieuwe Kerk. Vypadala spíš jako stín než jako člověk, ale to mělo patrně na svědomí chabé světlo a chumelení.

„Znáte toho muže?" zeptal se Couvret chlapce.

„Jakého muže?"

„Toho, co tudy prošel chvilku před tím, než jsem vyšel ven."

„To se musíte mýlit, *mijnheer*," kroutil hlavou chlapec. „Od chvíle, co jsem se pustil do zametání, tudy nikdo neprošel. Jak sám vidíte, ve sněhu nejsou žádné čerstvé stopy."

Chlapec měl pravdu. Nově napadaný sníh částečně zakryl staré otisky podrážek, tudíž ty nové by byly snadno k rozpoznání. Žádné ve sněhu nebyly.

I přes značnou zimu Couvret nechal chlapce za sebou a zamířil tam, kde zahlédl mohutného muže, ale nikde nebylo vidět ani živáčka a jediné stopy vedoucí od hostince byly Couvretovy vlastní.

Vrátil se a nalezl van Agterena sedět u stejného stolu jako předtím. Čekal na něj.

„Kam jste šel?" zeptal se van Agteren.

„Nadýchat se čerstvého vzduchu," odpověděl Couvret.

„Tak to jste statečnější než já. Já se ven neodvážil. Chcal jsem na schody. Snad prominete, ale vypadáte nějak zkroušeně."

Couvret si srkl *jeneveru.*

„Zdálo se mi, že někoho vidím, ale spletl jsem se," řekl.

Van Agteren se na něho pozorně zadíval.

„Říkáte ‚někoho'... Co přesně tím myslíte?"

„Postavu v černém. Obrovského muže, řekl bych, ale byl jako stín mezi stíny. Když jsem se za ním vydal, nenašel jsem nic, co by svědčilo o tom, že tamtudy vůbec šel."

Van Agteren se ohlédl ke dveřím, jako by se přízrak mohl zhmotnit na prahu, jako by jej snad mohli vyvolat svou rozmluvou. Poslední jiskra života v oku Holanďana naráz pohasla a zdálo se, že se co nevidět rozpláče.

„Tak to mi na mé vyprávění věru nezbývá mnoho času," hlesl. „Poslouchejte..."

Když se van Agteren vrátil zpátky, ukázalo se, že Schuyler se celou dobu v domě neukázal. I Eliene se v tu chvíli už strachovala, zda se mu něco nestalo, a jednoho ze sloužících poslali, ať požádá místní domobranu, aby se po Schuylerovi začali poohlížet.

Van Agteren našel Eliene v otcově pracovně. Seděla za jeho stolem, před sebou knihu od kopáče. Byla otevřená. Van Agteren nedokázal skrýt překvapení.

„Jak jsi ji otevřela?" zeptal se.

„Otevřela?" zopakovala Eliene. „Našla jsem ji tak, když jsem se přišla podívat, jestli tu neobjevím něco, co by mi napovědělo, kam otec zmizel.

Je to zvláštní: dá se obrátit jen tahle jediná stránka. Ty ostatní jsou dál zapečetěné."

Van Agteren se nad ni sklonil a pohlédl na knihu v dívčiných rukách. Stránky jako by byly zhotoveny z jemného pergamenu, ale pouze na líci byl povrch hladký – rub byl drsný, a tudíž svědčil o živočišném původu materiálu.

„Tady," řekla a ukázala van Agterenovi na mapu souhvězdí, z nichž však ani jedno nepoznával, navíc popisky byly napsané zcela neznámým písmem. Mapu nakreslil někdo velmi učený a zběhlý v oboru. Van Agteren jaktěživ neviděl tak dokonalé ilustrace.

„To je krása," vydechl.

„Ano, ale noční obloha takhle nikdy nevypadá," podotkla Eliene. „Je to vymyšlené."

Popisky sice van Agteren rozluštit nedokázal, ale byl přesvědčený, že jde o matematické výpočty, neboť obsahovaly vzorce podobné těm z eukleidovské geometrie. Proč by si někdo dával takovou práci s výmyslem?

„Počkej!" vyhrkla Eliene. „Myslím, že se uvolnila další stránka. Kdoví, čím je to zalepené..."

Aby otočila štočkem slepených stránek, musela použít obě ruce – tak byl svazek těžký.

„Co je to?" podivila se. „To přece není možné..."

Na stránce před sebou uviděli detailní nákres Schuylerovy pracovny se vším vybavením – nástroje, knihy, police a nábytek –, leč slovo „nákres" jaksi nevystihovalo skutečnou podstatu zachyceného výjevu. Spíše se v knize odrážela přesná kopie místnosti, jako by stránka nebyla z papíru, ale z dokonale vyleštěného zrcadla. Tak dovedně by ji nenamalovali ani největší umělci té doby. Jak mohlo být něco takového zhotoveno a jak dlouho to muselo trvat, se zcela vymykalo lidskému chápání.

Van Agteren si naslinil prst a přitiskl jej na stránku. Neulpěla na něm ani stopa pigmentu či inkoustu. Zadíval se pozorně na kresbu. Byla zachycená pod nezvyklým úhlem. Téměř jako by...

Van Agteren se otočil a klekl si, takže se ocitl tváří v tvář Eliene.

„Co to děláš?" podivila se.

„Ruku do ohně bych za to neďal, ale autor mohl tuhle kresbu pořídit jen jedním způsobem, a sice s použitím sklíčka, ve kterém by se mu místnost odrážela tak, jako se odráží v té knize. Ale proč?"

„Kdy že jsi říkal, že otec tu knihu dostal?"
„Včera v noci."
„A kde ji našli?"
„Zakopanou hluboko pod základy domu jistého Dekkera – nebo to nám alespoň tvrdil muž, který ji přinesl."
„Musíš ho najít a přivést ho sem zpátky. Možná nám poví víc."
„Ručím ti za to, že nepoví. Je to prosťáček, i když poctivý. Chtěl se té knihy jenom zbavit."
„A šel ses podívat k tomu Dekkerovu domu, když jsi hledal mého otce?"
„Ano. Ptal jsem se tam po něm dnes ráno, ale řekli mi, že ho tam neviděli."
„A zkusíš to znovu?"
„Ovšem."
Vzala jeho ruce do svých a zlíbala mu jeden po druhém klouby prstů.
„Děkuji ti."
„Najdeme ho, uvidíš," řekl van Agteren. „Nepřestanu ho hledat, dokud ho nenajdu."

Když se van Agteren blížil k místu, kde stával Dekkerův dům, stmívalo se. Na pozemku nikdo nepracoval, zedníci už odešli. Dekkera s rodinou našel v domě Dekkerova otce. Bydleli tam, než se dokončí stavba. Starý pokrývač* Schuylera neviděl a stejně tak nevěděl nic o podivuhodné knize. Projevil však o ni živý zájem, zejména o její možnou vysokou hodnotu. Hbitě si na ni učinil nárok a zlořečil nebohému kopáčovi, že mu ji neodevzdal a místo toho ji odnesl Schuylerovi. Van Agteren musel Dekkerovi připomenout, že cokoli se najde na území města, náleží po právu pánům z Tilburgu, a že by tudíž Dekkerovi neradil dělat kolem knihy humbuk, dokud se o ní nezjistí něco bližšího. Dekker souhlasil, ač nerad.

Když van Agteren odcházel, zeptal se Dekker: „Povězte mi, kdo to sem s vámi přišel?"
„Přišel jsem sám," odpověděl van Agteren. „Nikdo jiný tu není."
„Přesto bych přísahal, že jsem za vámi viděl přicházet muže. Velký hromotluk to byl, a celý v černém. Skoro bych ho považoval za kněze."

---

* *Dakdekker* znamená nizozemsky pokrývač – pozn. překl.

Van Agteren to znovu popřel a zanechal Dekkera zmateného nevysvětlitelným úkazem. Dobře si však vzpomínal, co mu předešlého večera pověděl kopáč, a celou cestu zpátky k Schuylerovu domu se ohlížel.

Na prahu dveří jej přivítala Eliene. Její tvář oživovalo pouze světlo svíce, jinak vypadala jako porcelánová maska.

„Tvého otce nikdo neviděl," oznámil jí.

„Pojď," zaznělo stroze v odpověď, a už jej vedla nahoru do pracovny.

Otevřela se další stránka knihy. Zachycovala anatomicky detailní kresbu obličeje dívčina otce, řez vedený v půli tak obratně, že by i sám Vesalius záviděl. Jedna polovina obličeje znázorňovala živého muže, vyjma otevřených úst, která jako by ustrnula uprostřed výkřiku. Na druhé polovině chyběla kůže a v obnaženém mase se hemžil jakýsi neznámý druh hmyzu, mající dva páry klepítek u ústního otvoru a vidlici jako škvor v dolní části břicha. Jeden exemplář vylézal Schuylerovi z levého očního důlku.

„Někdo si s námi krutě zahrává," hlesla Eliene a van Agteren měl dojem, jako by v jejím hlase zachytil náznak podezření. Podezření namířeného na něj.

„Já to nejsem!" ohradil se. „Ani jsem tu nebyl."

V Eliene se okamžitě probudila lítost.

„Promiň," řekla a přitiskla se k němu. „Nevím, jak mě to vůbec mohlo napadnout. Jenže nechápu, co se to tu děje. Když jsi odešel, přišla jsem do pracovny a kniha byla otevřená právě na téhle stránce. Sloužící se dušují, že o tom nic nevědí. Věřím jim. Sem do téhle místnosti nikdy nechodí, dokonce ani uklízet. Vědí, že otce není radno při práci rušit."

Van Agteren knihu zavřel, zakryl tu ohavnou podobiznu Schuylera. Když se dotkl obálky, ucítil, jak nepříjemně v jedné chvíli zapulzovala.

„To ta kniha," řekl. „Měla zůstat v zemi."

„Co tedy navrhuješ, abychom s ní udělali? Vrátili ji tam zpátky?"

„Ne," špitl van Agteren. „Mám v úmyslu ji spálit."

Když van Agteren s Eliene přišli s knihou do kuchyně, oheň už plápolal. Poslali pryč služebnictvo a van Agteren přiložil ještě pár polen. Oheň se rozhořel tak, že pálilo se k němu jen přiblížit. Nakonec, když byl s ohněm spokojený, do něj hodil knihu. Jenže se kolem začal šířit takový smrad, že se v kuchyni nedalo vydržet. Dokonce i za dveřmi to příšerně páchlo –

jako když napíchnete na rožeň hnijící zdechlinu. Celý dům tím byl cítit a Eliene se udělalo hrozně zle. Zaslechli klepání na dveře. Přede dveřmi stál soused, Janzen. Přišel si stěžovat na smrad. Zamořil celou ulici a van Agteren neměl na vybranou – musel knihu z ohně vytáhnout. Na jedné straně byla trochu sežehlá, jinak nic. V tom místě se na ní udělaly puchýřky jako na lidské kůži.

Van Agteren vložil knihu do pytle, přihodil pár cihel, došel ke kanálu a vhodil pytel i s knihou do vody. Čekal, než se potopí, a teprve pak se vrátil do Schuylerova domu.

V domě to dál smrdělo a služebníci pálili šalvěj ve snaze dům vykouřit a zbavit zápachu. Van Agteren s Eliene seděli a hleděli na sebe. Jedinou další návštěvou byl člen domobrany, který se přišel ujistit, že se Schuyler dosud nevrátil. Slíbil jim, že po něm za rozbřesku zahájí pátrání.

Tu noc van Agteren s Eliene nespal. Chtěla být sama. Cítil muškátový oříšek, který – jak věděl – používala, když měla své dny.

Van Agteren zapadl do svého pokoje a za svitu svící pracoval – přepisoval Schuylerovy neuspořádané poznámky. S prací ustal, až když jej pálily oči. Namočil brk do vody, aby jej vyčistil. Sledoval, jak se v čiré tekutině rozlévají inkoustové obrazce a zbarvují ji domodra.

Když procitl, byla pořád ještě tma. Probudil ho jakýsi šramot. Zavrzalo to a dveře jeho pokoje se začaly zavírat. Zůstaly však pootevřené tak, aby jimi viděl postavu stojící za nimi.

„Eliene?“ zvolal.

Žádná odpověď.

Slezl z postele a zamířil na chodbu. Podíval se vlevo a zahlédl Eliene vcházet do otcovy pracovny. Šel za ní. Uvnitř planulo světlo. Viděl to škvírou pode dveřmi.

Vzal za kliku. Byla teplá. Stiskl a dveře se otevřely.

Eliene tam stála nahá, otočená zády k němu. Van Agterenovi chvilku trvalo, než si uvědomil, že se nedotýká chodidly země, že visí ve vzduchu. Ve stínech za ní se černala hustá temnota, cosi, co vypadlo jako socha z černého skla. Van Agteren v té černi spatřil nekonečno plošek odrážejících svit bezpočtu hvězd. I přes nepopiratelnou fyzickou zhmotnělost působila bytost před jeho očima podivně dutě. A v dutině uvnitř se hemžily zárodky pohybu. Na van Agterena se odtamtud upřela klubka oček.

Na Schuylerově čtecím pultíku ležela rozevřená kniha, kterou ten večer van Agteren nechal klesnout do temných hlubin vod kanálu.

Elienino tělo se ve vzduchu otočilo. Obrátila se – nebo spíše byla obrácena – čelem k němu.

Pozbyla očí a od prázdných očních důlků se jí rozbíhaly pavučinky prasklinek jako panence na hraní, kterou kdosi v záchvatu zuřivosti roztloukl kladivem. Tělo jako by jí páralo neviditelné ostří, tekla jí krev: z břicha, z prsou, ze stehen. Van Agteren sledoval, jak se jí na kůži vykreslují prazvláštní vzory, a v duchu si říkal, že připomínají neznámé kontinenty a mapy neznámých souhvězdí.

A ta skleněná bytost, ten obsidiánový netvor stál po celou dobu nehnutě za ní.

Eliene promluvila.

„Maartene," řekla. „Ta kniha obsahuje celé světy."

Napnula ruce, pak nohy. Zpoza ní se ozval zvuk, jako když se tříští nebo drtí sklo.

Bytost explodovala a do vzduchu se rozlétly střípky temnoty. Zaryly se do Eliene a pak najednou znehybněly, takže dívka na okamžik vypadala jako stvoření z masa a křišťálu, tělo na stokrát probodené. A v tom okamžiku z něj vyšla její duše. Pak se zase všechno dalo zprudka do pohybu a van Agteren si instinktivně zakryl rukama obličej, aby se chránil před ostrými hroty černého skla, ale nic se nestalo.

Otevřel oči a všude byla jenom krev.

Jenever byl vypitý. Van Agterenův příběh takřka dopovězený.

„Věříte mi?" zeptal se.

„Ano," odpověděl Couvret dřív, než mu to slůvko vůbec vytanulo na mysli. „Co jste udělal?"

„Utekl jsem," odpověděl van Agteren. „Po tom, co se stalo Eliene, by mě měli za vraha, za čarodějníka. I tak jsou mi pořád v patách, ale nedostanou mě."

„Jak to? Plánujete prchnout ze země?"

„Ne, odsud se nikdy nedostanu. Už přichází. Ať je Eliene kdekoli, cítím, že tam skončím i já a že se tak stane již brzy."

„Ta postava, co jsem viděl venku…"

„Ano."

„Co je to? Co si myslíte, že to je?"

„Sloužil jste Jindřichu Navarskému, že ano?"

„Ano."

„Máte z něj strach?"

„Občas."

„A to přitom Jindřich Navarský ani není král," odtušil van Agteren. „Jednou možná bude, ale zatím není. Byl nucen prchnout z Paříže před ještě větší mocí. Každý král, který se dobře dívá, uvidí toho, kdo ho jednou ohrozí – právě panujícího vladaře nebo krále teprv čekajícího na korunovaci. Jen Bůh nemá strach z králů, nebo jsem si to alespoň kdysi myslel.

Jenže nemá snad Bůh strach z Ďábla? Neobává se snad Krále Temnoty? To se dneska ptám. Vždyť kdyby Bůh mohl, nesprovodil by ze světa tu bytost, která mi vzala Eliene? Nezničil by snad tu knihu, nebo alespoň nezabránil jejímu nalezení? Je snad krutý nebo bezcitný? Nebo existují bytosti, které Mu hrozí svržením?"

„To je rouhání," připomněl Couvret.

„Vy se v tom zrovna vyznáte, hugenote," poznamenal hořce van Agteren.

„Možná. A co ta kniha?"

„Zmizela," odpověděl van Agteren.

„Kam?"

„Viděl jste, co mě pronásleduje. Opravdu si přejete to vědět?"

Couvret neodpověděl. Nebylo to třeba.

Van Agteren se zvedl.

„Kam teď půjdete?" zeptal se ho Couvret.

„Půjdu, kam mě nohy ponesou, a budu dýchat tenhle vzduch, dokud budu moci. Děkuji vám, že jste vyslechl můj příběh."

„Pořád nechápu, proč jste si vybral za posluchače právě mě," přiznal Couvret.

„Myslím, že chápete," podíval se na něho van Agteren. „Vybral jsem si vás, protože jste od pohledu štvanec tak jako já. A možná," dodal, „že jsem si vás vybral proto, že jste nešťastník."

Couvret se díval, jak odchází. Dveřmi proklouzlo pár sněhových vloček, které dopadly na podlahu a hned roztály.

Už nikdy van Agterena nespatřil.

*

Nazítří se Couvret dozvěděl, že jeho loď do Anglie odplouvá v poledne. Přerovnal těch pár věcí, co měl v truhle, a zaplatil hostinskému za to, že mu je nechá odvézt do přístavu. Vydatně posnídal a na nábřeží dorazil asi hodinu před ohlášeným vyplutím lodi. Šlo o obchodní jednostěžňovou loď stavěnou ne na rychlost, ale na to, aby uvezla co největší náklad. Couvretovo lůžko, to bylo jen prkno a na něm deka. Od nákladu ho odděloval kus staré pytloviny přitlučené hřebíky. Byl jediný pasažér. A za okamžik už stál na palubě a vzdaloval se od starého kontinentu, kam už se nikdy nemínil vrátit.

Plavba se vlekla pomalu. Plně naložená loď dokázala urazit pouze dvě míle za hodinu, přičemž Amsterodam od Londýna dělilo téměř tři sta mil. Couvret většinu cesty prospal nebo si četl. Jídlo nestálo za nic, ale aspoň neměl hlad. Byl zkušený cestovatel, a to pomohlo.

Poslední noc plavby se krátce po setmění probral z dřímoty a uviděl, že pytlovina u protějšího prázdného lůžka se svěsila a zakryla výklenek. Přitom dosud ze své pryčny vždycky vídal tvrdé prkno a na něm polštář. Teď je neviděl a měl pocit, že za závěsem z pytloviny zachytil pohyb.

Vstal a chvilku s přikrčenými koleny chytal rovnováhu, dokud jeho nohy nepřivykly houpání moře. Vykročil k protějšímu lůžku a tehdy začal zpoza závěsu stoupat černý dým. Kdepak dým, snad olej či tuš… rozlévaly se zpoza pytloviny a zvolna pokrývaly strop a bednění a pažení lodi, vrstva temnoty na temnotu…

Couvret se úplně probudil, naráz procitl z té noční můry, až se praštil hlavou o bednění nad sebou. Když se mu přestaly dělat mžitky před očima, posadil se na kraj pryčny a podíval se na protější lůžko.

Závěs z pytloviny visel v cárech na hřebících, jako by jej někdo rozpáral ranou z brokovnice.

Nebo stovkami střepů.

Couvret nalezl na dně své truhly onu knihu, zabalenou do košile, která mu nepatřila. Kniha byla na dotek teplá, přesně jak říkal van Agteren. Pod bílým mušelínem vypadala jako kus masa z řeznického špalku.

Kdy mu ji předal? podivoval se Couvret. Ještě před tím, než se setkali – když Couvret večeřel o samotě v hostinci? Nebo když se šel van Agteren vymočit? Nezáleželo na tom. To, že se knihy zbavil, ho stejně nezachránilo, protože když ji Couvret rozbalil, otevřela se na jediné stránce. Zachycovala van Agterena s otevřenými ústy, z nichž šlehaly plameny. Ať už skončil kdekoli, polykaly ho tam plameny.

Zničení knihy nic dobrého neslibovalo. Van Agteren to zkusil ohněm i vodou, ale obojí bylo marné. Couvret měl však něco, co van Agterenovi chybělo.

Couvret měl víru.

Vzal svou Bibli a položil ji na knihu. Pak obě zabalil do bílého mušelínu a pevně balíček převázal lodním lanem, které našel v podpalubí. Pak si chvilku prohlížel lodní náklad, až se mu oči zastavily na staré holandské dubové truhlici vyztužené dvojitým dnem. Vykradl se na palubu, kde si z plachtářovy bedny vypůjčil pár nástrojů, aniž ho u toho kdo viděl. Pak se pustil do práce, a když skončil, spočívala ona kniha i jeho Bible v dutině dvojitého dna truhly. Neprovedl to zcela dokonale, ale na první pohled na truhle nebylo nic vidět.

Opustil podpalubí a zbytek plavby strávil s kapitánem na můstku. Když plachetnice vplouvala do ústí Temže, byla zima, ale to Couvretovi nevadilo. Zatímco kráčel po můstku z lodi na pevninu, v ruce doporučující dopisy, žádný černý přízrak jej nepronásledoval.

A pohltil jej Londýn.

II. Džin

Maggs: žádné křestní jméno, které by si lidé pamatovali nebo kterým by ho oslovovali. Maggs: čpící odérem zavlhlých šatů a zatuchlého papíru, v ruce neodmyslitelný balíček knížek. Maggs: ochotný koupit a ještě ochotnější prodat.

Říkali o něm, že nemá knížky rád, tedy ne doopravdy, ale to nebyla pravda. Jednoduše si k nim málokdy vytvořil vztah. Byly užitečné, protože obsahovaly vědění nebo se za ně daly utržit peníze. Některé byly zajímavé esteticky, ale většina ne. Doma měl malou knihovnu a v ní pár svazků, které byly vzácné nebo raritní, byť ani ty by se nezdráhal prodat, kdyby mu nabídli správnou cenu. Většina knih, která se u něj doma ocitla, se tam však příliš neohřála, protože je hned zase posílal dál. Ty, co nenašly kupce, pro něj ztrácely význam, a tak je prodával na váhu nebo nechával ležet na prahu veřejných knihoven. Ať už měl Maggs jakékoli nedostatky, knížku zničit nedokázal.

Sledoval úmrtní oznámení a říkalo se o něm, že zemřelého knihomola vyčmuchají rychleji už jen mouchy. Obcházel výprodeje pozůstalosti a přiživoval se na příbuzných sběratelů, kteří pro smutek neviděli, jaké skvosty jim nebožtík zanechal, nebo byli tak hloupí, že se o zděděné knihy a další sbírky zkrátka nezajímali. Uměl mistrně odvést pozornost od vzácné knihy, o niž měl zájem. Dělal to tak, že opěvoval jinou, relativně bezcennou. A pokud za nějakou knihu zaplatil víc než polovinu její skutečné hodnoty, měl vážně špatný den. Když nespal, byl ponořený do knih a jejich obálek, a v noci se mu knihy zjevovaly ve snech.

Maggs se zaměřoval na oblast literatury nazývanou eufemisticky „ezoterická“, zahrnující vše počínaje erotikou až po okultismus. Sám byl asexuální, takže první jmenovaný žánr jej nezajímal, a k tomu byl zapálený ateista, takže druhý jej neděsil. Obojí mu připadalo stejně pokleslé a ve společnosti potenciálních kupců se proto snažil trávit co možná nejméně času. Kdyby se ho zeptali, čím se od sebe ti kteří liší, nejspíš by prohlásil, že sběratelé pornografie nemají takové sklony smlouvat, a třebaže jsou v jádru zkažení, jejich mysl je méně zvrácená než mysl okultistů, jejichž vztah ke zbytku lidské společnosti je přinejmenším odtažitý.

Našly se samosebou výjimky, ježto mezi okultisty patřilo několik jedinců, pro něž peníze nehrály roli, pokud za ně dostali, co chtěli. K Maggsově smůle se pídili po raritních knihách vydávaných zpravidla soukromými osobami, nebo dokonce po opisech rukopisů jedinečných děl. Nadto řadu knih z jejich nákupních seznamů naházeli před staletími do ohně fanatičtí kněží, takže z nich zbyly jen kouřem opředené legendy.

Přesto se na Maggse tu a tam usmálo štěstí, ačkoli o štěstí nemůže být řeč. V případě Maggse to spíš byla vytrvalost a urputnost. Nedávno se mu dvakrát po sobě podařilo v jinak fádních sbírkách objevit učiněné okultní skvosty, zaprášené a na hřbetech odrané. Pozůstalí o jejich hodnotě neměli sebemenší tušení – nejspíš byli sami živé mrtvoly, když si nevšimli, jaký poklad mají před očima. Jindy ho na existenci vzácných knih upozornili hledači knih menšího formátu či drobní slídilové, které najímal, aby se pídili po sbírkách zámožných mužů – takřka vždy se jednalo o muže – tak diskrétních, že unikli Maggsově pozornosti. Kromě toho si vedl pečlivé záznamy o vlastních zákaznících, takže když některý z nich zemřel, mohl knihy, které mu za života prodal, odkoupit zase zpět, kolikrát jen za cenu jedné penny za libru váhy.

A obsah sbírky jednoho takového ctěného džentlmena právě teď spočíval v krabicích na podlaze Maggsova skromného příbytku. Tím džentlmenem byl jistý Sandton z Highbury, zajímající se o ilustrované svazky z Dálného východu, většinou ze sedmnáctého a osmnáctého století s florálními a občas i lehce erotickými motivy. Některé z těch knih Sandtonovi prodal Maggs sám a vítal je zpátky jako staré dlužníky s kapsami plnými peněz. Jiné mu nic neříkaly, ale dokázal hbitě odhadnout jejich hodnotu, neboť podobné svazky už viděl. Bohužel Sandtonův syn nebyl žádný hlupák, a tak musel Maggs za sběratelsky opravdu cenné kusy zaplatit víc, než by se mu líbilo. Přesto si byl jistý, že na nich nakonec vydělá.

Maggs bral knihy jednu po druhé do ruky a pozorně si je prohlížel. Všímal si oděrek a trhlin, kontroloval vazbu a hrany, kroutil hlavou nad čerstvě utrženými „ranami". Sandton byl opatrnější než většina jemu podobných, přesto některé z knih nesly stopy nešetrného zacházení. Maggs to připisoval synovi.

Zůstal zabraný do práce až do časných ranních hodin, kdy začal knihy opět ukládat zpátky do krabic, a právě tehdy objevil na dně jedné z nich útlý svazek zabalený do kusu látky. Nevzpomínal si, že by o knize s mladým Sandtonem smlouval, a určitě za ni nezaplatil. Bedny přivezl do Highbury zcela jistě prázdné a knihy do nich ukládal raději sám, aby nedošlo k dalšímu poškození. Netušil, jak se mu tenhle černý pasažér ocitl na palubě, leda že jej do krabice uložil Sandton, když se Maggs nedíval. V takovém případě ale nechápal, proč by mladý Sandton něco takového dělal ani jak by se mu to podařilo. Vždyť se po celou dobu držel od Maggse dál – z překupníka velký zisk nekoukal a zámožný mladík jím byl očividně znechucen.

Maggs tedy knihu rozbalil. Byla vázaná v hnědé kůži – relativně nepoškozené, byť vykazující značné stáří – a měla na sobě neobvyklý osově souměrný zámek sestávající ze dvou stříbrných kroužků pokrytých titěrnými symboly; každým kroužkem se otáčelo zvlášť. Maggs si vzal lupu a zámek i symboly pečlivě prozkoumal. Pak sáhl do vlastní knihovny pro jeden díl encyklopedie, našel heslo, které hledal, a vrátil se s knihou ke stolu. Ano, symboly představovaly arabsko-indické číslice a orientální písmo – se vší pravděpodobností perštinu nebo urdštinu: poznal to podle číslic čtyři, pět a šest. Měl tedy před sebou starodávný číselný zámek, s jakým se ještě v životě nesetkal.

Chvíli zkoušel navolit různá čísla, ale nikam to nevedlo. Nakonec knihu odložil. Říkal si, že se na ni znovu podívá ráno. Uvažoval, jestli ji nevrátit mladému Sandtonovi, a rozhodl se, že se na to vyspí. Stále v duchu slyšel nepříjemné handrkování při odkupování knih. Kdyby byl Maggs věřící, pokládal by tu knížku za dárek od Boha, jakési odškodné za ušlý zisk. Odnesl si ji s sebou do ložnice a položil na noční stolek. Byla to poslední věc, kterou viděl, než zhasl lampu a zavřel oči.

Tu noc se Maggsovi zdálo, že se pokouší otevřít zámek. Ve spánku pohyboval prsty – otáčel kolečky, zkoušel různé kombinace. Pak se ozvalo cvaknutí, tak tiché, že jej ani neprobudilo.

Druhý den si Maggs docela přispal. Vstal celý rozlámaný a neklidný a na knihu vázanou v kůži na nočním stolku sotva pohlédl. Peníze totiž nepočkají. Přistoupil k oknu. Na nebi ani jeden dešťový mrak. Ve spěchu se oblékl, nacpal si do úst krajíc chleba namazaného máslem a naložil dvě bedny těch cennějších Sandtonových knížek na vozík. Pak vyrazil.

Většinou obchodoval s knihkupci, kteří měli krámky na Charing Cross Road. Postupoval pokaždé stejně systematicky. Knihy rozdělil podle vkusu a zaměření jednotlivých knihkupců a každého z nich poctil jednou do týdne návštěvou: toho v pondělí, tamty dva v úterý a dalšího ve středu. Nerad prodával knížky na konci týdne, kdy už pokladny knihkupců vyprázdnili ostatní překupníci, a tudíž mohl těžko dojednat dobrou cenu. V pátek ale Maggsovi zase přišlo vhod pozvat možného kupce na skleničku, aby si ho získal, zvlášť když měl pocit, že na něm usmlouvá zajímavou cenu.

Většina knihkupců se však s Maggsem a jemu podobnými příliš nepřátelila, ne víc, než kolik si žádal obchod, jehož povahu navíc bylo radno skrýt před veřejností. Někteří z nich – ti, co se považovali za „knihkupeckou smetánku" – Maggse dokonce odmítali pustit do krámu, takže musel balíček s knihami nechávat u dveří. Pokud si nějakou knihu vybrali, loučili se s penězi nesmírně těžce. Jako by Maggsovi prokazovali laskavost, když se uvolili si od něj knihu vzít. A ještě by mu za to měli platit? Maggs raději obchodoval s těmi, kteří se jako on nebáli, že si ušpiní ruce, a pídili se po vzácných knihách stejně náruživě jako prasata ryjící v zemi a hledající lanýže.

K takovým patřil i Atkinson. Na Charing Cross Road vlastnil jen malý krámek, ale nikdo ho nemohl podezírat, že ho nevyužívá do poslední pídě. Obchod si zařizoval sám a každé volné místo, kam se dala pověsit polička, zaplňovaly knihy. Atkinson budil dojem, že vlastní pouze jednu košili, popřípadě více kusů té stejné: z červeno-bíle pruhované látky, která Maggsovi připomínala plážové lehátko. Vzhledem k tomu, že Atkinson jednou za rok, vždy na jeden týden v měsíci srpnu, zavřel krám a odjel se slunit do Brightonu, Maggse by nijak nepřekvapilo, kdyby v onom městě našli pár takových lehátek oholených na dřevěnou kostru.

Atkinson nedovoloval lidem v krámku kouřit s odůvodněním, že to nesvědčí knihám. Ani čaj nepil jinde než v zadním kamrlíku, protože se bál, aby nedopatřením nějakou knihu nepobryndal. I tam jej usrkával přímo z termosky, kterou mezi každým napitím zavíral. Existovala i paní Atkinsonová, byť ji léta nikdo neviděl, patrně ani sám pan Atkinson, který ráno otvíral krám jako první a večer zavíral jako poslední. Dokonce i po zavírací hodině jste ho mohli zahlédnout uvnitř, jak se ve světle lampy hrbí nad knihou či sedí v tom svém kamrlíku, čte a usrkává čaj.

Ze Sandtonovy sbírky měl Atkinson zájem především o knihy původem z Asie. Věděl toho o nich daleko víc než Maggs a jeho seznam možných kupců byl úměrně tomu delší. Maggs se chtěl knih zbavit co možná nejrychleji, protože si vyhlédl jistou nemovitost v Bathu, jejíž dražba se měla konat příští měsíc, a ze všech londýnských knihkupců choval právě k Atkinsonovi největší důvěru. I po stržení Atkinsonova procenta z prodeje si Maggs pořád mohl přijít na slušné peníze, navíc jeho prostřednictvím prodá knihy ze Sandtonovy sbírky rychleji, než kdyby se o to pokoušel sám.

Jenže když přišel k němu do obchodu, měl Atkinson zrovna plné ruce práce – právě jednal se zájemcem o celý regál knížek o mořeplavbě, které prodával za dvojnásobek skutečné ceny a za desetinásobek ceny, za niž je sám koupil. Maggs proto věděl, že udělá dobře, nebude-li ho rušit, zvlášť když ho přišel požádat o laskavost. Nadto se nabízelo, že prodá-li Atkinson mořeplavecké bichle za svou cenu, spokojí se pak s menším podílem na prodaných exemplářích ze Sandtonovy sbírky. Proto Maggs bez delších průtahů nechal krabici u dveří a houkl na Atkinsona, že přijde druhý den, aby se domluvili na ceně. Když to vyřídil a když se zbavil tady toho břemene, dotlačil vozík ke Corner House na Strand Street, kde si v očekávání brzkého přílivu peněz dopřál vydatnou pozdní snídani.

Zbytek dne strávil Maggs pátráním po knižních pokladech a podařilo se mu u Markse & Cohena objevit krásné první vydání Kingsleyho *Vodňátek*, to s vodotiskem, které obratem prodal se značným ziskem mladému knihkupci od Sotherana. (Marks i Cohen by si rvali vlasy, že takový skvost přehlédli.) S kapsami plnějšími nežli ráno při odchodu z domova a s příslibem dalšího přísunu peněz se vrátil v povznesené náladě. Stmívalo se.

Na útlý svazek si ani nevzpomněl, dokud ho neuviděl ležet na nočním stolku. Neuniklo mu, že se kroužky zámečku rozpojily a kniha se otevřela. Matně si vybavoval, jak se mu o ní zdálo, ale to bylo tak všechno. Když si šel lehnout, zámeček pevně držel. Také si byl jistý, že u něj doma od jeho odchodu nikdo nebyl. Mohl se tedy pouze domnívat, že buď včera při svých pokusech bezděčně navolil správnou kombinaci a zámeček – zatuhlý po létech nepoužívání – se otevřel opožděně; nebo dávno nefungoval a povolil jednoduše proto, že si s ním hrál.

Maggs se podíval, nakolik knihu poškodil zub času; prozkoumal hřbet i desky. Okamžitě si pomyslel, že kapitálek utkali patrně v téže době, kdy byla kniha vázaná, a namísto ovčího střívka použili provázek. Původ odhadoval tak na patnácté století, možná ještě starší, takže šlo skutečně o klenot. Stejně jako prve nenašel žádné zdobení na koženém potahu ani zmínku o obsahu uvnitř.

Než knihu otevřel, navlékl si bavlněné rukavice. Pokud byla doopravdy cenná, nemínil riskovat, že na ní zanechá špínu a mastnotu ze svých prstů. Stránky měly hrubě seříznuté okraje a papír byl vyrobený ze lněné buničiny – to poznal na první pohled. První čtyři byly zcela prázdné. Zbylých asi padesát stran pokrývalo psané písmo, jehož znaky ani jazyk Maggs nepoznával. Inkoust měl nachovou barvu a za stovky let ani trochu nevybledl – vypadalo to, jako by to napsal někdo dnešního rána. Nadto šlo o jasný palimpsest, kdy pohled pod úhlem odhalil vyškrabaný starší text, srozumitelný pouze člověku znalému jazyka pisatele.

Maggs získal dojem, že knihu kdosi napsal z jisté naléhavé potřeby, neboť písmo v žádném ohledu nepřipomínalo krasopis, na jaký narážel i v méně okázalých rukopisech z tehdejší Evropy. Měl pocit, že jde o jakýsi zápisník. Takový úkaz mu však připadal nanejvýš neobvyklý – aby v kůži vázaná knížka zhotovená s takovým umem, že přečkala pět nebo šest staletí relativně nepoškozená, obsahovala pouze jakési přepsané poznámky, narychlo naškrábané neúhledným rukopisem.

Asi hodinu knížku studoval jako encyklopedii, porovnával její znaky se starými i novými alfabetami ve snaze najít nějakou, jež by ty klikyháky alespoň vzdáleně připomínala. Neuspěl a nakonec knihu odložil. Jenže po chvíli se v myšlenkách vrátil k jejímu překvapivě sytému inkoustu. Opatrně po něm přejel prstem, samozřejmě v rukavicích. Tak trochu očekával, že na bílé látce ulpí barva, ale rukavice zůstala čistá.

Došel k závěru, že Atkinson by mohl vědět o někom, kdo si bude knihu chtít koupit, a Maggsovi za ni štědře zaplatí. Ještě předtím ji ale mohl vzít do Britské knihovny a požádat někoho o odborný posudek. Ano, to bude nejlepší, řekl si nakonec. Co když se mu dostal do rukou deník nějakého arabského génia, orientálního da Vinciho? Jenže Arab by deník napsal arabsky a jediné, co knihu spojovalo s touto civilizací, byl podle všeho její zvláštní zámek. Mohli na ni zámek připevnit až později? Snad. Jenže Maggs se v zámcích vyznal asi stejně jako ve východních jazycích.

Přistoupil k oknu a zaposlouchal se do mužského zpěvu, který se za doprovodu piána linul z hospody na konci ulice. Maggs tu písničku neznal, zato ostatní pijáci ano, soudě dle halasného sborového doprovodu. Neměl vůbec chuť se k nim přidat. Byl od přírody samotář.

Panoval teplý, dusný večer. Maggs nechal na noc otevřené okno, aby trochu vyvětral, přestože vzduch dovnitř vůbec nezavanul a dál nehybně setrval venku. Vysvlékl se do spodního prádla a šel si lehnout. V posteli přečetl pár stránek *Chobotnice*. Měl slabost pro knihy o železnici. Věděl, že to má z dětství, kdy pozoroval vlaky projíždějící po trati vedoucí pod domem jejich rodiny. Chtěl se stát strojvedoucím, což pokládal za nejskvělejší povolání, o jaké může člověk zavadit, leč nedostal se dál než do omšelého kupé třetí třídy. Vyrostl ve svobodného mládence nezařaditelného věku, který páchne zatuchlými šaty a suchým papírem a na jehož hrobě nebude nikdo plakat vyjma pár prodejců knih, kteří v den konání jeho pohřbu možná i zavřou krám.

Zpěv v putyce utichl a Maggs slyšel, jak zavírají. Zaklapl *Chobotnici*. Zítra plánoval navštívit Atkinsona a probrat s ním ceny knih, které mu dodal. Když usínal, slyšel tiché obracení stránek. Připsal to na vrub průvanu, jelikož byl příliš unavený, než aby si uvědomil, že venku panuje bezvětří.

Následující den ráno se probudil později než obvykle s pocitem nevyspání, ne zcela bezdůvodným, neboť celou noc panovalo horko, a on se na úzké posteli převracel, jako by se snažil najít alespoň jedno chladné místečko. Oholil se a ošklivě se při tom pořezal, načež zamířil na Charing Cross Road, na schůzku s Atkinsonem. Až v polovině cesty si vzpomněl, že nechal doma ten kuriózní zápisník. Nechtělo se mu se pro něj vracet. Britskou knihovnu do zítřka nezbourají, chlácholil se. A stejně ho víc zajímalo, na kolik Atkinson ocenil jeho bohatě ilustrované knihy a jak rychle je on, Maggs, dokáže prodat.

Atkinson seděl na židli u výlohy a pečlivě vpisoval ceny na komplet Austenové. Vedle sebe měl ony dvě bedny, které mu den předtím přinesl Maggs, dosud plné. Nejspíš se k nim ještě nedostal, ale to by bylo dosti neobvyklé vzhledem k tomu, že knihkupec nikdy zbytečně neotálel, mohl-li utržit nějakou tu libru. Přesto krabice stály na místě, kam Atkinson odsouval věci, o něž kdovíproč nejevil zájem – a kde čekaly na původního, záhy zklamaného majitele. Bylo však zhola nemožné, aby Atkinson právě o tyhle knihy nestál, pomyslel si Maggs. K penězům by měly blíž už jen tehdy, kdyby na sobě měly vyraženou hlavu královny.

„Všechno v pořádku?“ začal Maggs. „Pěkné horko tam venku, že?“

„Venku i vevnitř,“ houkl Atkinson.

Po čele mu stékal pot a v podpaží měl od potu mokré koláče. Maggs cítil, že jemu se pod pláštěm košile lepí na záda. Neměl si ho brát, ten plášť, ale patřil k němu stejně jako ruka nebo noha. Do kapes se mu vešla spousta knížek.

„Nuže,“ povídá Maggs. „Koukal jste na ně už?“

Atkinson se zatvářil rozladěně. Podíval se na Maggse zpod tlustých brýlí. Vinou vzdušné vlhkosti je měl celé zamlžené. Vytáhl tedy kapesník, otřel je a zase si je nasadil. Na jeho výrazu to však nic nezměnilo. Snad jen že teď viděl Maggse zřetelněji; rozladěně se nicméně tvářit nepřestal.

„A vy jste se na ně podíval, než jste je sem přivlekl?“ zeptal se Atkinson. „To jste totiž měl. Ušetřil byste si zbytečnou námahu.“

„Co tím myslíte?“ užasl Maggs. „Jsou to dobré knížky. Sám jsem je kdysi prodal starému Sandtonovi, a to nebyl žádný hlupák, tak se mi tu nepokoušejte namluvit, že o ně nemáte zájem. Kdybych na Charing Cross Road hodil kámen, první džentlmen, kterého zasáhnu, mi za ně utrhá ruce. Tím, že vám je nabízím, vám prokazuju laskavost.“

„Tak proč se neseberete a nejdete na ulici házet kamením? Měl byste větší štěstí. A jestli je podle vás laskavost mrhání cizím časem, tak jste mi prokázal jednu vážně velkou, o tom se nepřu.“

Na Atkinsona se patrně přenesl Maggsův upřímný úžas, tedy alespoň částečně, protože poněkud ubral na důrazu.

„No tak, Maggsi, proč jste je neprohlídl, než jste mi je přinesl?“ zopakoval.

„Ale vždyť jsem je prohlídl,“ opáčil Maggs. „Za co mě máte?“

„Tak jste to musel sám vidět.“

„Vidět co?“

„Jak jsou poničené,“ odpověděl Atkinson. „Když jsem otevřel první z nich, div jsem se nerozplakal, a stejné to bylo i se všemi ostatními. Málem mi nad nimi puklo srdce. Jak mohl někdo něco takového udělat tak krásným knihám, tomu opravdu nerozumím. Je mi smutno i z toho, že jste mi přinesl knihy v takovém stavu. Známe se přece tak dlouho, vy a já, a nerad bych si myslel, že jste se mě pokusil ošidit. To byste neudělal, že ne, Maggsi? Chvilku jsem myslel, že ano a že se budeme muset rozejít.“

Maggs už ho dávno neposlouchal. Sáhl po první knize spočívající v bedně, po té nejcennější – souboru raných barevných deskotisků ze sedmnáctého století známém jako *Příručka malířství a kaligrafie Ateliéru u deseti bambusů*, vydaném v roce 1633 Chu Čeng-jenem – a rozbalil balicí papír. Položil svazek na pult a prstem zabaleným do kusu látky opatrně otevřel obálku a začal knihou listovat.

„Nemusíte být tak opatrný," ozval se Atkinson. „Tu už nezachrání ani sebevětší péče. Mohl jste ji klidně otevřít botou a nic by se nestalo."

Maggs tiše vykřikl zděšením. První stránku vzácného sborníku pokrývaly jemu dobře známé rudě-nachové klikyháky. Stejné to bylo i u druhé a třetí. Dolistoval až na konec, žádnou stránku nevynechal. Každou namalovanou orchidej, každou kvetoucí švestku, každý svižný tah štětcem kdosi znehodnotil. Zavřel knihu a sáhl po další. Dopadlo to stejně. Nepřestal, dokud z obou bedýnek nevytahal všechny svazky a neprolistoval je od začátku do konce.

„To není možné," lapal po dechu. „Když jsem je dával do beden, byly v naprostém pořádku. Celou noc jsem je prohlížel."

Obrátil se na Atkinsona.

„Musel jste je pustit z očí!" vykřikl. „Někdo sem přišel, když jste se zrovna nedíval, a všechny je počmáral a navěky znehodnotil – protože když jsem je sem včera přinesl, vypadaly bezvadně, jako by právě vyšly z tisku. To mi nahradíte. Zaplatíte mi tu škodu, jinak vás dám k soudu. A nemyslete si, že to neudělám!"

Z Atkinsonovy tváře zmizela veškerá shovívavost.

„Vypadněte, Maggsi, a nevracejte se, dokud se nenaučíte slušně chovat nebo dokud nepřijdete k rozumu. Takovéhle věci na mě nezkoušejte. Dělám v tomhle oboru dost dlouho na to, abych poznal, když se mě někdo pokouší oblafnout – a zrovna vy byste to měl vědět víc než kdo jiný. Tak běžte, táhněte po svých. A ty svoje zničené knihy si vemte s sebou!"

Maggs se obrátil zpátky ke knihám v krabicích. Obličej mu zbrunátněl. Jistě za to mohl Atkinson. Jak jinak by to bylo možné? Přesto Maggs v hloubi duše věděl, že Atkinson by něčeho takového nebyl schopný, že by s knihami zacházel tak opatrně, jako by byly jeho. Navíc v jeho krámě se nemohlo stát nic, o čem by nevěděl. A kromě toho poškodit ty knížky v takovém rozsahu by zabralo hodiny. Možná se do krámku někdo vloupal v noci a zničil ty knihy, když bylo zavřeno. Pokusil se to Atkinsonovi říct, jenže se špatně vyjádřil a situaci ještě zhoršil. Nakonec se ocitl na chodníku, u nohou bedny s knížkami a nikde žádný vozík, na kterém by je odvezl. Pak tady byla nikterak zanedbatelná otázka peněz, které za ně utratil a které mínil výhodně zúročit. A co Bath? Co dražba jeho vysněného domku?

Odchytil chlapce s dvoukolákem a za pár měďáků si nechal knihy dovézt domů, byť dávno nevěřil, že má smysl je dál skladovat. Byly bezcenné – hůř než bezcenné, jelikož s nimi nemohl vůbec nic dělat. Leda je hodit do kamen. Šoural se sklesle za chlapcem a snažil se tomu přijít na kloub. Bylo nad slunce jasné, že klikyháky v poškozených knihách byly stejné jako ty v záhadném zápisníku na jeho nočním stolku. Pokud mu ovšem bylo známo, nikdo jiný kromě něj zápisník neotevřel a ty klikyháky neviděl.

Ne, počkat! A co mladý Sandton? Jeho kukuč se Maggsovi od samého začátku nelíbil, celý Sandton se mu nelíbil. Mohl ho takhle krutě vytrestat? Ale proč? Co by z toho měl? Maggs mu za knihy dobře zaplatil; kdyby si na nich Sandton chtěl sedět, dokud nedostane víc, mohl Maggse vynechat a on by s tím nic nezmohl. Sandtona neošidil. Dědic si řekl svou cenu. Maggsovi připadala vysoká, a tak chvilku smlouvali, až se dohodli. Sandton si nemohl v nejmenším stěžovat. I kdyby později zjistil, že měly knihy mnohem vyšší cenu, než kolik mu Maggs zaplatil, šlo by o kapku v moři s přihlédnutím k velikosti jmění, které zdědí, až se vyřídí pozůstalost po starém pánovi. Přece si pro pár pencí nenechá vrtat koleno? Mohl se Sandton tak naštvat, že by za Maggsem někoho poslal – aby odhalil jeho plány s knihami a vloupáním k Atkinsonovi ty plány zmařil? Nedávalo to smysl, jiné vysvětlení však Maggse nenapadalo.

Došli k Maggsovu příbytku. Přemluvil chlapce, aby mu bedny s knihami vynesl po schodech, ale jestli čekal, že dostane další drobné, nedočkal se. Maggs vylovil z kapsy klíče, otevřel dveře a pravou nohou postupně posunul obě bedny dovnitř. Oči zvedl, až když překonala práh druhá z nich. Při pohledu do bytu se o něj pokusily mrákoty. Padl zády na dveře, a tím je zavřel.

Podlahu pokrývaly knihy, všechny do jedné otevřené a všechny do jedné poškozené. Police, kde kdysi spočívaly, zely prázdnotou: zkáze neunikl ani jeden svazek. Namátkou zvedl ze země *Bozovy črty* od Dickense, které mu ležely u levé nohy. Pod nánosem rudě nachového inkoustu byla slova téměř nečitelná, navíc knihu kdosi hanobil tak zuřivě, že prvních padesát stran bylo proděravělých, jako by do nich zarýval nehty. Maggs procházel bytem jako ve snách, prohlížel poškozené knihy a vyhazoval je. Nakonec ho zmohla únava, lehl si do postele a hořce se rozplakal.

Vzlykat ovšem přestal, ještě dřív než pořádně začal. Zíral na strop. Tak ho sebraly poškozené knihy, že si vůbec nevšiml, že stejně poškozená je i omítka na stropě – téměř celou ji pokrývaly tytéž klikyháky. Roztáhl závěsy – ty Maggs vždy úzkostlivě zatahoval, aby světlo neublížilo jeho drahocenným knihám, takže trávil život v zažloutlém světle lampy – a jasné slunce ozářilo léty ztmavlé tapety. To, co zprvu pokládal za stín, byly opět ony klikyháky. Pokrývaly i stěny. Zvedl knihu z podlahy a popatřil na své laciné linoleum.

Slova, samá slova, napsaná tou podivnou abecedou.

Do obývacího pokoje vrazil Maggs tak zprudka, že málem uklouzl po knihách ležících na zemi. Začal je házet za sebe a hledat mezi nimi tu jedinou. Nakonec zápisník našel v koutě, takže vlastně celkem daleko od místa, kde ho nechal. Prohlédl jej, porovnal písmo na jeho stránkách se znaky pokrývajícími celý jeho příbytek a každou knihu, která pro něj něco znamenala. Nebylo pochyb: šlo o tytéž znaky, tentýž rukopis, dokonce i tentýž inkoust. Zkusil slovo na stěně nejblíž k sobě přejet prstem. Vůbec se neušpinil. Nalízl si tedy prst a zkusil to ještě jednou, ale inkoust jako by byl nesmazatelný.

V návalu zuřivosti se pokusil zápisník roztrhnout, ale nešlo to. Vzal tedy za jednu stránku ve snaze ji vyrvat, ale provázek nepovolil a papír se sotva pomačkal. Pak si na krbové římse všiml krabičky zápalek. Rozdělal oheň, a sotva se pořádně rozhořel, bez zaváhání hodil svazek do plamenů. Čekal, jestli chytí, ale kdepak. Šťouchal do něj tedy pohrabáčem, aby ho posunul do žhavého jádra ohně, ale ani to nepomohlo. Stránky ani nezhnědly. Nakonec s pomocí pohrabáče deník z ohně vytáhl a nechal ležet na zemi. Seděl, upřeně se na něj díval a přál si, aby zmizel. Když se k tomu neměl, proklel ho.

Nemělo smysl obracet se na Britskou knihovnu. Tohle bylo nad její síly. Maggs však znal jednu ženu, která si rady vědět mohla.

Firma Dunwidge & dcera, zabývající se prodejem knih, měla nechvalnou pověst dokonce i na poměry okultistů. Starý Dunwidge byl jen nerudný blbec, zato jeho dcera byla vyloženě nepříjemná. Lidé pohybující se v těchto kruzích si mezi sebou šuškali, že je čarodějnice, či snad dokonce uctívačka démonů. Maggs dělal všechno pro to, aby s nimi neměl co do činění, ale obchod je obchod, a tak se tomu občas nevyhnul. Nezbytná jednání se dala přežít jen díky tomu, že když už Eliza Dunwidgeová něco chtěla, platila dobře. Dokonce se zdálo, že chová Maggse v jakési podivné úctě, jakkoli Maggs se nemohl zbavit pocitu, že v jejím případě žádný účel prostředky nesvětí. Eliza Dunwidgeová byla sběratelka i obchodnice – a to první vlastně trochu víc. Tím v obchodě s knihami nijak nevybočovala, zvlášť mezi prodejci jejího ražení. Eliza si i přes značnou sběratelskou vášeň uměla vybírat, a že si vybrala několik věru ohavných knih! Maggs pro ni pár z nich vyčmuchal a byl za svou námahu štědře odměněn. Ať už vyhrabal v cizím smetí cokoli, chtěla víc: něco ještě temnějšího, ještě neřestnějšího, ještě vzácnějšího a ještě pokleslejšího než posledně.

Úplně nejvíc toužila po knize, kterou nazývala *Atlas Regnorum Incognitorum* neboli *Rozlomený atlas*, i když Maggs o jeho existenci pochyboval. Podle něho šlo o mýtus, ovšem mýtus s odpovídající cenou. Kdyby opravdu existoval a on by jej našel, stal by se boháčem – bohatším, než brzy bude mladý Sandton, kterého čekalo dědictví slibující život v blahobytu a zahálce. Eliza na rozdíl od Maggse na existenci *Atlasu* věřila. Ovšem přistoupit na to, že kniha jako *Rozlomený atlas* skutečně někde čeká, vyžadovalo víru, a tu Maggs neměl.

Na druhou stranu věděl, že knihy mají moc – skutečnou moc, jakkoli často nepostižitelnou –, že dovedou měnit lidské životy, celé společnosti, dokonce i národy. Uvědomoval si tedy, že se zápisníkem se mu dostalo do ruky dílo tak mocné a nebezpečné, že se to vymykalo jeho chápání. Eliza Dunwidgeová o takových divných knihách věděla první poslední. Sám si nedokázal vysvětlit, jak se klikyháky ze zápisníku mohly přenést na všechno, co měl doma, ale Eliza by na nějaké vysvětlení přijít mohla. Možná by ji dokázal i přemluvit, aby si ho od něj vzala. Ano, to by bylo dokonalé řešení. Byl dokonce připravený dát jí ho zcela zdarma, tolik se ho chtěl zbavit.

Zabalil zápisník do čisté utěrky a strčil do kapsy kabátu. Cítil, jak ho hřeje, a přemýšlel, jestli třeba nesálá teplem ohně, do něhož jej prve hodil. Jenže když ho zvedal, byl na omak studený... Zamkl dveře bytu, dojel podzemkou na Walham Green a pěšky došel k domu na World's End, kde sídlil obchod Dunwidge & dcera, který se dal poznat pouze podle mosazné cedulky se dvěma propletenými „D“ na dveřích.

Zazvonil na zvonek, ale nic se nestalo. Zvažoval, že to zkusí ještě jednou, ale pak usoudil, že udělá líp, nechá-li knihu na prahu s krátkým vzkazem. Právě když hledal po kapsách pero a kus papíru, rozsvítilo se v chodbě a Maggs uviděl skrz sklo siluetu Elizy Dunwidgeové.

„To jsem já, Maggs, slečno Dunwidgeová," houkl. „Rád bych s vámi mluvil."

„Copak nám nesete tentokrát, Maggsi?" ozval se zpoza dveří tlumený, a přesto zřetelný hlas.

„Knihu, slečno," odpověděl Maggs. „Velice podivnou knihu."

„Je nebezpečná, Maggsi. Cítím to. I *slyším*. Ta kniha šeptá. Neměl jste s ní za mnou chodit."

Maggs měl pocit, že blázní. Co to znamená? Ona ji cítí, dokonce slyší?

„Nechápu, co tím myslíte, slečno," prohlásil.

„Myslím, že chápete až příliš dobře. Chcete se jí zbavit a hodit ji na krk mně, ale já ji nechci."

Maggs se začínal bát. Netušil, jak moc si přeje se té knihy zbavit – ne, dokud ji Eliza Dunwidgeová neodmítla.

„Potřebuju se s vámi poradit," žadonil Maggs. „Nevím, co si s ní mám počít."

„Proč, Maggsi? Co vám udělala? Ale upřímně! Povězte mi pravdu."

„Bude to vypadat, jako že jsem se zbláznil, slečno Dunwidgeová. Ta kniha je popsaná znaky, kterým nerozumím a které se přenesly na všechny další knihy, co jsem měl v bytě, dokonce i na stěny. Je to jako nákaza, šíří se to..."

„A to jste ji přinesl sem, do domu plného knih?" ucedila zděšeně.

„Nevěděl jsem, co jiného s ní dělat. Nechtěl jsem napáchat žádnou škodu, ale opravdu se bojím. Povězte mi, co mám dělat. Jak to mám zastavit?"

Následovala krátká odmlka, poté ho Eliza požádala, aby jí knihu popsal. Maggsovi neuniklo, že se jí do hlasu vkrádá zvědavost. Ona ji *chce*, prolétlo mu hlavou. Proč by ne? ...vzhledem k tomu, jaké knihy sbírá. Ale je opatrná, což je ostatně na místě.

Maggs stál za zavřenými dveřmi a všecko jí to pověděl, od objevení zápisníku v bedně s knihami od Sandtona až po jeho dnešní snahu tu knížku zničit.

„Říkáte, že přišla zabalená do kusu látky?" zajímala se Eliza.

„Přesně tak," přitakal Maggs. „V takovém starém hadru. Starém, ale čistém."

„Myslím, že přijdete na to, že to nebyl jen tak obyčejný hadr, Maggsi. Nevšiml jste si, že by na něm byly nějaké nápisy nebo znaky?"

„Upřímně, moc jsem si ho neprohlížel, ale přišel mi obyčejný... skrz naskrz."

„Podívejte se na něj pořádně. Musíte ten kus látky najít. Říkáte, že ta knížka byla v bedně s knihami ze Sandtonovy sbírky, které ale byly nepoškozené, když jste je prohlížel. Všechno začalo, až když jste ten hadr sundal, no ne? Jste lajdák, Maggsi. Modlete se, abyste ten hadřík našel."

„Proč? Řekněte mi víc!"

„Povím vám jen to, že je to něco jako štít – možná ochranné kouzlo nebo talisman. Nazývejte to, jak chcete, ale nic to nezmění na tom, že to, co v něm bylo zabalené, je nyní na svobodě."

„Ale co to je? Co je na svobodě?"

Eliza se zasmála a Maggs se při zvuku jejího smíchu celý rozklepal. Byl to smích někoho, komu připadá nekonečně zábavné utrpení druhých.

„Myslím, že jste vypustil džina, Maggsi," prohlásila Eliza, „a pěkně hnusného džina. Ten džin je ta kniha, a ta kniha je džin. Háček je v tom, že každý džin má nějaké poslání a vy teď budete muset počkat, až ten váš to svoje splní. Až bude splněno, poznáte to. Teď ale honem najděte ten kus látky, zabalte do něj knihu a pak mi ji přineste. A nezkoušejte mě oblafnout, Maggsi: koukejte, ať je to ten stejný kus látky. A teď už běžte. Jste horší než zimnice."

Maggs udělal, co mu řekla. S Elizou Dunwidgeovou se nemínil přít a ten kus hadru chtěl opravdu najít. Chtěl ho najít jako nic na světě, toužil po tom možná víc než Eliza Dunwidgeová po svém vzácném *Atlasu*. Byl tak netrpělivý, že si na cestu domů vzal taxík, což byla tedy vážně výstřednost na takového skrblíka. Než tam dojel, přemýšlel o tom, co mu Eliza řekla. Džin: mohla to být pravda? Džina znal jen toho, co bydlel v lampě v *Pohádkách tisíce a jedné noci*. A co mohla Eliza mínit tím „posláním"? Podle toho, jak to Maggs zatím viděl, bylo posláním tady toho džina ničit knížky. Jemu už zničil všechny. Jestli se Eliza nemýlila, ty nejhorší škody už napáchal.

Po návratu domů začal Maggs přehazovat knížky a při tom přemýšlel, kam jen ten kus látky dal. Byl si jist, že jej nechal na nočním stolku, jenže tam teď neležel. Kam jen se poděl? Kde jen ta zatrolená věc mohla být?

Koutkem oka zachytil pohyb a uviděl hadřík směřující k horkému popelu krbu. Pohyboval se jako unášený větrem. Skočil po hadříku a lapil jej ve vzduchu. Zdálo se, jako by se mu snažil vysmeknout. Sevřel však pevně dlaň a nepustil. Přesunul se do ložnice. Zavřel za sebou dveře, protože se bál, že kdyby mu hadřík vyklouzl z ruky, mohl by si to zase namířit do ohně. A co pak? V ložnici bylo zavřené okno – nebyl přece tak hloupý, aby ho nechával otevřené, když jde pryč. Rozprostřel ten kus látky na postel, na něj položil zápisník a pečlivě jej zabalil. Teď ovšem potřeboval provázek na převázání. Žádný však po ruce neměl. Uvědomil si, že v šuplíku v kuchyni má celé klubko a –

Znenadání ho přemohla únava. Pocítil slabost a malátnost. Zatočila se mu hlava a pokoj kolem něj se rozhoupal. A to horko! Bože, nevzpomínal si, kdy byl takový hic. Podíval se na zápisník. Látka ho cele zakrývala. A on byl tak unavený, tak zmožený…

Vysvlékl se do ribana bez rukávů, jehož horní díl si rozepnul až do pasu, aby si ochladil záda a hrudník. Tak jak byl, se položil na postel. Natáhl se po kličce okna, že jej otevře a vpustí dovnitř trochu vzduchu, ale opustila ho veškerá síla. V tu ránu usnul.

Maggsovi se zdálo, že ho štípají blechy. Ti malí nenažranci po něm poskakovali, kousali ho do rukou a do prsou. Zkoušel je odhánět, jenže nedokázal pohnout rukama. Bolest sílila a on měl pocit, jako by se mu do masa zarývaly ostré drápy. Takhle blechy určitě nekoušou.

Otevřel oči.

Vedle postele někdo stál – postava v tmavě fialovém plášti s kapucí, jehož záhyby spadaly až na zem. Maggs zaostřil a všiml si, že to není plášť, nýbrž cáry masa staženého z kůže, jako by v rohu pokoje ležela hromada zbytků z jatek. V přední části hlavy, kde mělo mít stvoření obličej, byla dvě malá tmavá očka bez víček a pod nimi kulatá ústa připomínající ránu vykrojenou tupým skalpelem. Ruce, které vypadaly jako kosti obalené tenkou vrstvou lepkavého masa, vyrůstaly namísto z ramenou zpředu z hrudníku. Jedna měla na konci pařát, a ten nyní spočíval na nahém Maggsově trupu, zatímco druhá, zbavená masa ještě více, připomínala zkřivenou nohu hmyzu. Na konci hmyzí nohy byl ostrý hrot, který se Maggsovi právě zakrajoval do břicha – rozrýval mu kůži a kreslil na ni znaky, které sice pro krev nebyly vidět, ale po zaschnutí jistě měly vypadat jako záhadné písmo v zápisníku.

Stvoření nakrátko ustalo v pohybu. Pozvedlo hrot z Maggsova břicha a pak je zarylo do vlastního masa a nasálo tmavě rudou tekutinu – jako by si ho namočilo do inkoustu. Takto připravené „pero" se opět pustilo do práce: a psalo a psalo, jako by nikdy nedělalo nic jiného.

Až tehdy v sobě našel Maggs sílu na to vykřiknout.

Probudil se ve tmě na krví potřísněném prostěradle. Vypotácel se z postele a zašmátral ve vzduchu ve snaze najít svého mučitele, ale nikde nikdo. Postavil se před zrcadlo toaletního stolku. Stvoření možná zmizelo, ale na Maggsově těle po sobě zanechalo nepřehlédnutelnou stopu. Obličej zůstal ušetřen. Alespoň že tak. Vlastní klid Maggse překvapoval. Pak si však uvědomil, že jen ten mu brání v tom nepřijít dočista o rozum.

Došel do kuchyně a našel provázek. Zápisník ležel v ložnici na podlaze, zabalený do látky. Koukal z ní malý kus obálky. Sotva po knížce natáhl ruku, ucítil opět únavu, ale tentokrát ji přemohl. Zvedl knížku, zacvakl do sebe kroužkový zámek a navolil kombinaci. To prve opomenul, jelikož pokládal zámek za méně důležitý než kouzelný hadřík. Nejspíš to byla ta chyba. Zabalil knížku do látky a převázal ji provázkem tak pevně, že by k rozbalení balíčku bylo zapotřebí nože.

Když byl hotov, nalil čistou vodu do umyvadla a smyl si z hrudi zaschlou krev. Písmo mu na ní zůstalo, vytetované děsivou bytostí: džinem, pokud se Eliza nemýlila. Přemýšlel, zda by se dokázal dopídit toho, co nápisy na jeho těle znamenají. Obával se, že to není možné, a nakonec usoudil, že je to tak možná i lepší.

Došel k podzemce a dojel na stanici Walham Green. Tentokrát mu Eliza Dunwidgeová otevřela dřív, než vůbec stačil zazvonit. Měla na sobě červené roucho a na nohou žluté pantoflíčky.

„Takže jste ten kus látky našel?" zeptala se.

„Ano, našel."

Podal jí zápisník a ona na okamžik zaváhala, má-li si jej od něho vůbec vzít. Pak ho uchopila a vzápětí knížečka zmizela v záhybech jejího roucha.

„Už to neslyším. To je dobře."

„Ale co jste vlastně slyšela?" zajímal se Maggs. „Povězte mi to."

„Slyšela jsem, jak to volalo vaše jméno, Maggsi. Jak vás to chtělo. Co vám to nakonec udělalo?"

„Na tom nezáleží," hlesl Maggs.

„Ne, myslím, že nezáleží," přisvědčila Eliza.

„Vrátí se?"

„Dokud zůstane zavázaný v tom balíčku, tak ne. A já ho rozhodně ven pouštět nemíním."

„A co s ním uděláte?"

„Přidám ho do své sbírky. A ta je dobře schovaná, aby se nic z ní nedostalo do nesprávných rukou."

„Jste si opravdu jistá, že se nevrátí?"

„Proč by měl?" Usmála se. „A vy, myslím, nezapomenete, viďte?" Natáhla ruku a zlehka mu přejela prsty po košili. Maggs sklopil oči. Jak se potil, skrz košili prosvítaly záhadné znaky neznámé abecedy.

„Označil si vás, Maggsi," špitla. „A možná vám tím prokázal laskavost, protože teď už na něj alespoň věříte, že? Teď už víte, že existují knihy a *knihy*, které jsou něčím víc..."

Naklonila se blíž k Maggsovi a zašeptala mu do ucha.

„Tak mi najděte *mou* knihu, Maggsi. Najděte mi *Atlas*..."

III. Bahno

Bahna existuje mnoho druhů, víte. Lidé – většinou lidé z města – mají za to, že je to pořád jedno a to samé bahno. Pro ně je to ta špína, co se jim lepí na podrážky a umaže jim šaty. Jenže takový pěstitel, nebo třeba zahradník, ten vidí zeminu, ne bahno, a ze zeminy vyrůstají věci. Květiny. Keře. Plevel.

Překrásné věci.

Děsivé věci.

Kritika se pomalu začínala dostávat k uším generála. Bylo mu to vidět ve tváři a také na držení těla. Unavovalo ho to. To, co ti lidé dělali, má prý i své jméno. Říká se tomu „revizionismus“: překrucování historie tak, jak se to komu hodí, hanobení odkazu člověka pro vlastní prospěch, poškozování něčí pověsti tisícerými krutými škrty. Proto se ostatně generál rozhodl sepsat, co se doopravdy stalo, jak se mi svěřil, zatímco jsem v jeho mohutném stínu prořezával vistárii. Vistárii je nejlepší prořezávat v létě. Vím, že jsou lidé, co by v létě nikdy nic neprořezávali, ale vistárie je rostlina, co báječně snese prořezávání právě v červenci nebo začátkem srpna. Nejdřív se seřízne horizontálně a pak se jí zkrátí boční výhony – ovšem ne o takový kus jako v zimě, kdy není radno nechat na nich víc než čtyři očka. To platí i pro jabloně seřezávané do špalíru; jinak neplodí. A stejně by se měly pozdě v létě prořezávat také ořešáky a vinná réva, protože ty hodně krvácejí, a nikdo nestojí o to, aby mu z řezů cákala míza v únoru.

Tak jsem tedy prořezával vistárii a poslouchal generála. Jeho manželka odjela do Londýna a nemínila se vracet dřív než na podzim. Patrně si ji vůbec neměl brát. Tedy... mně nepřísluší o tom mluvit, ale od samého začátku mi připadalo, že se k sobě ti dva nehodí. Generál, upřímně řečeno, nepatří k nejmoudřejším. Pasovali ho na rytíře, jenže to ještě nic neznamená. Většina lidí mu říkala „sire Williame“, pro mě byl ale vždycky generál. Navíc si myslím, že i on se tak radši nechával titulovat. Proto ho patrně ten revizionismus tak zraňoval. Do armády se dostal přes oxfordskou domobranu. Narukoval jako podporučík. Nechodil na Sandhurst ani na Staff

College a vždycky měl pocit, že na něj kvůli tomu jeho druhové pohlížejí skrz prsty. Do šlechtického stavu ho povýšili v roce 1915. Měl na rukou krev, ale nejsem voják ani vojenský historik, takže to neposoudím. Úřední šetření v Cambrai všechny velící důstojníky osvobodilo a svalilo vinu na nižší a podřízené šarže. To mi říkal generál, stejně jako to, že za to, co se stalo v High Woodu, nese vinu Barter.

Jenže teď se všelijací „šťourové" a „němečtí sympatizanti" snažili podrýt již tak dost chatrnou anglickou poválečnou morálku tím, že zpochybňovali pravomoci vyšších důstojníků v posledním konfliktu. Generál o tom nechtěl nic slyšet. Rozhodl se napsat paměti, aby se pokusil uvést věci na pravou míru. Dokonce už měly i název, ty paměti. Mělo se to jmenovat *Ďáblové v lesích*. Byla to slovní hříčka, říkal generál, narážka na bitvu v Delville Woodu, která předcházela té tankové v High Woodu. Jenže ďáblové v lesích byli taky Němci, Hunové. To byli skuteční pekelníci, tedy podle generála. V Delville je dokázali zastavit akorát Jihoafričané, kteří při tom ztratili každého pátého muže. Šli do toho s víc než třemi tisíci vojáky – 14. července 1916 – a čtyři dny nato jich stálo na nohou už jen šest set. Pak přišel High Wood a dalších čtyři a půl tisíce mužů zemřelo nebo utrpělo zranění, a právě z toho vinili generála, nebo se o to alespoň pokoušeli.

Generál vzápětí přesvědčil Haiga o sesazení Bartera, ale o tom se nemluvilo. Vyrukovali dokonce i s živým argumentem, s chlapem z masa a kostí jménem Soter. Byl to bývalý voják, a bojoval u High Woodu. Soter přišel až k nim do domu a přál si mluvit s generálem, ale nedostal se dál než k bráně. O to jsem se postaral. Soter nebyl hrubý ani nedělal potíže. Dal však jasně na srozuměnou, že ho nijak nepotěšilo, když se doslechl o generálově úmyslu napsat paměti. Prohlásil, že kdyby generál u High Woodu odvedl svou práci dobře, někteří jeho kamarádi mohli dosud žít. Pověděl jsem mu, že nic takového nechci slyšet, a poslal jsem ho pryč. Musím ovšem přiznat, že mi toho muže bylo líto. Těžko byste hledali člověka, který z toho masakru vyvázl úplně bez újmy. Dokonce i generála to poznamenalo, jak jsem zjistil později.

Když nic jiného, utvrdila Soterova návštěva generála v odhodlání sepsat svůj válečný příběh. Chtěl tak umlčet kritiky. Říkal, že to dělá pro Anglii, ne pro sebe. A nepřítelem Anglie byly pochybnosti; pochybnosti a muži jako Soter.

A tehdy se začalo objevovat bahno.

*

Dozvěděl jsem se o tom, když mě generál jednou povolal do domu. Volal mě, zrovínka když jsem stál na žebříku a prořezával ten živý plot z jabloní seřezaných do špalíru, jak jsem o něm mluvil prve. Spěchal jsem za ním, jak nejrychleji jsem mohl, a ucítil to dřív, než uviděl. Ohavně smrdělo; a dost konkrétně. Jak jsem říkal před chvílí, jsou různý druhy bahna, některý čistší než jiný. Tohle páchlo, jako by v něm zdechlo stádo dobytka, a ještě do něj vykrvácelo a naposled se vykálelo. Páchlo jako jateční dvůr. Bylo to šedavý bahno a leželo ve velkých hroudách na prknech podlahy a taky na schodech do ložnic, a byly v něm patrný otisky podrážek. Generál, brunátný ve tváři, spílal, že za tohle by lady Jessie někoho stáhla zaživa z kůže. Jen jsem vešel, obrátil se a obvinil mě. Prý jsem se bez dovolení potloukal po domě, ještě ke všemu v botách, a zničil jsem mu podlahu. Vyhrožoval, že skončím ve vězení a už nikdy neseženu práci, nebo nějaký podobný nesmysly. Musela přijít hospodyně a dosvědčit, že jsem byl celou dobu v sadu a k domu se ani nepřiblížil a že na mě dávala pozor. Ukázal jsem mu taky svoje boty, na kterých zůstalo sotva trochu hlíny. Panovalo suché léto a zem byla tvrdá. Přál jsem si, aby zapršelo, ale marně.

Jakmile se generál vzpamatoval a uznal, že jsem to nezpůsobil já, vyvstala otázka, kdo to tedy mohl udělat, a jedna ještě naléhavější, je-li ještě v domě. Generál byl lovec a za protektorátu Buňoro a Nandi sloužil v Ugandě. Vytáhl ze skříňky starou africkou brokovnici, já si vzal v předsíni pořádnou vycházkovou hůl. Společně jsme pak prohledali každou místnost v domě, ale pachatel nikde. Hroudy bahna mizely poblíž generálovy ložnice, od půlky chodby v patře už nebylo nic. Podle generálových slov se nikdo ničeho nedotkl ani se nic neztratilo, ale i tak to byla hodně podezřelá záležitost. Blátivé stopy směřovaly pouze nahoru, dolů už ne. Dejme tomu, že než majitel zabahněných bot došel nahoru, většina bahna mu z podrážek opadala, ale i tak bych čekal, že mu cestou zpátky sem kousek hlíny odpadne, zvlášť když je měl zablácené tak hrozně moc.

Generál zavolal na policii a vzápětí přijel konstábl a sepsal hlášení. Moc toho dělat nemohl, leda snad slíbit, že policie bude sledovat podezřelá individua, a poradit generálovi, ať pro jistotu zamyká, i když je doma. Já pomohl hospodyni bahno uklidit, a že bylo opravdu hnusné! Nejedl bych nic, co by z něj vyrostlo, ani kdyby se to vařilo v kastrolu s dezinfekcí.

Nabídl jsem se, že budu v noci spát venku v zahradním křesle – pro případ, že by se nezvaný host vrátil, ale generál mi řekl, ať neblázním. Býval rád sám, náš generál. Myslím, že měl v skrytu duše radost, že se lady Jessie rozhodla zůstat v Londýně. Tak jsem pracoval na zahradě, než padla tma, a pak jsem pro jistotu hospodyni doprovodil domů.

Tu noc generála probudilo zběsilé škrábání na dveře jeho pokoje. Když je otevíral, ještě napůl spal. Mezi nohama mu proběhlo hnědo-bílé cosi. Byl to starý kocour, Tygr, velká líná potvora, co kdysi bývala postrachem všech ptáků a drobného zvířectva v dosahu čtvereční míle, ale teď trávila většinu času pospáváním na gauči a lapáním much. Takhle rychle utíkat ho generál neviděl už léta, ale zjevně ho něco tak vyděsilo, že dobrovolně opustil proutěný koš pod schody a mazal se schovat ke generálovi do ložnice. Tam vyskočil na čelo postele, přikrčil se u jednoho ze sloupků a syčel na otevřené dveře, chlupy na hřbetě zježené.

Generál šel tu noc na kutě s brokovnicí, což by mu v přítomnosti lady Jessie neprošlo, dokonce ani kdyby se německá armáda rozhodla pro invazi do jejich růžové zahrady a anektování zeleninových záhonů. Tu brokovnici teď popadl a varovně houkl na chodbu, ale nikdo mu neodpověděl. Jenže to tam zas tak strašně smrdělo. Celá chodba páchla tím ohavným zkaženým bahnem a navíc generál slyšel, že se tam něco hýbe. U stěny nízko u podlahy. I přes riziko, že se zbytečně odhalí, generál rozsvítil.

Po koberci podél podlahové lišty utíkala krysa, ale nebyla to žádná obyčejná krysa. Byla větší nežli kočka, kůži obalenou blátem, břicho nacpané mršinami. Jakmile vycítila, že se blíží generál, zvedla se na zadní a zavětřila. Vůbec se generála nebála. Nezalekla se, dokonce ani když na ni namířil hlaveň brokovnice. Generál si byl takřka jistý, že než stiskl spoušť, chystala se po něm skočit. Vystřelil a bylo po kryse. Když jsem ji pak druhý den viděl mrtvou, bylo poznat, jak obrovská to byla mrcha – i přesto, že byla značně zubožená (generál do ní totiž vystřelil oba náboje, takže z ní zbylo jen klubko chlupů). Stačilo podívat se na její ocas. Byl dlouhý jako moje předloktí.

Nejvíc ze všeho mi ale z toho dne utkvěl pach bahna. Pronikl do celého domu. Nešlo se nadechnout, aniž by ho člověk cítil; jediné sousto se nedalo pozřít bez přítomnosti toho smradu. Nadto koberce a podlahová prkna mají paměť, protože ani s vynaložením veškeré snahy jsme je stop bahna nezbavili beze zbytku. Obávám se, že ani profesionálové by si s tím neporadili o mnoho lépe. Koberce nejspíš bude nutné vyměnit a prkenné podlahy opískovat, vybrousit a znovu napustit lakem. To je snad zbaví i zápachu, ale když si kleknete a přičichnete zblízka, nebude to lepší. Pořád tam byl – visel ve vzduchu a nedalo se ho zbavit, ani když se otevřely dokořán všechny okna a dveře.

Generál se vrátil ke psaní pamětí. Události uplynulých čtyřiadvaceti hodin v něm jen probudily větší odhodlání. Zahlédl jsem ho oknem zvenku. Zuřivě psal a mazal se pod nosem hřebíčkovým olejem, aby necítil ten smrad.

Já se mezitím postaral o to, co zbylo z krysy, byť pořád netuším, odkud se vzalo to bahno na jejím kožichu – ani odkud se vzala ona sama, protože tak obrovskou krysu jsem ještě nikdy neviděl, ani živou, ani mrtvou. Teprve až když jsem ji odhazoval pod stromy kus od domu – vždyť hmyz a ptáci odvedou lepší práci nežli já –, zarazilo mě, jak málo po ní na chodbě zůstalo krve. Vlastně jsem si nedokázal vzpomenout, že bych vůbec nějakou krev viděl, jen ten její kožich a jakousi těžko popsatelnou šedou hmotu. Prohlídl jsem tedy krysí ostatky ještě jednou a důkladněji a všiml si, že kožich není jaksi celý, že jsou to jenom takové nahodilé kousky slepené zaschlým blátem. Po chvilce jsem došel k přesvědčení, že vůbec nejde o kožich z jednoho zvířete. Podobné to bylo i s úlomky kůstek; zdálo se, že jsou každý jinak starý – to lze poznat podle barvy. A jak jsem je tak skládal vedle sebe, poznal jsem v jednom kousku křídlo jakéhosi ptáka a v jiném zase spodní čelist nějakého drobného savce: nejspíš veverky nebo možná netopýra, protože to mělo uprostřed dva menší a vedle dva větší špičaté tesáky, které tedy krysy nemají.

Seděl jsem na kolenou, zadek na patách, a přemýšlel o té záhadě. Vypadalo to, uvažoval jsem, jako by ta krysa byla složená z kusů jiných mrtvých zvířátek, posbíraných v podrostu nebo v hlíně. Ano, slepenec kožichu a kostí připomínal velkého hlodavce, ale při pohledu zblízka už tak dobře neobstál. Ale jak se něco takového mohlo hýbat? Generál se jistě musel splést, když myslel, že tu věc vidí utíkat, protože už byla mrtvá, složená z jiných mrtvých věcí. Někdo tady zinscenoval dost ošklivé divadýlko, patrně stejný člověk, který zanechal všude po domě blátivé stopy.

Jakmile jsem se v myšlenkách zase vrátil k bahnu, vytanula mi spojitost. Vstal jsem a propletl se mezi stromy k rybníčku, který se v lesíku ukrýval.

Nešlo tak docela o vodní plochu, dokonce ani za vydatného deště ne, a teď byla hladina asi nejníž, co pamatuju. Kdybych se probrodil do největší hloubky, sahala by mi voda sotva po pás. Měla kalný nádech a břehy se suchem drolily. Rozhlédl jsem se, neuvidím-li někde lidské stopy, ale nikde nic. Ve vzduchu se hemžila hejna much: hnusné tlusté černé mouchy, co mi šly po očích a po uších.

Zachytil jsem nějaký zápach. Byl slabší než puch v domě, ale stejně jsem ho cítil. Jenže jsem měl šaty a vlasy a kůži načichlé z generálova domu, takže jsem si nemohl být zcela jistý, že jsem si ten odér s sebou nepřinesl a že skutečně pochází z rybníčku. Přesto jsem měl divný pocit. Nedokážu říct proč. Myslím, že to bylo to ticho, ta nehybnost: jako by něco někde zadržovalo dech.

Když jsem se vracel k domu, potkal jsem generála. Ubíral se někam s brokovnicí a mě napadlo, jestli ho úvahy nezavedly tam, kam mě. Z výpravy k rybníčku ale nekoukalo nic dobrého, protože panovalo hnusné horko a ty velké černé mouchy byly nepříjemně neodbytné. Řekl jsem mu, že jsem se tam byl podívat a že břehy jsou doslova upečené horkým sluncem. Mé slovo mu zjevně stačilo a společně jsme se vrátili do domu. Než jsme vyšli z lesa, byl jsem vděčný, že mě doprovází. Ani nedokážu říct proč – snad že zápach cestou od rybníčku slábl, a když jsme se blížili k domu, sílil. Generál se vrátil do pracovny ke svému psaní, já zamkl kůlnu s nářadím a šel jsem domů.

To, co se dělo dál, vím jen od generála. Nic jsem neviděl, takže nemůžu poskytnout očité svědectví. Můžu vám jen tlumočit to, co mi sám řekl, když jsem ho našel u rybníčku. Právě začínalo pršet.

Až do setmění zůstal v pracovně. Zkonstatoval, že záměr napsat paměti je příliš optimistický, a rozhodl se místo toho napsat raději článek pro *The Times* nebo *Telegraph* a v něm shrnout události v High Woodu a nabídnout čtenářům svou verzi pravdy. Zabral se do práce a jen tu a tam zvedl hlavu, aby se pod nosem potřel hřebíčkovým olejem, až od něj měl knír celý mastný. Nakonec hřebíček přestal účinkovat a generál dospěl k závěru, že není jiná možnost, než že se zápach zase zhoršil, tedy bylo-li něco takového vůbec možné. Okno před sebou měl otevřené dokořán, zatímco všechna další okna i dveře v domě byly zavřené. Odložil pero, nalil si sklenku whisky, jenže pak si vzpomněl na nános hřebíčkového oleje na horním rtu. Musel si vybrat – buď jedno, nebo druhé – a generál se rozhodl pro kořalku.

Vyšel tedy z pracovny a noha mu uklouzla po hroudě bláta. Vstupní dveře byly zavřené, a přesto od nich vedly bahnité šlépěje k jeho pracovně – kde jako by se chodec zastavil a chvilku naslouchal škrabání generálova pera za dveřmi – a pak pokračoval dál vlevo směrem do jídelny a odtamtud nahoru do pokojů v patře. Stopy se překrývaly a i v matném svitu lampy bylo poznat, že nejde o stopy jednoho člověka, nýbrž mnoha lidí. Byly mezi nimi různé velikosti bot a také různé vzorky podrážek.

A ten smrad! Bože, ten smrad!

Sledoval stopu jako omámený, lhostejný, za kým ho zavede, dychtivý rozluštit konečně tu záhadu. V přijímacím pokoji našel rozmáznutý otisk prstu na fotografii své manželky. Kohoutky v koupelně byly ucpané, umyvadlo ušpiněné od bláta a... snad od krve, pomyslel si. Tapety v hale hyzdily šmouhy a z klik dveří odkapávalo bláto. Povlečení na jeho posteli dávno nebylo bílé – jako by se v něm vyválel někdo obalený špínou. V každé místnosti, vyjma jeho pracovny, někdo byl – všude zůstaly stopy po návštěvě nezvaných hostí, ale po hostech samotných jako by se slehla zem.

Když se vrátil dolů, našel vstupní dveře otevřené a na nebi svítil měsíc. Svítil tak jasně, že ozařoval blátivé stopy na anglickém trávníku před domem, stopy vzdalující se k lesíku. Šel po těch stopách a vstoupil do lesa, kterým se prodíral dál a dál, až se ocitl na břehu rybníčku. Hleděl na vodní hladinu, která jako by pohlcovala měsíční svit. A pak, přímo jemu před očima začala vodní hladina klesat. Klesala a klesala, dokud nezůstalo jen páchnoucí šedé bahno.

A v tom bahně se něco pohnulo.

Generál zahlédl nezřetelnou siluetu, postavu, která vypadala jako slepená z bahna, a přesto rozkouskovaná. Pracně se hrabala z kalu, hřbet ohnutý, ruce a kolena opřená o dno rybníčku. Hlavu jí zakrývaly kusy starých větví a hnijící vegetace, tvořily podivnou kápi zahalující bledý obličej, který se mihl jako záblesk druhého měsíce, a v něm zakalené oči. Ty oči se na něj obrátily, a přece ho neviděly, ne doopravdy.

Nyní se vše dalo do pohybu. Bahno se pomalu, avšak bez ustání nadouvalo, jak se z něj nořili další a další muži, a generálovi se před očima zhmotňovala vize nekonečných šiků těl vylézajících z rybníčku, mrtvol vyplavených z hlubiny nevědomí. Byly jich statisíce a všechny šeptaly jména, všechny měly svůj příběh, ztracená generace dokládající lživost jeho chabých ospravedlnění.

Protože generál to vždycky věděl. Vždycky to věděl.

Padl na kolena a chystal se připojit se do jejich řad.

A tak jsem ho tam druhý den ráno našel, šaty obalené šedým bahnem, tělo třesoucí se něčím víc než jen zimou. Dávalo se do deště, a tak jsem ho postavil na nohy a opláchl, když tu se rybníček opět začal plnit vodou. Zamířili jsme k domu. Generála, který mluvil z cesty, jsem takřka nesl. Myslel jsem si, že se pomátl na rozumu. Ještě doma si nebyl jistý, co je bahno a co není bahno. Stál vedle mě a třásl se a při tom mi říkal, že si myslí, že to, co viděl, nebyli muži, ale pouhé vzpomínky vytvarované z toho, co bylo právě po ruce.

Pak už to nikdy nikomu nevyprávěl, živé duši se o tom nezmínil, tedy pokud vím. Teď už je samozřejmě po smrti. Zemřel v roce 1941, kdy další generace hleděla do hlavní pušek. Co se týče jeho slavných „pamětí", už nikdy o nich nemluvil a jsem přesvědčen, že to, co stačil napsat, spálil.

Nejsem vědec, ale umím číst a psát a zajímám se o svět okolo sebe. Zjistil jsem, že naše tělo se skládá z miliard atomů a že všechny ty atomy kdysi tvořily těla jiných lidských bytostí, a že tedy každý z nás v sobě nese stopu každého muže a každé ženy, co kdy chodili po tomhle světě. Co jsem tak pochytil, má to co do činění se „zákonem průměru". Takže, jestli to platí pro nás... Platí to i pro jiné věci? Jako třeba pro bahno, co myslíte? V první světové válce padlo deset milionů vojáků, většina z nich do bahna a hlíny. Deset milionů, to dělá miliardy a miliardy atomů. Jestli každý člověk obsahuje malý kousíček všech ostatních lidí, není možné, aby se něco z těch mužů otisklo i do hlíny a zůstalo v ní uložené jako věčná vzpomínka?

Bahna existuje mnoho druhů, víte.

Všechny druhy.

IV. Tulák po neznámých světech

I

Honem k soudnímu dvoru, sotva si z bot setřu hnůj.
 Honem k soudnímu dvoru, do kanceláří advokáta Quaylea.

Jsou muži bohatí a mocní, kteří chtějí, aby druzí viděli, jaké je jejich společenské postavení. Večeří v nejlepších restauracích a bydlí v nejluxusnějších hotelech; libují si v okázalosti. Nabubřelých gest nejsou uchráněni ani ti, kdo slouží zájmům lidí důležitějších, než jsou oni sami. Tak se stává, že doktoři z Harley Street, co chodí ošetřovat šlechtu, končí v honosných domech zařízených starožitným nábytkem, jako by chtěli říct: „Vida! Jsem stejně dobrý jako vy. Taky umím stavět na odiv svoje bohatství, v tom si s vámi nezadám." Dlužno ovšem dodat, že je jaksi méně vznešené pořídit takový mobiliář za peníze vydělané prací nežli jej podědit a že snaživý zbohatlík bude vždy k smíchu těm, jejichž bohatství je tak staré, že hříchy a zlo, jimiž bylo vykoupeno, upadly dávno v zapomnění.

Pak jsou tu ti, kteří chápou, že bohatství a moc jsou zbraně a že by se s nimi mělo zacházet opatrně a uvážlivě. Nepotrpí si na okázalost ani u sebe, ani u druhých. Někdy se dokonce stydí za své privilegované postavení. Nadto postřehli, že pokud někdo z těch, kdo spravují jejich záležitosti – lékaři, právníci, bankéři –, žije v přepychu, pak někdo jiný někde jinde musel připlatit šilink dva, aby si ten luxus mohli dopřát. Člověk, který se stará o peníze druhých, by měl znát jejich hodnotu a hospodařit s vlastními prostředky stejně šetrně jako s těmi svěřenými.

A tak se stalo, že advokát Quayle zakotvil na zadním dvorku jednoho z domů na Chancery Lane, v té části ulice, která se téměř nezměnila od dob, co tam na sklonku sedmnáctého století založili svou živnost Quayleovi nejbližší sousedé, krejčovská firma Ede & Ravencroft vyrábějící soudcovské taláry a paruky. Do dvora, ne většího než pokoj pro hosty, se vcházelo úzkým klenutým průjezdem po dláždění kluzkém vlhkostí i za suchého počasí. Okolní domy se nad příchozím tyčily takřka výhrůžně, jako by jim vadilo, že je někdo ruší – v oknech kulatá terčíková sklíčka, pokřivující výhled zvenčí dovnitř i zevnitř ven. Onoho listopadového rána se tam vznášel pach vařeného jídla, ačkoli tam nikdo nebydlel, a tudíž ani nevařil, pomineme-li Quayleova koncipienta, pana Fawnsleyho, který na plotně kamínek v přední místnosti „sušil" čaj. Ve slabé chvilce jsem od něj přijal šálek a stejnou chybu už nikdy neudělám. Horký asfalt, kterým cestáři záplatují silnice, chutná líp a jistě i účinkuje méně zákeřně.

Vedle bytelných dubových dveří v levé části dvora visela na stěně mosazná cedulka – léty poněkud zašlá, ne nepodobná muži, jehož služby inzerovala. Žádné z ostatních dveří podobnou informaci nenesly a také jsem do nich nikdy neviděl nikoho vcházet. Zdálo se, že jsou pořád zavřené jako dveře hrobek dávných předků: kdyby někdo některé z nich otevřel, nesměl by se divit, kdyby se na něj vyhrnuly zástupy mumifikovaných advokátů a z rukou by se jim jako sníh sypal zteřelý papír se zápisky k dávno zapomenutým případům.

Když jsem otevřel dveře Quayleovy kanceláře, zazvonil mi nad hlavou zvonek, jehož rozverné cinknutí prudce kontrastovalo z ponurostí interiéru. Uvnitř to páchlo zatuchlými lejstry a roztaveným voskem. Na stěně žhnula lampa vrhající žlutavé světlo, které vytvářelo mihotavé stíny na schodech stoupajících poněkud křivolace a vratce do horního patra, kde Quayle vykonával svou živnost. Dávno jsem se naučil neděsit se viklavého zábradlí, které vypadalo, že ho co chvíli vyvrátím, ani strašidelného vrzání schodů prorokujícího brzké propadnutí. Quayle byl příliš chytrý na to, aby takto přivodil svým klientům újmu, navíc po těch schodech stoupala londýnská honorace bez nehod již stovky let – v podstatě od dob, kdy se jistý Quayleův vzdálený příbuzný dal dohromady s dalším právníkem, ovdovělým hugenotským uprchlíkem jménem Couvret. Couvret zažil ve Francii věci, které ho jaksi oslabily na duchu, a nakonec propadl zhoubnému prokletí džinu. Našli ho okradeného a takřka vykuchaného ve Spitalfields, kousek od bytu půvabné tkadleny, která vyráběla hedvábí a jmenovala se Valette a s níž měl Couvret tajný poměr. Nynější Quayle se mi kdysi nad talířem dušeného jehněčího – obědem na oslavu uzavření vyšetřování, na něž mě najal – svěřil, že se v jejich rodině traduje, že jeho předek ztratil s Couvretem trpělivost a to loupežné přepadení a vraždu zosnoval, aby ho jednou provždy vyloučil z profese. V tomto ohledu jeho plán klapl dokonale.

Když jsem stanul na vrcholu schodiště, pan Fawnsley seděl za stolem. Nenajít ho tam by bylo asi stejně překvapivé jako druhý příchod Ježíše Krista, neboť Fawnsley se od Quaylea nehnul na krok, přinejmenším ne v úředních hodinách. Byl jako jeho chorý bledý stín. Těžko říci, co ten člověk dělal ve volném čase. Nejednou jsem si představil, že v pět hodin k němu Quayle přistoupí, stiskne tlačítko vzadu na jeho krku a jednoduše Fawnsleyho vypne a odloží do výklenku za stolem, kde ho v osm ráno po příchodu do kanceláře zase najde a zapne. Fawnsley budil dojem člověka, který nestárne, což by se dalo pokládat za výhodu nebýt toho, že čas se v jeho případě nezastavil v rozpuku mládí, ale na znaveném sklonku středního věku, takže vypadal odjakživa jako někdo, kdo je jednou nohou v hrobě.

Fawnsley ke mně vzhlédl zpoza spisu a věnoval mi rezignovaný pohled. Nezáleželo mu na tom, že si mě jeho zaměstnavatel pozval. Fawnsleymu se nikdy nic nehodilo, v každém viděl jenom otrapu, kterého na něj seslali bohové, aby ho potrápili.

„Pane Sotere," houkl a pokývl hlavou, takže se mu z šešule sesypalo hejno lupů a smísilo se s inkoustem.

„Pane Fawnsley," řekl jsem a odložil klobouk na prosezenou židli. „Myslím, že mě očekává."

Fawnsley se na mě podíval, jako by se domníval, že je to ze strany pana Quaylea politováníhodná chyba v úsudku, a konečně velmi pomalu odložil plnicí pero.

„Povím mu, že jste tady."

Zvedl se ze židle, jako by ho někdo shora vytáhl za nitky, ne jako člověk vymrštěný zdola vlastní silou. Při chůzi se pohyboval takřka neslyšně, jak byl lehký a hubený. Zaklepal na dveře za svými zády a počkal, až se zpoza nich ozve tlumený souhlas. Poté je pootevřel a opatrně strčil hlavu dovnitř, jako by zkoušel, zda se mu vejde pod gilotinu. Následovala krátká tichá rozmluva, načež Fawnsley poněkud neochotně ustoupil a vyzval mě, ať tedy vejdu do nejvyšší svatyně.

Quayleova kancelář byla menší, než by jeden očekával, a temnější, než by bylo moudré, pakliže si chtěl její uživatel zachovat alespoň zbytky zraku. Na oknech visely těžké rudé závěsy stažené ve výši parapetů bronzovými sponami, takže na Quayleův stůl dopadaly trojúhelníky světla. Stěny pokrývaly police s knihami a zvuk mých kroků tlumily koberce z perských dílen. Nikde jsem neviděl ani zrníčko prachu, a to jsem přitom při žádné ze svých návštěv u Quaylea nepotkal uklízečku. Vždycky tam byl jen Fawnsley, kterého jsem si ani při sebevětší snaze nedokázal představit na štaflích s prachovkou v ruce. Byla to vskutku záhada.

Quayleův stůl byl obrovský a tak starý, že jeho dřevo léty takřka zčernalo. Sedaly za ním generace Quayleů a lámaly si hlavy nad tím, jak vyložit zákon ve prospěch svých klientů, a tím pádem i svůj vlastní. Spravedlnost mohla jít klidně k šípku. Za tím stejným stolem byl s nejvyšší pravděpodobností zpečetěn i osud nebohého monsieura Couvreta, načež nějaký pradávný Fawnsley odkvačil s hrstí mincí najmout někoho, kdo odvede tu špinavou práci.

Quayle sám působil překvapivě elegantně na muže starého šedesát či více zim. (Jistě, dalo by se říci i „šedesát jar“ nebo „šedesát let“, jenže to by bylo nepřesné, poněvadž Quayle pocházel z krajin holých stromů a zamrzlých vod.) Na výšku měřil dobře metr osmdesát, tudíž patřil k tomu málu lidí, co mi mohou zpříma pohlédnout do očí. To se však jen dohaduji, neboť Quayle zřídkakdy vstával. Měl velmi tmavé vlasy, slabě načichlé krémem na boty, kterým si nejspíš zakrýval šediny. Zuby měl snad až příliš bílé a rovné, pokožku tak bledou, že byla téměř průhledná, takže při lepším světle skrz ni mohl člověk nejspíš pozorovat, jak mu proudí krev, i v těch nejjemnějších vlásečnicích. V rudém přítmí kanceláře mu byly nicméně vidět jen žíly a tepny, připomínající stíny větví vržené na sněhové závěje. Od polovičních brýlí s černými obroučkami se mu odráželo slunce, takže jsem mu neviděl do očí.

V červeném koženém křesle po Quayleově levici seděl další muž. Hádal jsem mu něco mezi dvaceti a třiceti. Oblečený byl jako džentlmen, ale všiml jsem si, že má naleštěné, ale notně sešlapané boty a oblek tak rok vyšlý z módy, což se snažil maskovat rudým karafiátem v klopě. Měl tedy peníze, ale taktak vystačil: čističe bot si ještě dovolit mohl, ale na nové boty už neměl. Mám-li být upřímný, na první pohled se mi nelíbil. Měl prázdné oči a brada mu bez varování navazovala na krk. Nikdy nevěřte muži, který svou přítomností sníží u trojice mužů průměrný počet brad o třetinu.

„Vítám vás, pane Sotere,“ pozdravil mě Quayle. „Dovolte, abych vám představil Sebastiana Forbese. Jeho strýc, Lionel Maulding, je mým klientem.“

Forbes vstal a podal mi ruku. Měl pevnější stisk, než jsem čekal, třebas na něj vynaložil větší úsilí, než bylo obvyklé.

„Těší mě, že vás poznávám, pane Sotere," prohlásil takovým tím povýšeně unaveným způsobem, jako kdyby věta měla příliš mnoho slabik a on se rozhodl ty pro něj nadbytečné vynechat a zbytek oddrmolit co nejrychleji.

„Nápodobně, pane," přikývl jsem.

„Pan Quayle mi říkal, že jste sloužil jako voják a vyznamenal jste se při nedávném konfliktu," pronesl na úvod.

„Ano, sloužil jsem, pane. Víc k tomu říci nemohu."

„A kde jste sloužil?"

„U čtyřicáté sedmé, pane."

„Á, takže Londýňané! Odvážní muži. Bitva u Auber, Festubertu, Loos a na Sommě."

„Vy jste sloužil, pane?"

„Ne, bohužel ne. Znám to jen z novin. Byl jsem příliš mladý, abych narukoval."

Podíval jsem se na něho a pomyslel si, že jsem bojoval po boku chlapců, co by bývali byli dneska mladší než on, kdyby to ovšem přežili. Neřekl jsem ale nic. Jestli se dokázal tomu prolévání krve vyhnout, nemínil jsem mu to zazlívat. Já si tím prošel, a kdybych tehdy býval věděl, co mě čeká, vzal bych nohy na ramena a utíkal, ani bych se neohlížel. Na místě bych dezertoval a ty hajzly s frčkami bych v tom klidně nechal.

„Tak to jste bojoval i u High Woodu, že ano?" pokračoval Forbes.

„Ano," přitakal jsem.

„Krvavá bitva."

„Ano," řekl jsem znovu.

„Po tom, co se tam stalo, zbavili Bartera velení, viďte?"

„Ano, pane, protože poslal ty muže zbytečně na smrt."

„Byl to hlupák."

„Ne tak velký jako Pulteney."

„Ale no tak, no tak. Sir William je skvělý voják."

„Sir William je zabedněnec a zemřeli kvůli němu lepší chlapi, než je on."

„Když dovolíte, Jessie Arnottová byla přítelkyní mé zesnulé matky..."

Matně jsem si vybavoval, že Pulteney si vzal jednu z Arnottových dcer. Asi jsem o tom četl ve společenské rubrice, než mě přešla chuť na snídani.

Quayle si nenápadně odkašlal, než se hovor ještě víc zvrhne.

„Prosím, posaďte se, pane Sotere. A vy také, pane Forbesi."

„Žádám omluvu," vypískl Forbes.

„Za co?" zeptal se Quayle.

„Tenhle pán urazil hrdinu královské armády a přítelkyni mojí matky."

„Pan Soter jen vyjádřil svůj názor a pravý džentlmen musí být připravený přijímat protichůdné názory. Jsem si jist, že vaši matku pan Soter urazit nechtěl. Říkám to správně, pane Sotere?"

Quayleův tón napovídal, že by bylo moudré, kdybych to alespoň gestem urovnal. Na to jsem samozřejmě nemusel přistoupit, ale potřeboval jsem tu práci, ať už bude jakákoli. Nemohl jsem si vybírat. Moc kšeftů nebylo a zdálo se, jako by každé nároží mělo svého žebráka – veterána z války s přišpendlenou prázdnou nohavicí nebo rukávem. Ti, kdo ve válce nebojovali, bývalé vojáky nenáviděli, což jsem nechápal. Byli by nejradši, kdybychom zmizeli. Ty tam byly vojenské přehlídky, ty tam byly vroucí polibky na tvář. Z vojáků se stali žebráci a žebráky nemá nikdo rád. Nejspíš jsme v nich probouzeli pocit viny. Asi by se jim líbilo, kdybychom všichni zůstali ležet v bahně, pohřbení stovky mil daleko od Anglie, na místech, jejichž názvy jsme se ani nestačili naučit vyslovovat.

„Omlouvám se, jestli jsem se vás dotkl," spolkl jsem to. „Nechtěl jsem vás urazit."

Forbes přikývl, jako že omluvu přijímá. „Je to hodně citlivé téma, já vím," poznamenal.

Zase si sedl a já se rovněž posadil. Quayle, spokojený se svým soudcováním, přešel k věci.

„Pan Forbes si dělá o svého strýce starost," začal. „Podle všeho už ho několik dní neviděli a nikdo netuší, kde by mohl být."

„Třeba odjel na dovolenou," nadhodil jsem.

„Můj strýc nemá ve zvyku jezdit na dovolenou," namítl ustaraný synovec. „Cítí se dobře ve známém prostředí, v pohodlí domova, takže nejdál se vypraví leda do místní vesnice." Na okamžik se zamyslel. „Vlastně mám pocit, že jednou jel do Bognoru, ale příliš ho to nezaujalo."

„No ovšem, Bognor," odtušil Quayle zadumaně, jako by to vše vysvětlovalo.

„Jestli si děláte starosti o jeho bezpečí, proč jste se neobrátil na policii?" zeptal jsem se.

Quayle povytáhl obočí, což jsem přesně čekal. Jako většina právníků považoval i on vměšování policie při řešení otázek zákona za zcela nežádoucí.

Policie byla užitečná, dokud měl jistotu, že udělá jen to, co on požaduje, nic víc. Sotva začala vykazovat známky nezávislého myšlení, znervózněl. Tudíž si dával pozor, aby se s policií musel potýkat jen v případech krajní nutnosti.

„Pan Maulding si velmi potrpí na soukromí," pronesl Quayle. „Nepoděkoval by nám, kdybychom do věci nechali zasáhnout policii."

„Možná ano, jestli se mu něco stalo."

„Co by se mu mohlo stát?" podivil se Forbes. „Sotva vychází z domu."

„Tak proč jsem potom tady?" řekl jsem.

Quayle si povzdechl jako někdo, komu svět přináší ustavičné zklamání a překvapí ho jen míra jeho hořkosti.

„Pan Forbes je jediný žijící příbuzný pana Mauldinga, a tedy právoplatný dědic, tedy pokud by se jeho strýci něco stalo. Pan Forbes pochopitelně doufá, že k tomu za daných okolností nedošlo, ježto svému strýci přeje mnoho šťastných dlouhých let a pevné zdraví."

Forbes se tvářil, jako by s tím tak docela nesouhlasil, ale nakonec u něj zvítězil zdravý rozum a pouze souhlasně zamumlal.

„S přihlédnutím k tomu," pokračoval Quayle, „a pro klid duše a blaho zde přítomného pana Forbese je žádoucí co nejdříve zjistit, kde se jeho strýc nachází, a to bez zbytečného zasahování policie, což je jinak znamenitý oddíl dbající na bezpečí občanů. *Proto* jste tady, pane Sotere. Ujistil jsem pana Forbese, že jste nanejvýš diskrétní, a dále je obeznámen i s tím, jakých znamenitých výsledků jste dosáhl v minulosti, při práci pro mé další klienty. Rádi bychom, abyste pana Lionela Mauldinga našel a v bezpečí dopravil zpět do milujícího lůna jeho rodiny. To bychom v kostce měli všechno, že ano, pane Forbesi?"

Forbes hbitě přikývl.

„V bezpečí zpět do milujícího lůna, přesně tak," přitakal. „Pokud ovšem není mrtvý, v kterémžto případě bych o tom také rád věděl."

„Baže," pronesl Quayle po výmluvné odmlce. „Je-li to vše, pane Forbesi, seznámím nyní pana Sotera s nejnutnějšími podrobnostmi a vyřídím zbytek. S vámi se spojím, jakmile se něco dozvíme."

Forbes se zvedl. V té chvíli se otevřely dveře a v nich se objevil Fawnsley s jeho kabátem, kloboukem a rukavicemi. Ta rychlost se dala vysvětlit jedině tím, že poslouchal za dveřmi. Nejspíš ano, nejspíš slyšel všechno do posledního slova. Pomohl Forbesovi do kabátu, podal mu klobouk a rukavice a pak stál a netrpělivě čekal, až odejde – asi jako hrobník zírající na nebožtíka, který odmítá umřít.

„Pokud jde o placení..." začal Forbes nanovo tónem člověka, který považuje otázku peněz za něco nechutného, tím spíš že se mu jich momentálně nedostává.

„Jsem si jist, že veškeré výdaje uhradí pan Maulding," uklidnil ho Quayle. „Nevěřím, že by se zdráhal zaplatit za námahu vynaloženou v jeho prospěch."

„Velmi dobře," pronesl Forbes s jistou úlevou a rozloučil se. Ve dveřích se ale ještě jednou zarazil, takže mu Fawnsley málem napochodoval do zad.

„Pane Sotere?" houkl.

„Ano, pane Forbesi?"

„Budu přemýšlet o tom, co jste říkal o Pulteneym, a příště si o tom můžeme znovu promluvit."

„Bude mi potěšením," řekl jsem.

Samozřejmě mi to bylo fuk. U High Woodu jsem viděl, jak čtyřicet chlapů zasypává hlína v díře po vybuchlé bombě. Byl jsem tam. Forbes ne. A stejně tak ani ten prevít generál sir William Pulteney.

Quayle se mě zeptal, jestli si nedám čaj. Ve skříňce za stolem měl přitom fůru nejrůznějšího pití, ale nezažil jsem, že by nabízel něco silnějšího než Fawnsleyův čaj – možná to bylo tím, že nic silnějšího než Fawnsleyův čaj neexistovalo.

„Ne, díky."

„Dlouho jsme se neviděli, pane Sotere. Jak se daří?"

„Daří se dobře, děkuju za optání," odpověděl jsem, ale to už si přerovnával lejstra na stole a moje zdraví ho přestalo zajímat. Naslinil si ukazovák pravé ruky, otočil list, ale pak se zarazil, jako by ho právě něco napadlo. Věděl jsem, že Quayle nepatří k lidem, které něco napadne jen tak. Měl všechno dávno předem naplánované.

„Co si myslíte o panu Forbesovi?" zeptal se mě.

„Je mladý."

„Ano. To, jak se zdá, říká mnoho."

„Ne tolik, kolik by mohlo."

„A tohle přesně dělá s lidmi válka," poznamenal Quayle. „Vážně byste se měl naučit dávat si pozor na jazyk, víte to?"

„Myslíte jako před zákazníky?“

„Myslím před každým. Na člověka, který si zakládá na rezervovanosti, máte dost nešťastný zvyk říkat, co si doopravdy myslíte, tedy když už se rozhodnete mluvit.“

„Budu na to myslet. Děkuju vám, že jste mě na to upozornil.“

„Jste vždycky tak sarkastický?“

„Myslím, že ano, ale jen v určité společnosti. Jak jste říkal, dlouho jsme se neviděli.“

To Quaylea málem rozesmálo, ale jeho mimické svaly neměly úsměv v repertoáru, takže se zasekly někde mezi úšklebkem a zívnutím.

„Pan Forbes si žije nad poměry,“ navázal Quayle. „Strýc pro něj představuje asi jedinou možnost na rychlou záchranu situace.“

„Mohl by třeba zkusit pracovat.“

„Proč si myslíte, že to nezkusil.“

„Nebyl oblečený jako do práce, leda by se živil prodejem karafiátů.“

Quayle vyloudil další ze svých znavených povzdechů.

„Matka mu odkázala malou rentu a nějaké peníze mu nejspíš plynou z investic. Kdyby byl moudřejší a míň rozhazoval, mohl by si žít docela dobře – tedy docela dobře z pohledu někoho, jako jsem já, a rozhodně někoho, jako jste vy. Jenže on si rád vsadí a z jeho šatníku by se patrně oblíkla celá vesnice. Kdyby zdědil peníze po strýci, proklouzly by mu asi mezi prsty jako písek – a za chvilku by na tom byl stejně, jako je na tom teď, akorát by měl ve skříni víc obleků.“

„Podezíráte ho, že se starého zbavil a teď se kryje tím, že přišel za vámi?“

„Jste velmi neomalený, pane Sotere.“

„Říkám, co si ostatní jen myslí, a zvlášť to platí v soudní síni.“

Quayle, který nedokázal obrátit v ruce zářivě novou guineu, aniž by na ní hned hledal špínu, nebo se podívat na krásnou mladou ženskou, aniž by si hned nepředstavil, jaká z ní jednou bude stará ošklivá babice, mi dal nepatrným pokývnutím za pravdu.

„Ale abych odpověděl na vaši otázku, ne, nemyslím si, že Forbes svému strýci jakkoli ublížil. Není ten typ, a kdyby se na něm přece jen něčeho dopustil, poznal bych to. Ale je tady jedna záhada: Lionel Maulding je velmi uzavřený a každá minuta strávená mimo domov se mu nanejvýš protiví. Jednou do roka přijede do Londýna projednat obchodní záležitosti, a i to mu působí krajní nepohodlí. Já se vždy ujistím, že má na účtech dostatek prostředků, aby v žádném ohledu nestrádal, a dohlížím na jeho investice, aby tomu tak bylo i nadále."

Dohlížíte na ně a účtujete si za to tučnou gáži, pomyslel jsem si. Ale k věci. Jestli je Maulding mrtvý, jeho synovci připadnou pěkné peníze, tedy jakmile se podaří identifikovat mrtvolu. On to pak utratí za parádu a marnivosti, a Quayleův příjem se rapidně sníží. Quayle nevypadal, jako že moc utrácí, ale peníze měl rád a nelíbila se mu představa, že někdo zpomalí jejich tok do jeho peněženky.

„Co chcete, abych udělal?" zeptal jsem se.

Quayle mi přisunul po stole manilové desky.

„Najděte ho. Všechno, co potřebujete vědět, je tady v těch deskách, včetně Mauldingovy fotografie. Zaplatím vám obvyklou taxu plus výdaje, a když tu věc uzavřete rychle, dostanete ještě bonus. Fawnsley vám vyplatí zálohu na týden dopředu a k tomu vám dá něco navíc na útratu. Přirozeně si schovávejte účtenky."

„Přirozeně."

„V Maidensmere, což je nejbližší vesnice od Mauldingova sídla, mají hostinec, ale slyšel jsem, že dům má tolik pokojů, že by tam přespal batalion. Pokud se ubytujete tam, hospodyně vám připraví postel. Sice v domě nebydlí, ale přichází tam brzy ráno a odchází až po večeři, nebo to tak aspoň dělala, když byl ještě Maulding doma. To ona ho začala pohřešovat. Postará se o vás a nám by mohlo ušetřit nějaký ten šilink, když nebudete spát v hostinci. Projděte všechny Mauldingovy papíry. Podívejte se, jestli neměl nějaké neobvyklé výdaje. Pročtěte mu poštu. Věřím vám. Vím, že budete držet jazyk za zuby, tedy dokud někdo nezačne vychvalovat nezodpovědné generály."

Zvedl jsem se.

„A co když zjistím, že se mu nakonec přece jen něco stalo?" chtěl jsem vědět. „Co když je opravdu mrtvý?"

„Tak najdete dvojníka," odvětil Quayle, „protože já chci Lionela Mauldinga zpátky živého."

II

Víska Maidensmere ležela v nejvýchodnější výspě Norfolk Broads, což je půvabný kraj o rozloze asi sto dvaceti čtverečních mil, protkaný vodními kanály, řekami a jezery, a právě těm se v místním nářečí říká „broads“. Bylo odtamtud stejně daleko do West Somertonu i do Caister-on-Sea, a poblíž ševelilo Ormesby Broad. Přijel jsem však pozdě večer a vodní plochy se jen stříbřitě leskly v měsíčním svitu. Nikdo mi nepřišel naproti na nádraží, takže jsem utratil něco z peněz od Quaylea za zbytečný luxus v podobě noclehu v hostinci Maidensmere Inn. Jak říkal Quayle, v Bromdun Hallu, Mauldingově domě, pro mě měli přichystanou postel, ale řekl jsem si, že s přesunem tam počkám do rána. Povečeřel jsem dobrou jehněčí pečeni a před spaním si dal ještě jedno dvě piva. To jsem však udělal čistě ze společenských důvodů, než že bych měl na pivo opravdu chuť. V naší branži se totiž vyplatí míň mluvit a víc poslouchat, přičemž Maidensmere byla vesnička dost malá na to, aby cizinec vzbudil v místních zdravou zvědavost.

Když se mě ptali, proč jsem do Maidensmere přijel – té otázce se nedalo vyhnout –, pověděl jsem jim více méně pravdu: přijel jsem udělat nějakou práci pro Lionela Mauldinga, a dokud ji nedokončím, budu bydlet v Bromdun Hallu. Zpráva o Mauldingově zmizení se zjevně ještě neroznesla, což svědčilo o úctyhodné loajalitě Mauldingovy hospodyně, paní Gissingové, a také o Mauldingově samotářství. Ve vesnici ho podle všeho vídali málo a považovali ho za neškodného podivína. Jenže to bylo staré dobré Východoanglické království, které se přece jen trochu liší od zbytku Anglie. Lidé tam jaksi víc tolerují, když je někdo jiný. Jestli Lionel Maulding toužil po klidném životě v ústraní, zakotvil ve správném kraji – a nebyl zdaleka jediný. Podobně smýšlejících bohatých podivínů tu žilo víc. Neuniklo mi, že když jsem vyslovil jeho jméno, nikdo z přítomných si s nikým nevyměnil významný pohled ani se provinile nevytratil do noci. Jenže tak se chovají jen zločinci v příbězích Sextona Blakea, detektivkách vycházejících v šestákovém časopise *Union Jack* – proto ostatně stál jen dvě pence. Ve skutečném světě bylo všechno mnohem složitější.

Z toho, co se ten večer o Mauldingovi řeklo, jsem nerozuměl jen jedné věci, přestože místní očividně pobavila.

„Tak to budete asi knihovník, ne?" zeptal se potutelně majitel hostince, chlap s obrovskými licousy, když jsem jim prozradil důvod svého příjezdu. Mrkl při tom na strejce u okolních stolů. „Ha ha, knihovník, že jo, chlapi?"

Všichni se zasmáli, a když jsem nasadil nechápavý výraz, smáli se ještě víc.

„Však sám uvidíte, pane," chechtal se hostinský. „Nemyslím to špatně, ale sám uvidíte."

A pak zavřel pípu a šel zamknout. Já šel na kutě.

Tu noc jsem toho moc nenaspal, ale takové byly všechny moje noci. Nevzpomínám si, kdy jsem naposledy tvrdě spal od večera do rána. Chlácholím se tím, že mi k přežití stačí kratší doba spánku, jenže přežití není totéž co žití. Až teprve krátce před svítáním se mi podařilo zabrat a prospat pár hodin v kuse. Proto jsem zaspal snídani, ale hostinská mi dala stranou trochu míchaných vajec se šunkou. Talířem s nimi přiklopila rendlík s vroucí vodou, kterou mi zalila čaj. Zatímco jsem jedl, mluvila a mluvila, a já poslouchal. Byla o dost mladší než její manžel. Její bratr padl v bitvě na Sommě. Někdy, vyprávěla mi, bych ráda zašla na jeho hrob. Ptala se mě, jak to tam vypadá – tam, kde odpočívá.

„Když jsem tam byl, moc jsem toho neviděl," přiznal jsem, „ale hádám, že dneska už tam zase roste tráva a na loukách kvetou kytky. Možná i pár stromů přežilo. Nevím. Ale určitě už to tam není jako dřív – pro nikoho."

„A co vy?" zeptala se vlídně. „I vy jste musel někoho ztratit, ne?"

Dávno však tušila odpověď. Jinak by se neptala. Ženy dovedou vycítit bolavá místa v naší duši.

„Všichni jsme někoho ztratili," odtušil jsem, zvedl se a otřel si ruce a ústa.

Viděl jsem na ní, že by se ještě ráda na něco zeptala, ale neudělala to. Místo toho řekla: „Bolest a stesk jsou tak zvláštní, viďte?"

„Nevím, jestli vám dobře rozumím."

„Myslím tím, že za války jsme všichni trpěli a všem nám v životě zbylo prázdné místo po někom, koho jsme milovali. Nikdo to ale neprožívá stejně," vysvětlila a podívala se někam za mě, kamsi daleko za zdi hostince. „Když o tom mluvíme – pokud vůbec –, nikdo nám tak úplně nerozumí. A platí to i tehdy, bavíme-li se s někým, kdo také někoho ztratil. Je to, jako bychom mluvili každý trochu jiným nářečím a stejná slova měla jiný význam. Všechno se změnilo, že? Jak jsem řekla prve: svět nikdy nebude stejný jako předtím."

„A chtěla byste, aby byl?" zeptal jsem se. „V půdě starého světa bylo zaseto sémě války. Jediné, k čemu to všechno nakonec bylo dobré, je, že jsme ta semena rozdrtili, takže už nikdy nevyklíčí."

„Opravdu tomu věříte?" podívala se na mě.

„Ne."

„Ani já ne. Ale pořád je tady naděje, že?"

„Ano," přikývl jsem. „Snad ano."

Krátce nato přišla do hostince paní Gissingová, malá zarputilá žena neurčitého věku. Hádal jsem jí nicméně něco mezi čtyřiceti a padesáti. Byla oblečená celá v černém. Manželka hostinského mi pověděla, že paní Gissingové vzala válka dva syny, jeden padl u Verdunu a druhý v Yperském oblouku. Teď prý žije úplně sama, jelikož ovdověla, ještě když byli chlapci malí. Do Bromdun Hallu to bylo asi míli a paní Gissingová mi bez dlouhých průtahů oznámila, že to vždycky chodí pěšky, tak jsem šel s ní.

Abychom se dostali do Bromdun Hallu, museli jsme projít přes vesnici. Cestou nás zdravili lidé, ale nikdo z nich se mě nezeptal na jméno ani na důvod mé návštěvy. Předpokládal jsem, že ten, kdo to neví, se o to stejně nezajímá, a ten, kdo se zajímá, už si obojí zjistil od mých včerejších kumpánů z hostince. Uprostřed vesnice byl trávník a na něm pomník obětem války. Ležely u něj čerstvé květiny. Paní Gissingová zírala upřeně před sebe na cestu, jako by pohled na pomníček nemohla unést. Asi jsem měl mlčet, jenže jak říkal Quayle, mám nepříjemný zlozvyk říkat, co si myslím. A po rozhovoru s paní hostinskou jsem myslel na ledasco.

„Je mi líto, že jste přišla o syny," řekl jsem paní Gissingové.

Její tvář se na okamžik křečovitě napjala, ale pak se jí vrátil původní výraz.

„Z téhle vesnice odešlo dvanáct chlapců. A už se nevrátili," pronesla tiše. „A když už se někdo vrátil, něco z něj zůstalo tam... v bahně. Pořád nechápu, jaký to celé mělo smysl."

„Já tam byl a taky to nechápu," přisvědčil jsem.

To ji malinko obměkčilo. Malinko, ale přece.

„Bojoval jste u Verdunu nebo u Yper?" zeptala se s nadějí v hlase. Co kdybych třeba její syny znal a mohl jí říct, že o ní často mluvili... že zemřeli rychle a příliš netrpěli... Jenže nic z toho jsem jí říct nemohl.

„Ne. Pro mě válka skončila u High Woodu."

„To mi nic neříká."

„Je to na řece Sommě. Francouzi tam tomu říkají Bois des Forcaux. Má to něco společnýho s vidličkami. Kousek odtamtud byl lesík, co se jmenoval Delville. Kluci od nás mu neřekli jinak než Devil's Wood, Ďáblův les. Po válce ho nevykáceli. Říkají, že tam pod těmi stromy leží ještě dneska tisíce těl."

„Přišel jste tam o přátele?"

„Přišel jsem tam o všechno. Ale na tom patrně nezáleží. Mrtvým už je všechno jedno."

„Nevím, jestli se tomu dá věřit," zamyslela se. „Já se svými chlapci často mluvím a cítím, že mě slyší. Jsou mrtví, a přesto poslouchají. Vždycky poslouchají. Co jiného jim nakonec zbývá?"

A dál už o tom nemluvila.

Bromdun Hall byl prapodivný shluk budov rozházených po nějakých pěti akrech. Každá cihla, každá píď toho starého domu vypovídala o pozvolném úpadku. Bromdun Hall chátral a ten zmar na mě dýchl, jen jsem ho z dálky uviděl. Nedalo se čekat, že tak rozsáhlé sídlo zvládne udržovat jedna drobná žena, byť s pomocí majitele a současně jediného obyvatele. Paní Gissingová mi sdělila, že většina pokojů slouží jen jako skladiště. K jejím hlavním povinnostem patřilo uvařit třikrát denně jídlo, prát prádlo a udržovat ty řady místností v čistotě a ve stavu obyvatelnosti. Nic moc dalšího po ní pan Maulding nechtěl. Měla ho očividně ráda a upřímně se strachovala o jeho blaho. Když jsem se jí zeptal, jestli zvažovala přivolat policii, odpověděla, že jí to pan Quayle z Londýna výslovně zakázal. Vypadalo to, že Quayle byl první, na koho se obrátila, když si o pána začala dělat starost. Mauldingův synovec pan Forbes se o znepokojivé strýcově nepřítomnosti dozvěděl až později, když zavolal. To občas dělával, potřeboval-li peníze, a paní Gissingová tak byla nucená informovat ho o situaci.

Dozvěděl jsem se, že pan Maulding podnikl v posledních měsících několik cest do Londýna, o nichž Quayle podle všeho nevěděl, ježto se mi o nich nezmínil. Paní Gissingovou náhlá změna zaběhaného režimu pána překvapila, ale nijak to nekomentovala. Jeho cesty probíhaly tak, že pro něj hned ráno přijel taxík, odvezl ho na nádraží a po příjezdu posledního vlaku z Londýna ho zase přivezl zpátky. Tyto výjezdy podnikl celkem tři a o každém paní Gissingovou informoval den předem.

„Není tedy možné, že se jen vypravil do Londýna, neřekl vám o tom, a ještě se nevrátil?“ napadlo mě.

„Ne,“ ucedila tónem, který nepřipouštěl pochybnosti. „Na nádraží a z nádraží ho vozil pokaždé stejný šofér a pán mi vždycky pověděl, jak dlouho bude pryč a v kolik hodin se vrátí. Je to slušný člověk, víte, pan Maulding. V dětství se nakazil obrnou a má pokroucenou pravou nohu. Pro bolest daleko nedojde. To je nakonec i důvod, proč tak málo cestuje. Je to pro něho příliš nepohodlné.“

„A máte tušení, kam nebo za kým mohl v Londýně chodit?“

„S takovými věcmi se mi nesvěřoval,“ odpověděla.

„Měl nějaké nepřátele?“ ptal jsem se dál.

„Chraň bůh, to ne,“ zděsila se. „Neměl ale ani přátele – ne snad proto, že by byl divný,“ dodala spěšně. „Jen... všechno, co potřeboval, měl tady.“ Ukázala na dům, který se tyčil nad námi.

„Tohle byl –“ zarazila se, „tohle *je* jeho domov. Nechtěl cestovat po světě, tak si to zařídil tak, aby svět přišel za ním.“

To bylo zvláštní prohlášení, kterému jsem tak docela nerozuměl, dokud jsem ovšem nevstoupil do domu.

Všude byly knihy: na podlaze, na schodech, na nábytku určeném k tomu, ale i k docela jinému účelu. Ve vstupní chodbě se táhly police s knihami, totéž platilo i pro všechny místnosti v přízemí a v patře. Police s knihami byly i v koupelně a v kuchyni. Těch svazků se tam těsnalo tolik, že kdyby se odstranil dům – myšleno zdi, podlahy, cihly a malta – zůstal by tam dál stát, jen postavený z knížek, což by z dálky nebylo vidět. Čítárna Britské knihovny by vedle toho vypadala jako chudá příbuzná. Zatímco jsem stál mezi všemi těmi knihami, pomyslel jsem si, že na světě neexistuje místo víc napěchované tištěným slovem než dům Lionela Mauldinga.

Jak jsem tak procházel domem, v patách paní Gissingovou, přeskakoval jsem z titulu na titul. Nechyběl snad žádný obor lidského zájmu, žádný světový jazyk. Některé z knih byly tak velké, že musely mít vlastní stolečky a museli je přenášet dva lidé. Jiné zase tak maličké, že spočívaly uložené ve skleněných vitrínách a na řetízku vedle visela lupa nezbytná k přečtení jejich mikroskopického písma.

„Úžasné,“ vydechl jsem.

„Každý den přicházejí další,“ dodala paní Gissingová. „Ty poslední jsem nechala panu Mauldingovi v knihovně, aby se na ně po návratu podíval.“

Poprvé projevila známky znepokojení. Hlas se jí zlomil a oči zvlhly. „Vy ho najdete, pane, viďte? Přivedete ho zpátky k jeho knihám..."

Pověděl jsem jí, že se vynasnažím, a zeptal se, jestli někdo prohledal přilehlé pozemky. Prý ano. Zmínila správce, jistého Teda Willoxe, který znal v okolí domu každý kámen. On a jeho synové byli jediní další lidé ve vsi, kteří věděli o Mauldingově zmizení. Willox si vzal své dva syny na pomoc a společně prohledali Mauldingovy pozemky do poslední pídě. Po pánovi domu nenašli nikde ani stopu.

Willox mezitím odjel navštívit nemocnou sestru, ale měl se do Maidensmere vrátit druhý den ráno. Poprosil jsem paní Gissingovou, ať ho za mnou hned po příjezdu pošle. Přiznávám, že mě překvapovalo, jak jsou Gissingová s Willoxem vůči Mauldingovi loajální a jak důsledně střeží jeho soukromí, byť se obávají o jeho bezpečnost. Paní Gissingová to patrně vycítila, protože když mě uvedla do mého pokoje, ještě jednou promluvila.

„Pan Maulding je hodný a laskavý člověk. Chci, abyste to věděl, pane. Ke mně se vždycky choval velkoryse. Moji chlapci, moji milovaní chlapci odpočívají na zdejším hřbitově. Každý den s nimi mluvím. Na jejich hrobě nacházím vždy čerstvé květiny – v létě, v zimě, po celý rok – a nikdy nezarůstá plevelem. A to zařídil pan Maulding, pane. Promluvil si s generály v Londýně a oni mi moje chlapce nechali přivézt, nejdřív jednoho a potom druhého. A nic ode mě za to nechce, ani od Willoxe. Jediné, co pan Maulding žádá, je včas přichystané jídlo, čisté šaty a ustlaná postel – a klid na knížky. Nikdy nikomu neublížil, takže by ani nikdo neměl ublížit jemu."

Měl jsem nutkání jí říct, že tak to v životě bohužel nechodí, ale vzpomněl jsem si, že pohřbila dva syny, a tudíž toho o životě ví víc než kdokoli z nás. Příchod do pokoje mě ušetřil dalších nevhodných řečí, protože mě nechala samotného, ať si vybalím věci – měl jsem jen malou tašku – a porozhlédnu se kolem. K mému pokoji přiléhala koupelna s velkorysou vanou na dračích pařátech. Nevzpomínal jsem si, kdy jsem se naposledy koupal v něčem jiném než v plechových neckách, do kterých se voda lila z hrnců. Těšil jsem se, jak se večer naložím do toho přepychu.

Ani jedna z vedlejších místností nebyla zamčená. Jak už naznačila paní Gissingová, používaly se převážně jako skladiště, pochopitelně skladiště knih, jelikož nic dalšího Lionel Maulding k uskladnění neměl. Začínal jsem se v domě pomalu orientovat, protože byl zkrátka a dobře pojatý jako knihovna: tady byly knihy věnované zeměpisu, tam zas historii. Tři vedlejší místnosti ukrývaly odborné texty věnované biologii, chemii a fyzice, přičemž poslední obsahovala pár regálů s knihami dotýkajícími se všech tří přírodních věd současně. Následovaly řady pokojů plných beletrie, bezmála stejně tolik jich zaplňovaly sbírky poezie a divadelní hry. Jedna značně prostorná místnost byla vyhrazená knihám s reprodukcemi výtvarných děl, mnohdy i dost starým a patrně velmi drahým. Pár svazků obsahovalo erotické čtivo; nebyly „očtené" o nic víc než ty ostatní.

Postupně jsem se takto dopracoval až do Mauldingovy ložnice. Tam knihy pokrývaly každou vodorovnou plochu. Od podlahy až ke stropu visely police s knihami, vyjma stěny nad hlavou postele. Tam se vyjímala pouze jediná polička a na ní podle všeho knížky, kterými se Maulding zabýval momentálně. Záložka spočívala v obsáhlém Tacitově pojednání, dále v jakési knize o včelařství, o pěstování zeleniny a v dalších dvou velmi výstředních knihách: *Lexikonu alchymie* od Martina Rulanda staršího, vydaném roku 1612; a sebraném vydání *Tří knih okultní filosofie* od Heinricha Cornelia Agrippy. Rulandus byl založený proužkem kůže na kapitole „Dodatek k Alchymistickému lexikonu", přičemž dva odstavce byly dokonce silně podtržené. Vedle knihy ležela obyčejná tužka, z čehož jsem vyvodil, že je podtrhl Maulding. Šlo o dvě samostatná hesla:

ANDĚLÉ – Filosofové chemie někdy takto nazývají Prchavou podstatu Kamene. Dále říkají, že jejich tělo je zduchovnělé a že člověku se nikdy nezadaří Velké dílo, neztělesní-li ducha a nezduchovní-li tělo. Daný postup znamená filosofickou sublimaci, přičemž je jisté, že pevné nemůže nikdy sublimovat bez pomoci těkavého.
ASPEKT – Každá věc má vždy tři aspekty – termín z hermetismu. Filosofové říkají, že jejich podstata, či též Filosofický Merkur, jest látkou zahrnující tři aspekty, co do substancí, z nichž sestává; má čtvero působností a dvojí skupenství, a to v základu jedno jest. Třemi aspekty jsou Sůl, Síra a Merkur; onou čtveřicí jsou elementy; dvojí skupenství jest pevné a těkavé a v základu jedno, to je vzdálená hmota nebo-li chaos, z něhož vše povstává.

Ta poslední slova – *„chaos, z něhož vše povstává"* – byla podtržená silněji než zbytek textu, ačkoli jsem jim nerozuměl o nic víc než tomu ostatnímu. Ukončil jsem prohlídku Mauldingova pokoje, ale nenašel nic, co by mi pomohlo zjistit, kde může být. Pak jsem pokračoval v prohledávání domu.

Skončil jsem v kuchyni, kde paní Gissingová mezitím vyvářela, jako by se chystala týden krmit početnou rodinu – pověděl jsem jí totiž, že není nutné, aby v mé přítomnosti docházela do domu každý den. Ujistil jsem ji, že mé požadavky jsou jistě skromnější než jejího pána.

„Kde trávívá pan Maulding většinu času?" zeptal jsem se.

„Ve své pracovně, pane."

Jak málo překvapivé. Mohlo mě to samotného napadnout. Nakoukl jsem tam cestou do kuchyně. Pracovna se od ostatních místností příliš nelišila, snad jen tím, že obsahovala o trochu víc knížek, ne však o moc.

„A kde bych našel jeho papíry a účty za vedení domácnosti?"

„Myslím, že v jeho stole."

„Zamyká ho?"

„Proč by to dělal?" podivila se. Otázka ji zjevně velmi překvapila.

„No, jsou lidé, co chtějí udržet své finance v tajnosti."

„Ale kdo by strkal nos do cizích věcí?"

„Třeba někdo jako já," povídám.

Na to neměla co říct, tedy nic, co by se odvážila vyslovit nahlas. Nechal jsem ji proto na pospas hrncům a pánvím a zamířil do pracovny.

III

Chvíli mi trvalo, než jsem odhalil systém Mauldingova zakládání dokumentů. Zčásti za to mohla skutečnost, že v tom žádný systém neměl: jednoduše vrstvil papíry na sebe, některé byly starší, některé novější, všechny však ze stávajícího roku. Na jedné hromádce ležely účty k proplacení, na jiné příjmové doklady. Namátkové štrachání za třísvazkovou encyklopedií vyneslo pořadače s doklady za příjmy a výdaje z předešlých let. Za nákupy většinou platil šekem, i když občas použil i hotovost, a výdaje si vždy pečlivě zaznamenával do malého notýsku. Seznámit se s jeho finančním hospodařením mi zabralo celé odpoledne a vyžádalo si vytrvalý přísun čaje a sendvičů od paní Gissingové. Osobní korespondence jsem mnoho nenašel, vyjma pár prosebných dopisů od synovce; ostatní pošta se týkala výhradně prodeje či nákupu knih. Zjevně jednal se všemi knihkupci v Británii, a dokonce i s několika ze starého kontinentu a z Ameriky.

Mě nicméně zajímaly především přírůstky z poslední doby; mohly mi totiž poskytnout vodítko pro jeho cesty do Londýna. Zdálo se, že v měsících před svým zmizením začal obchodovat se dvěma novými dodavateli: Seafordem z Bloomsbury, který se specializoval na vědeckou literaturu, a s antikvářem, o jehož firmě – Dunwidge & dcera – jsem dosud neslyšel. Od Dunwidge měl založených asi třicet účtenek, všechny za platbu v hotovosti za knížky, jejichž názvy a stručné popisy byly rovněž uvedené na účtenkách. Šlo o *Hermetické muzeum*, pojednávající o Kameni mudrců, první anglický překlad (z roku 1893) díla napsaného původně latinsky v roce 1678; dále o *Umění vyvolávání duchů z krystalů* od Johannese Trithemia, nedatováno; o *Grimorium Imperium*, domnělý opis pojednání původně připisovaného alchymistovi doktoru Johnu Dee, jenž vyšel roku 1680 v Římě; a o *Divadlo pozemské astronomie* od Edwarda Kellyho, vydané v roce 1676 v Hamburku; a řadu dalších titulů podobného ražení. V těchto otázkách se nepovažuji za odborníka, ale zdálo se mi, že Lionel Maulding vynaložil mnoho času, úsilí i peněz na zřízení okultní knihovny a že Dunwidge & dcera jeho nadšení vydatně živili. Na rozdíl od zavedeného Seaforda však na svých účtenkách neuváděli adresu, pouze obchodní jméno.

Na chvilku jsem v prohledávání ustal. Od chvíle, co jsem začal pročítat ty seznamy ezoterické literatury, jako by mi pořád něco unikalo, ale nevěděl jsem co. Pomalu jsem se vrátil po vlastních stopách. Postupoval jsem od místnosti k místnosti, prohledával znovu police s knihami a přitom si poznamenával názvy jednotlivých oddělení a tematických okruhů. Trvalo mi to celé hodiny, a když jsem skončil, začínalo se už stmívat. Bolela mě záda, oči jsem sotva držel otevřené, ale jednou věcí jsem si byl jistý: v celém Mauldingově sídle jsem nenašel jedinou polici věnovanou okultní literatuře, jen ony dva svazky nad čelem postele. Stejně tak jsem nenašel ani stopu po knihách od Dunwidge & dcery. Pochopitelně bylo možné, že jsem je přehlédl nebo že se ocitly mimo katalogizační systém, což mi ale připadalo málo pravděpodobné, neboť Maulding jej u knih dodržoval velmi důsledně. Rozhodl jsem se tedy prohledat dům pro jistotu ještě jednou, ale až druhý den. Maulding neměl do domu zavedený telefon, a tak jsem poprosil paní Gissingovou, ať cestou domů pošle na můj účet telegram do Londýna a požádá Quayleova koncipienta Fawnsleyho, aby zjistil, kde sídlí obchod Dunwidge & dcera. Odpověď mi měl zaslat telegraficky následující den, aby ji mohla paní Gissingová ráno vyzvednout a přinést do domu.

Mezitím už bylo hodně po šesté. Paní Gissingová připravila zapečeného úhoře, kterého jsem si dal s lahví bordeaux z Mauldingových sklepů. Po večeři mi nachystala koupel a měla se k odchodu. Poděkoval jsem jí za veškeré pohodlí a laskavost a poprvé od příjezdu jsem v Bromdun Hallu osaměl.

Zkusil jsem vodu ve vaně, ale byla ještě moc horká. Nemínil jsem se v ní uvařit jako humr, tak jsem se vrátil do pokoje, nalil si poslední sklínku červeného vína a čekal, až voda trochu vychladne. Z police jsem namátkou vytáhl pár knížek, abych si ukrátil dlouhou chvíli, mezi nimi nedávno vydaného Bulldoga Drummonda, hrdinu, jehož stvořil McNeile pod pseudonymem Sapper. McNeile bojoval v bitvě u Yperského oblouku a já hltal jeho povídky, které psal pro *Daily Mail* a *The War Illustrated*, byť na můj vkus byly trochu moc přislazené. Nakonec je ale psal ještě na sklonku války, a kdyby v nich vylíčil skutečné hrůzy bojů, nikdy by mu je neotiskli.

Když jsem přečetl asi dvě stránky jeho románu, zaslechl jsem šplouchání vody ve vaně.

„Paní Gissingová?“ zavolal jsem.

Patrně se z nějakého důvodu vrátila, a když už byla v domě, rozhodla se zkontrolovat vodu. Jenže jsem neslyšel ani dveře, ani vrzavé kroky na schodech do patra, které sténaly jako duše u mučení. Nadto zvuk, který jsem slyšel, nepřipomínal krátké šplíchnutí, které se ozve, když někdo ponoří ruku do vany. Šlo spíš o tiché šplouchání, jako když se někdo koupe.

Paní Gissingová mi před odchodem v pokoji rozdělala oheň. Sebral jsem tedy pohrabáč, pevně ho sevřel a tiše zamířil do koupelny. Dveře byly trochu víc pootevřené, než jak jsem je nechal, ale strach mívá velké oči. Škvíra se v každém případě zvětšila jen minimálně. Zatímco jsem se k těm dveřím blížil, šplouchání se zrychlilo, načež úplně odeznělo, jako by mě dotyčný uvnitř slyšel přicházet a zpozorněl.

Pomalu jsem pohrabáčem otevřel dveře dokořán. Ve vaně se nikdo nekoupal a hladina byla zcela nezčeřená. Voda nicméně změnila barvu. Když jsem z koupelny odcházel, byla relativně čistá, jen s velmi slabým nádechem dohněda. Teď byla ohavně žlutá jako sražené mléko a plaval na ní tenký škraloup. Také páchla rybinou.

Stál jsem nad vanou a připadal si jako hlupák, protože jsem vzal pohrabáč a zašmátral jím pod hladinou. Tak trochu jsem očekával, že narazím na poddajné tělo a na hladinu vytryskne gejzír bublin, jak dotyčný skrývající se pod hladinou nezadržitelně vydechne. Jenže žádné bubliny se neobjevily a jediné, nač můj pohrabáč narazil, byly porcelánové stěny vany. Nikam jinam se v koupelně schovat nedalo.

Ještě jednou jsem zavolal paní Gissingovou. Zvuk mého hlasu se odrážel od kachlíkovaných stěn, ale odpověď žádná nepřišla. Ohrnul jsem nos nad smradem linoucím se z vody. Možná že to, co jsem slyšel, byl jen nějaký šramot v potrubí způsobený uvolněním nečistot zachycených v trubkách. V té smrduté vodě jsem se ale koupat nehodlal. Koupel jsem ovšem pořád potřeboval. Paní Gissingová mě ujistila, že horké vody je dost, tak jsem bezmyšlenkovitě sáhl pod vodu, že vytáhnu zátku.

Něco mi narazilo do ruky. Bylo to tvrdé a článkovité, snad jako krab nebo humr. S výkřikem jsem ruku vytáhl, zátku stále sevřenou v dlani, a sledoval, jak z vany odtéká voda. Klesala a klesala a nechávala po sobě na stěnách žlutý povlak připomínající pěnu po odlivu. Když ve vaně zbývalo sotva patnáct centimetrů vody, u odtokové roury se cosi rychle pohnulo a na okamžik vyplulo nad hladinu. Zdálo se mi, že to má růžovočerný krunýř a množství nohou. Zahlédl jsem také klíšťky podobné škvořím, jen mnohem větší a od pohledu ostré. Pak se potvora kdovíjak nasoukala do odtokové roury a odtekla z vany, byť měla tělo příliš široké, aby se protáhla tak úzkým otvorem. V potrubí chvilku šramotilo, načež zavládlo znepokojivé ticho.

Pochopitelně jsem se ten večer nekoupal. Okamžitě jsem vanu utěsnil zátkou, což jsem následně provedl i u všech ostatních van, výlevek a umyvadel v domě. Udělal jsem to spíš pro klid duše, protože ve skutečnosti jsem nedoufal, že by taková malá chabá zátka z kovu a gumy mohla zabránit tomu tvorovi znovu vylézt, tedy kdyby si to usmyslel.

Seděl jsem na posteli a přemýšlel. Co to mohlo být? Nějaký mně neznámý endemický korýš z Broads, kterého místní dobře znají? Kdybych se o něm zmínil v hostinci v Maidensmere, hostinský by možná pobaveně mrkl na štamgasty a sdělil by mi, že to, co jsem viděl, bylo to-a-to a že osmažené se smetanovou omáčkou, zakápnuté trochou bílého vinného octa to ve skutečnosti chutná výtečně. Moc jsem na to ale nesázel. V místě, kde se mě ta věc dotkla, jsem měl prsty nepříjemně netečné, zarudlé a podrážděné.

Nakonec jsem usnul. Ve snu jsem viděl Pulteneyho tanky, jak neohrabaně jedou směrem na High Wood, rachotivé siluety sunoucí se tmou, jíž náhle prozáří výbuch. Tanky začaly měnit podobu. Už to nebyly neživé stroje, ale dýchající živé obludy. Nesunuly se po pásech, ale po krátkých nohou s kolínky. Z otočných věží se staly hlavy a z hlavní děl prapodivné dlouhé choboty plivající jed otvory lemovanými ostrými zuby. Světelné erupce neměly na svědomí výstřely, ale blesky, a krajina, kterou osvětlovaly, působila ještě hrůzyplněji než pustina mezi zákopy. Byla mi skoro povědomá. V dálce jsem viděl trosky vesnice a tehdy mi došlo, že se dívám na Norfolk Broads a na pozůstatky Maidensmere, jejíž kostelní věž ze šestnáctého století kupodivu dosud stála, hrdě vztyčená uprostřed suti. Současně s tím to ale bylo i jiné město, ležící kousek od High Woodu, kde zůstaly v troskách ležet těla lidí zabitých výstřely z děl: starců, žen a dětí. Nám přitom řekli, že všichni utekli. Lhali.

S leknutím jsem se probudil. Byla ještě tma a ticho narušoval jen tikot hodin.

Jenže v pokoji žádné hodiny nebyly.

Posadil jsem se. Zvuk vycházel zpoza dveří, které jsem před tím, než jsem si šel lehnout, zavřel – a přiznávám, dokonce i zamkl. Nastražil jsem uši a postupně se ukázalo, že nejde o tikání, ale spíš o cvakání. Rozsvítil jsem lampu a vzal do ruky pohrabáč, který jsem si pro všechny případy nechal u postele. Vstal jsem a co nejtišeji došel ke dveřím. Zvuk se zrychloval, ale když jsem k těm dveřím došel, najednou ustal a já slyšel cosi jako vzdalující se kroky. Odemkl jsem a otevřel dveře. Přede mnou ubíhala do tmy pouze chodba, kterou až ke schodům osvětlovala má lampa. Zamžoural jsem do tmy za schodištěm, ale nic jsem neviděl.

Podíval jsem se na dveře. Dřevo okolo kliky bylo poškrábané, jako by se někdo dobýval do zámku. Sklonil jsem se a přejel po bělavých třískách prstem. Zarazil jsem si do něj třísku a sykl jsem. Vzal jsem ji do zubů, vytáhl ji a vyplivl na zem. Z ranky mi skanula kapička krve.

Ze tmy se ozvalo čenichání.

„Kdo je tam?“ zavolal jsem. „Kdo jsi? Ukaž se!“

Žádná odezva. Vykročil jsem do chodby. Tma s každým mým krokem ustupovala, čímž mi nepříjemně připomínala vodu ve vaně, jejíž klesající hladina nedala tvorovi na vybranou, takže se mi musel ukázat. Dva kroky, čtyři kroky, šest, osm kroků. Světlo lampy ukrajovalo tmu, která se mi přelévala za záda, dokud jsem nedošel až ke schodišti, kde se ten pohyb zastavil. Zdálo se mi, že vidím ve tmě kus ještě větší temnoty, která se nehýbe. Bylo to větší než člověk, lehce přihrbené. Měl jsem dojem, že vidím, kde to má hlavu, ale ve světle lampy těžko říct, navíc obrysy té věci splývaly s okolní tmou, takže vlastně byla i nebyla její součástí. V ní se odrážely neviditelné hvězdy. Otočila se a v místě, kde snad měla obličej, se zalesklo mnoho ostrých hrotů, jako by někdo upustil tabuli černého skla a zastavil čas v okamžiku, kdy se roztříštila. Cítil jsem, jak mi z prstu skápla krev a dopadla na podlahu. Opět se ozvalo čenichání.

Začal jsem couvat a spolu se mnou se opět dala do pohybu i tma. A spolu s ní i temná bytost v ní ukrytá. Teď se však sunula nějak rychleji a lampa v mé ruce s ní marně bojovala. Kužel světla se zmenšoval, tma jej pohlcovala. Zbývala už jen chvilka, a stal se z ní plamínek ve skleněném cylindru, který by nakonec zhasl.

Mrštil jsem pohrabáčem. Udělal jsem to bez rozmyslu a čistě instinktivně mířil na shluk černých střepů a hrotů. Pohrabáč se ve vzduchu protočil a jeho těžká rukojeť zasáhla střed černoty. Ozval se zvuk, jako když se tříští milion krystalů, a tma se v reakci na hrubou sílu zatetelila. Odhodilo mě to dozadu, takže jsem dopadl hlavou na zem, ale než jsem ztratil vědomí, stačil jsem si všimnout, jak se černota propadá sama do sebe – nebo jsem měl alespoň ten dojem. Přitom se v čase a prostoru udělala nakrátko trhlina. A tou trhlinou jsem zahlédl neznámá souhvězdí a černé slunce.

A také tvář Lionela Mauldinga skučícího v prázdnotě.

IV

Paní Gissingová přišla krátce po sedmé v doprovodu staršího muže, jehož jsem správně odhadl na Willoxe. Dávno jsem nespal. Zastihli mě v knihovně, jak sedím u stolu, před sebou šálek horkého čaje a vedle plnou konvici. Paní Gissingovou to očividně rozladilo. Jako bych ji tím, že jsem se sám obsloužil, chtěl připravit o místo na slunci a – ještě hůř – o živobytí, protože jakmile si chlapi začnou sami připravovat čaj, můžou za chvilku klidně začít vařit a prát, a jaká byla paní Gissingová? Ona a jí podobné by pak mohly skončit na dlažbě a žebrat drobné na kolemjdoucích. Honem odkvačila do kuchyně a začala smažit vajíčka na slanině, snad aby bylo jasno, že se nevzdá bez boje. Udělala to i přesto, že jsem ji ujistil, že nemám hlad.

„Spal jste dobře?“ zeptala se.

„Ne, nespal," odpověděl jsem a kontroval otázkou: „Strávila jste někdy v tomhle domě noc, paní Gissingová?"

Možná jsem měl zvolit taktnější formulaci, neboť paní Gissingová se zatvářila jako vdova, jejíž dobrá pověst se ocitla v ohrožení. Po chvilce mého trapného omlouvání se uvolila vyložit si mou otázku tak, jak byla myšlena, a sdělila mi, že pod střechou pana Mauldinga nikdy noc nepřečkala.

„Stěžoval si vám někdy na hluk, který by ho rušil?" ptal jsem se dál.

„Nechápu, jak to myslíte, pane."

Ani já nechápal, jak to vlastně myslím. Mysl si někdy s člověkem dělá, co chce, ve snaze uchránit ho duševní újmy. Ta moje už pomalu události včerejší noci ukládala kamsi mezi skutečnost a sny.

„Včera večer jsem měl něco ve vaně," vypadlo ze mě nakonec, „nějakého tvora."

Poprvé promluvil Willox.

„Krysu?" nadhodil. „Ty tady máme, pane. Do starýho baráku, jako je tenhle, se dostanou raz dva. Dávám jim jed."

„Ne, nebyla to krysa. Upřímně řečeno, nejsem si moc jistý, co to bylo. Uteklo to odtokovou rourou, když jsem vypouštěl vodu. Bylo to spíš jako korýš, řekl bych."

„Korýš?"

„Krab nebo humr."

Paní Gissingová se na mě podívala, jako bych se na ni zlobil a podezíral ji, že v tom má prsty. Willox se tvářil nejistě – zřejmě přemýšlel, jestli lidé z Londýna nemají trochu jiný, a o dost divnější smysl pro humor než on.

„Kdo by vám dával do vany humra?" ohradila se paní Gissingová. „Já tedy rozhodně ne."

Znovu nasadila dotčený výraz, tak jsem ji ujistil, že ji v žádném případě neobviňuji, že by dávala cizím lidem humry do vany.

„A pak," pokračoval jsem, „mě probudilo něco, co bylo v domě. Nějaký přízrak."

„P-přízrak?" vykoktal Willox.

„Ano. Lepší slovo mě nenapadá."

„To jako myslíte ducha, pane?"

„Na duchy nevěřím," opáčil jsem. „Pan Maulding na duchy věřil?"

„Nevzpomínám si, že by se mi o něčem takovém zmiňoval." Willox se obrátil na paní Gissingovou, která nejdřív pokrčila rameny a pak zavrtěla hlavou.

„Ptám se, protože mám dojem, že v poslední době dával dohromady okultní knihovnu, což dává tušit, že se v něm o takové věci probudil zájem. Nikdy neříkal, že ho něco v domě znepokojuje?"

„Ne."

„A nepřipadal vám v posledních týdnech rozrušený nebo třeba unavený, vystrašený?"

„Ne."

„Myslíte si, že jsem se zbláznil, paní Gissingová?"

Poprvé se usmála. „To netvrdím, pane. Ale dům je velký; velký a starý dům a všude v něm vrže a skřípe, a to může někomu, kdo na to není zvyklý, připadat divné. Půjdu dochystat tu snídani, pane. Hned se vám udělá líp."

„A co vy, pane Willoxi?" řekl jsem. „Vy pochybujete o mém zdravém rozumu?"

„Neznám vás tak dobře, abych si byl jistý, pane, ale připadáte mi docela příčetný. Jak říká paní Gissingová, na takovýhle podivný dům, zvlášť tak starý jako tenhle, je potřeba si zvyknout. I já sám se občas ohlížím přes rameno, když jsem tu sám. Takové už tyhle staré domy jsou, no ne? Dýchá z nich historie."

Zeptal jsem se ho na pana Mauldinga, ale neřekl mi nic, co už bych neslyšel od paní Gissingové. Chtěl vědět, jak to bude s jeho mzdou, tak jsem mu slíbil, že domluvím s panem Quaylem, aby mu ji dál vyplácel. To ho očividně uspokojilo, ale na druhou stranu možná Quaylea neznal. Quayle zřídkakdy platil brzy, a výplata mzdy služebnictvu pana Mauldinga u něj nemohla na žebříčku naléhavosti plateb figurovat nijak vysoko. To, že mi zaplatil předem, byl div a svědčilo to o tom, jak moc mu záleží na tom, abych Mauldinga přivedl v pořádku zpátky.

Willox se zase vrátil k práci na zahradě. Z kuchyně se mezitím ozývalo bouchání a břinkání a stoupala odtamtud do knihovny vůně smažené slaniny, nikterak nepříjemná. V zajetí těchto zvuků a vůní, těchto známek normality, jsem si pomalu přestával být jistý tím, co jsem vlastně předešlé noci viděl. Na tom nebylo nic nepřirozeného. Zdravý rozum vždycky hledá co nejracionálnější vysvětlení: jinak by zaséval sémě šílenství. Má mysl byla vinou životních zkušeností lehce narušená, a já se nemínil nechat vyvést z klidu.

Právě v té chvíli se ozvalo klepání na vstupní dveře. Jelikož paní Gissingová měla spoustu práce v kuchyni, šel jsem otevřít a našel na prahu poštovního doručovatele. Nesl mi telegram. Dal jsem mu šilink, nic menšího jsem neměl, a poslal ho zase spánembohem. Přemýšlel jsem, jestli si budu moci ten šilink připočíst k výdajům. Jak jsem tak znal Quaylea, měl jsem si říct o účet.

Telegram pocházel od Fawnsleyho. Jeho stručnost napovídala, že platil za každé slovo, takže si je všechna dobře spočítal. Pozdrav a oslovení chyběly, začínal rovnou neupřímným politováním, že se nepodařilo ověřit adresu firmy Dunwidge & dcera, ačkoli prý slyšel, že sídlí někde poblíž King's Road v Chelsea. A na závěr stroze dodal:

```
z mauldingova konta učiněn minulý měsíc velký výběr -
STOP - deset tisíc liber - STOP - bez quayleova
schválení - STOP - ukončete vyšetřování - STOP
```

Deset tisíc liber představovalo nemalý obnos. Maulding měl v knihovně sejf, jenže do něj jsem se neměl jak dostat. Bylo možné, že ty peníze byly tam. Jestli je ale Maulding vybral, a nešlo to přes Quaylea – na což měl plné právo, byť to nemíval ve zvyku –, nabízelo se, že je potřeboval na něco, s čím se nechtěl právníkovi svěřovat. A zřejmě to bylo i naléhavé.

Ze zkušenosti vím, že podobně neobvyklé nakládání s penězi svědčí o pochybném účelu platby. Tak například postupné ubývání prostředků, kdy se vybrané částky nenápadně zvyšují a rovněž četnost vzrůstá, může zakládat na podezření z hazardu; větší a víceméně stále stejně vysoké výběry dávají tušit nově nalezené zalíbení v dámě nebo v lehké ženštině. Jednorázový výběr značné výše, zejména je-li učiněn za zády právníka, mohl být následek pochybných, ne-li nezákonných investic – popřípadě snahy problém anulovat.

Jenže podle toho, co jsem se zatím dozvěděl, Lionel Maulding o hazard ani o ženy zájem nejevil. Tím pádem bylo nepravděpodobné, že by ho postihly problémy spojené s vášní pro jedno či druhé. Deset tisíc liber svědčilo o nákupu něčeho, jenže dům zvíci paláce Maulding už měl: a další nepotřeboval. Stejně tak na pozemcích Bromdun Hallu nevyrostl znenadání vozový park automobilů ani konvoj jachet.

Takže: za co Lionel Maulding obvykle utrácel peníze?

Lionel Maulding utrácel peníze za knížky.

A jaká knížka, popřípadě knížky by stály deset tisíc liber?

Nějaká vzácná kniha. *Velmi* vzácná kniha.

Posnídal jsem, zeptal se paní Gissingové na odjezdy vlaků a začal se chystat na návrat do Londýna.

V

Za kliku dveří Seafordova knihkupectví jsem brával zřídka, především proto, že tam neprodávali nic, co by bylo v mých silách přečíst. Od toho se odvíjely obavy, že to na mně poznají, sotva překročím práh. Už jsem viděl, jak zpoza haldy seriózních publikací o fyzice a vlastnostech atomu vykoukne upjatý příručí a zdvořile mě vyprovodí ke dveřím, kde mě nasměruje k novinovému stánku s nabídkou ilustrovaných týdeníků. Místo toho mě velmi zdvořilý mladý muž s postavou ragbyového útočníka uvedl do přeplněné kanceláře a pozorně poslouchal, zatímco jsem vysvětloval. Přinesl jsem s sebou pár účtenek za poslední Mauldingovy nákupy, jenže byly napsané hrozným škrabopisem a to, co jsem dokázal rozluštit, mi stejně nic neřeklo.

Mladý ragbista se představil jako Richards, a kdyby se znenadání zhroutil knižní trh, mohl se okamžitě začít živit luštěním prastarého sanskrtu, protože nečitelný rukopis mu nečinil sebemenší obtíž.

„To je písmo starého pana Blaira," prohlásil. „Za ty roky už ho poznám."

„A pan Blair je někde k zastižení?" zeptal jsem se.

Zatvářil se rozpačitě.

„Bohužel starý pan Blair před pár týdny zemřel."

„To je mi líto."

„Bylo mu dvaadevadesát."

„I tak je mi to líto."

„Starému panu Blairovi tenhle obchod přenechal původní pan Seaford," vyložil Richards. „Byl posledním pojítkem na zakladatele. Takhle hrozně škrábal odjakživa."

Znovu se podíval na seznam.

„Ty knihy byly kupované v logickém sledu," odtušil.

„Jak to myslíte?"

„No, máte tu výtisk korespondence Leibnize s Clarkem, prvně vydaný v angličtině roku 1717, i když tohle je evidentně pozdější vydání. Většinu čtenářů zajímá kvůli disputaci o povaze prostoru a vlastně i času. Dál je tu Machova *Analýza počitků* z roku 1897. Mach tvrdil, že pouze vjemy jsou skutečné, nic jiného, tedy jestli to dobře chápu, víte, není to zrovna můj obor..."

Odříkal pár dalších jmen, která mi mnoho neříkala – „Planck. Einstein – ten viděl hodně dopředu –" a pak se zamračil.

„A helemese," zabručel. „Objednal si několik prací Williama Jamese. Některé z nich jsou trochu mimo náš obvyklý záběr: *Akta Americké společnosti pro psychický výzkum, 3. svazek*; *Druhy náboženské zkušenosti*; *Vůle věřit a další eseje o populární filosofii.** To je zvláštní kniha. Určitě ne nezajímavá, ale rozhodně podivná."

Čekal jsem. Někdy žasnu nad vlastní trpělivostí.

Richards se omluvně usmál. „Promiňte. Jsou to fascinující věci. James občas hovoří o tom, co sám nazývá ‚mnohovesmírem', což je hypotetická soustava možných vesmírů, jejíž je tento pouze dílčí součástí."

„A co je podle něj v těch dalších vesmírech?"

„Víte, tak daleko jsem se nedostal, nejsem na Jamese expert. Ale soudě podle seznamu pana Mauldinga, hádám, že se začal zajímat o povahu reality. To je značně složitá otázka, zvlášť pro nezasvěceného čtenáře."

Poděkoval jsem mu. Nebyl jsem si jistý, jestli jsem se od něj něco dozvěděl, tedy něco, z čeho bych byl moudrý.

„Mimochodem," otočil jsem se na odchodu, „slyšel jste někdy o knihkupectví Dunwidge, nebo Dunwidge & dcera? Prý je to někde v Chelsea."

„Osobně nemohu sloužit," přiznal Richards. „Ale můžeme se zeptat mladého pana Blaira. Zná každého knihkupce v Londýně."

Vyšli jsme několikeré schůdky a ocitli se v malém oddělení věnovaném pouze psychologii. Za pokladnou tam tiše podřimoval křehký mužíček v tmavém obleku, kterému muselo být v nejlepším případě osmdesát.

„Bratr starého pana Blaira?" zeptal jsem se.

„Kupodivu ne," odpověděl Richards. „Vůbec nebyli příbuzní a ani spolu dobře nevycházeli. Mladý pan Blair dokonce ani nepřispěl na věnec."

---

* Anglicky *Proceedings of the American Society for Psychical Research, Volume 3; The Will to Believe and Other Essays in Popular Philosophy*; v češtině vyšly jen *Druhy náboženské zkušenosti*, a to v roce 1930; z důvodu plynulosti četby uvádím orientační překlady názvů – pozn. překl.

Pan Richards „mladého“ pana Blaira opatrně probudil. Ani v nejmenším ho nerozladil. Ve skutečnosti se zdálo, že je rád, že po něm někdo něco chce. Možná byl ale rád, že se vůbec ještě probudil. V jeho věku byla hranice mezi odpoledním zdřímnutím a věčným odpočinkem velmi tenká.

„To je pan Soter, pane Blaire. Zajímá se o jednoho knihkupce.“

Mladý pan Blair se usmál a něco zamumlal – zachytil jsem dvě slova „rád“ a „pomůžu“, takže to vypadalo slibně.

„Říkal jsem si, jestli náhodou nebudete znát jedno knihkupectví v Chelsea, jmenuje se Dunwidge...“ nemeškal jsem.

Mladý pan Blair se zatvářil zlověstně. Zamračil se. Zakroutil hlavou. Zdvihl varovně prst. Znovu zamumlal několik nezřetelných slov, jejichž tón jasně vypovídal o nelibosti. Nakonec postřehl, že si s jeho projevem nevím rady, a vyloudil ze sebe pár souvislých skorovět.

„Hrozný chlap,“ zaskřehotal. „Dcera ještě horší. Hmm... Okultisti! Oheň a síra. No ovšem. Ovšem. Staré knihy. *Hrozné* knihy. Žádná věda. Naprosto žádná věda.“

Nahnul se nad pult a zaťukal na něj prstem.

„Bláboly,“ ucedil s důrazem na každé slabice.

„Potřeboval bych jejich adresu,“ kontroval jsem. „Bylo mi řečeno, že snad mají krám někde v Chelsea, údajně na King's Road.“

Mladý pan Blair se zase vrátil k počátečnímu mumlání, ale vylovil odkudsi kus papíru a starosvětským krasopisem mi na něj napsal adresu. Poděkoval jsem mu za pomoc a chystal se k odchodu, ale on se zvedl a s překvapivou silou mi sevřel paži.

„Držte se od nich dál,“ varoval mě. „Jsou to neřádi, oba dva, ale ta dcera, ta je nejhorší!“

Znovu jsem mu poděkoval. Pustil mě a vrátil se za pokladnu. Zavřel oči a v mžiku usnul.

Richards ohromeně zíral.

„Víte,“ řekl mi, „od smrti starého pana Blaira jsem ho neviděl tak rozrušeného.“

VI

Poté jsem zamířil na Chancery Lane, poreferovat Quayleovi o dosavadním postupu, přesněji o jeho absenci. Jenže Quayle v kanceláři nebyl. Našel jsem tam pouze Fawnsleyho. Seděl za stolem a plnicím perem škrábal cosi právnickou hantýrkou do tlustého fasciklu. Vypadal jako nemocná slepice, která se snaží vyhrabat z hlíny zapomenuté zrní.

„Dal jste si tedy na čas," prohlásil místo pozdravu.

„Co tím myslíte?" zeptal jsem se. „Vždyť jsem byl pryč jenom jednu noc. Nejsem kouzelník."

Fawnsley poklepal na kalendář na svém stole. Skládal se ze slonovinových dílků, které se obracely podle příslušného data, měsíce a roku. Měl tam nastaveno 15. října.

„Ten váš kalendář se plete," houkl jsem.

„Můj kalendář se nikdy neplete," ucedil Fawnsley.

Klesl jsem do židle u stěny. Uplynul týden. To nebylo možné. Zkrátka nebylo. Vlakem jsem odjížděl osmého. V kapse jsem měl jízdenku. Nechal jsem si ji, kdyby se Quayleovi něco nepozdávalo na mých výdajích. Zalovil jsem tedy v kapse, jenže jízdenka nikde.

„Vypadáte nezdravě," poznamenal Fawnsley.

„Špatně jsem spal," opáčil jsem. Zíral jsem na kalendář. Nemožné. Zhola nemožné.

Fawnsley převracel na jazyku otázku. Úplně jsem viděl, jak se mu nafukují tváře.

„Nejste trochu… ?"

Nedořekl. Nebylo to zapotřebí. Vojenská psychiatrická léčebna Craiglockhart na nás vrhla stín, jako by stála hned vedle a právě za ní zapadalo slunce.

„Ne," ujistil jsem ho. „Ani trochu."

Nevypadal, že mi věří. Dělal jsem, jako že je mi to jedno.

„Dostal jste můj telegram?" zeptal se.

„Ano, dostal. Deset tisíc liber: za takový peníze člověk koupí už leccos."

„Ovšem, a zjistil jste, co si za ně koupil on?"

„Vzhledem k tomu, že jsem se to dozvěděl až dnes ráno, jsem na to měl trochu málo času," řekl jsem.

Fawnsley se na mě znovu podíval, jako bych spadl z Marsu. Opravil jsem se. Nechtěl jsem, aby vykládal Quayleovi, že jsem zmatený nebo nespolehlivý. Potřeboval jsem jeho peníze.

„Omlouvám se," hlesl jsem ve snaze zachránit na poslední chvíli, co se dalo. „Myslel jsem to tak, že mi až dnes ráno tlumočili obsah vašeho telegramu."

„No, a co jste tedy zjistil?"

„Myslím, že Maulding utratil ty peníze za knihy."

„*Za knihy*?" vypískl Fawnsley. „Zatraceně, za deset tisíc liber by pořídil celou knihovnu."

„On už knihovnu má," namítl jsem. „Když má někdo tolik knížek jako Maulding, přestanou ho zajímat ty, co jsou běžně k dostání, protože ty všechny už má. Místo toho se začne poohlížet po vzácných bibliofiliích – a čím vzácnější, tím lepší. Ale tím víc peněz taky stojí."

„A jaké přesně knihy máte na mysli?"

Fawnsley si však začal odpovídat sám.

„Jistě nešlo o knihy pokleslé povahy, že ne? Maulding mi nikdy nepřipadal jako ten typ."

„Záleží na tom, čemu říkáte ‚pokleslé', řekl bych."

„Nechte si to filozofování, člověče. Víte přesně, co tím myslím."

„Jestli máte na mysli erotické čtivo, tak to ne. Pro to Maulding podle mých zjištění slabost neměl. V knihovně sice měl pár takových knížek, ale nijak mnoho. Podle všeho se u něj probudila vášeň pro okultismus, jenže ty knihy, které prokazatelně zakoupil, jsem nikde nenašel. Většina jako by zmizela, i když jsem tedy mohl pár polic s knihami přehlédnout. V tom množství by se nebylo co divit. Nad tím aby člověk strávil věčnost..."

„Okultismus? Erotika? Z vás se za ten týden stal úplný odborník. Tomu říkám dobře investované peníze. Mauldinga jste nenašel, zato jste si lapidárně zlepšil vzdělání."

Zase to řekl: týden. Týden!

„Stačí používat rozum. Vyřiďte Quayleovi, že se mu ozvu, jakmile zjistím něco průkaznějšího."

„A co účtenky?" zajímal se Fawnsley.

„Dám vám je."

„To doufám. Víte, nejsme zrovna bohatá firma."

„To jsem si ani nikdy nemyslel, pane Fawnsley," já na to. „Kdybyste byli, koupil byste si lepší oblek a zlepšil své vystupování."

Chtěl něco namítnout, ale rozhodl se mlčet. Dávno jsem věděl, co si o mně myslí. Kdysi – bylo to krátce poté, co mě propustili z Craiglockhartu – jsem ho skrz nedovřené dveře slyšel, jak Quayleovi rozmlouvá, aby mě najímal. Pro Quaylea jsem pracoval ještě před válkou, dělal jsem v podstatě totéž co teď. Fawnsley byl tehdy ještě nedopečená kancelářská krysa. Jeho předchůdce, jistý Hayley, byl raněný u Sevastopolu a oběd zapíjel portským.

„Vždyť neměl ani žádnou vyšší hodnost," namítl Fawnsley na poznámku o mém povýšení. „Navíc je to úplně zlomený člověk!"

„Co se týče hodnosti, vy nebo já mu nesaháme ani po kotníky," uzemnil ho tehdy Quayle, „a zlomený člověk se může dát do pořádku, zvlášť když se sám chce narovnat."

A tady se zrodila má loajalita ke Quayleovi. Věřil mi. Pomohlo i to, že mi za moje služby platil: ne moc dobře, ale platil, navíc včas.

„Sbohem, pane Fawnsley," utrousil jsem, ale neodpověděl.

Než jsem dorazil na adresu, kde sídlila firma Dunwidge & dcera, padla tma. Tomu místu se říkalo Konec světa, to podle hospody na nejzápadnějším nároží King's Road. V minulém století to tam platilo za uměleckou čtvrť: žili tam a tvořili mistři jako Turner, Whistler a Rossetti. Bohémské ovzduší místu zůstalo.

Knihkupci Dunwidge & dcera se ale zjevně snažili žít v utajení – jediné, co ukazovalo na to, že v domě s terasou sídlí krám, byla malá mosazná cedulka na vstupních dveřích se dvěma propletenými „D". Zazvonil jsem na zvonek. Po chvilce mi přišel otevřít plešatý pán v saku a vestičce na nahém těle. V jedné ruce držel cigaretu a ve druhé mosazný svícen.

„Ano?" řekl.

„Pan Dunwidge?"

„Ano, to jsem já. Znám vás?"

„Ne. Přicházím v záležitosti pana Lionela Mauldinga, jednoho z vašich zákazníků," prohlásil jsem. Nebyla to lež, spíš okleštěná pravda. „Jmenuji se Soter."

„Už je pozdě, ale jestli jdete kvůli Mauldingovi, tak snad pojďte dál."

Trochu víc otevřel dveře a já vstoupil. Dům byl spoře osvětlený a dost připomínal ten Mauldingův, protože všechny stěny pokrývaly knihy. Zahlédl jsem schodiště vedoucí do dalších pater, ale Dunwidge mě nasměroval do dveří napravo. Ocitl jsem se v jedné ze dvou propojených místností, které sloužily jako obchod. Knihy ležely na stolech a na policích, v některých případech dokonce spočívaly zamčené ve skleněných či mřížovaných vitrínách.

„Takže vás vybavil nákupním seznamem?" zeptal se Dunwidge. Pověsil si cigaretu do koutku a pokynul mi pravou rukou. „Dejte ho sem. Tak copak bude chtít tentokrát?"

Neodpověděl jsem. V hlavní místnosti stál u okna stůl a na něm přetékající popelník. Bylo nasnadě, že když je zrovna neobtěžují zákazníci, sedává Dunwidge za ním. Zbytek stolu pokrývaly papíry popsané nejrůznějšími znaky. Část z nich mi vůbec nic nepřipomínala. Přelétl jsem je pohledem, ale nic – úplná záhada.

„Co je to?" zeptal jsem se.

„O tom byste měl povědět panu Mauldingovi," prohlásil Dunwidge. „Velice ho to zaujalo, ale neměl jsem ještě pohromadě všech šedesát listů. Šifrované rukopisy. Daly by se označit za něco jako Kompendium magie."

„Jakým je to jazykem?"

„Většinou anglicky a hebrejsky. Je to substituční šifra. Jakmile zjistíte vzorec, vyluštíte ji celkem snadno. Tohle zakódoval Adeptus Major z Hermetického řádu Zlatý úsvit. Zdá se, že se jaksi nepohodl s Berridgem – a taky s Crowleym – v templu Iris-Urania. Pokud jde o Crowleyho, ani se mu nedivím. Toho chlapa bych si do domu nepustil. Není to dobrej člověk a já se v lidech vyznám: takovejch jako on jsem viděl už hezkou řádku. Jakmile to dám dohromady, vzkážu to panu Mauldingovi. Udělám mu dobrou cenu, jen ať se nebojí."

Dunwidge si zapálil novou cigaretu, ani mi nenabídl, a nedůvěřivě se na mě zadíval přes clonu kouře.

„Obvykle sem chodí sám. Pan Maulding," povídá nakonec. „Vždycky mi připadal dost sám pro sebe. Divím se, že za sebe někoho poslal."

Podíval jsem se mu zpříma do tváře.

„Pan Maulding podle všeho zmizel," oznámil jsem mu. „Mě najali, abych ho našel."

„Chápu," odtušil Dunwidge. „Každopádně tady není."

„Kdy jste ho viděl naposled?"

Dunwidge se chvilku tahal za ušní boltec a drbal na bradě. „Chm, to budou tak dva měsíce, možná víc, řekl bych."

„Opravdu?"

„Přinejmenším."

Sáhl jsem do kapsy a vytasil štůsek účtenek vystavených firmou Dunwidge & dcera.

„To je zvláštní, protože tady na těch účtenkách je o dost čerstvější datum."

„To víte, hodně prodaných věcí posíláme poštou."

„Ovšem. Přesto pan Maulding podnikl minulý měsíc několik cest do Londýna, ačkoli o něm bylo známo, že do města jezdí, jen když je to vysloveně nutné. Byl pedant. Schoval si každou jízdenku, účet z restaurace nebo za taxík. A já všechny ty účty prošel a ukázalo se, že při více než jedné příležitosti směřoval sem k vám."

Čekal jsem, že mě obviní ze lži, ale Dunwidge znejistěl.

„Mohl jsem se samozřejmě splést," řekl. „Chodí nám sem fůra lidí, kolikrát i v dost nekřesťanskou hodinu. Možná jsem se s ním minul. Se zákazníky většinou jedná moje dcera. Já se spíš držím v pozadí. Vždycky jsem se držel."

„A vaše dcera je tady, pane Dunwidgi?"

„Ale ano, někde tady bude. Čekám, že se za chvilku objeví."

Urovnal pár knížek, aby měly hřbety v zákrytu s hranou police. Zjevně litoval, že mi šel otevřít a nenechal to na dceři.

„Vzpomněl byste si, jaké knihy si u vás pan Maulding mohl koupit?"

„Takhle z hlavy ne. Divil byste se, kolik knížek prodáme. O tenhle obor je velkej zájem, velkej zájem."

Další nervózní přešlápnutí, dalších pár zarovnaných knížek na polici, další záškub napjatých ramenou.

„Ale vedete si záznamy, ne?"

„Ano, moje dcera je vede. Já jsem spíš přes čísla. Já to vždycky na konci dne spočítám a ráno odnesu do banky."

„Takže se držíte v pozadí a jste spíš přes čísla, hm," shrnul jsem to. „Zdá se, že jediné, co vám brání v rozletu, je vaše paměť."

Nenechal se tou jízlivostí vyprovokovat, a jen se nesměle usmál.

„To víte, nejsem už nejmladší," řekl a protáhl úsměv ve vědoucí škleb. „Paměť mě občas mile překvapí, občas zklame, to přiznávám. To může být výhoda, ale i k vzteku."

Podíval se mi přes rameno a v obličeji se mu objevila úleva, ale i strach.

„Á, tady ji máme," zahlaholil. „Říkal jsem si, kam ses ztratila, moje milá. Tady pán se přišel zeptat na pana Mauldinga."

Znovu ten upejpavý úsměv. „Promiňte, pane, ale úplně mi vypadlo vaše jméno."

„Soter," řekl jsem a obrátil se k dceři.

Zarazilo mě, jaký je jí kus. Hubená rozhodně nebyla, ale ani tlustá. Tělo měla zkrátka silné jako člověk, co se celý život věnuje těžké práci. Tušil jsem, že kdybych do ní šťouchl prstem, příliš by se nezabořil. Hned by narazil na tvrdé svaly. Nadto vyrostla i do výšky – tak sto pětasedmdesát čísel, možná o chlup víc. Co se týkalo věku, mohlo jí být třicet i padesát. Vlasy měla hnědé jako hlínu, stažené dozadu a zpevněné vlásenkami. Obličej si nijak nezkrášlovala, vyjma pár tahů rtěnkou. Rtěnka byla příliš světlá k její pleti, takže jí propůjčovala dojem bezkrevnosti, ještě podtrhující tělnatost. Na sobě měla černé šaty s perleťovými knoflíky, v nichž se její křivky záhadně ztrácely i navzdory vypasovanému střihu. Byla to žena, o tom jsem nepochyboval, ale svádět ji by bylo jako se dvořit soše královny Viktorie. Odkudsi z jejího nitra vyzařovala takřka hmatatelná nepřitažlivost. Potkal jsem v životě fádní, ba i ošklivé ženy, u nichž tělesné nedostatky vyvažovala povaha, slušnost a laskavost, a to dokonce do té míry, že díky tomu navenek zkrásněly. Tahle k nim nepatřila. Byla ošklivá i uvnitř, a žádný účes, zázračná kosmetika ani skvěle padnoucí šaty to nemohly spravit.

„Já jsem Eliza Dunwidgeová," představila se. „Těší mě, že vás poznávám, pane Sotere."

Mé jméno pronesla tak, jako by mě už znala, alespoň mi to tak připadalo. Přitom u jejího otce jsem ten dojem neměl. Nesmělý zapomnětlivec jako by v přítomnosti dcery nabyl odvahy, takže si mě teď prohlížel se založenýma rukama a samolibým výrazem, který jako by říkal: „Ta je, co? A pěkná, že? Ta už vás srovná. Udělá z vás dva malý do školky..."

Eliza Dunwidgeová, jako by mu chtěla vyhovět, rozpřáhla ruce, dosud schované za zády. Měla je velmi jemné a štíhlé a zcela bez vrásek a dalších vad. Vypadalo to, jako by jí k tělu přišili ruce nějaké manekýny. Ve světle lampy se zaleskly dokonalé nehty.

„Pan Maulding je náš dobrý zákazník," prohlásila. „Vždycky ho u nás rádi vidíme."

„Navštěvoval vás často?"

„Smím se zeptat, proč se na něj vyptáváte? Ve vztahu k našim klientům zachováváme nejvyšší diskrétnost. Jak jste si již sám ráčil všimnout, nabízíme velmi choulostivé zboží. Najdou se tací, kteří na to, co prodáváme, hledí skrz prsty, a právě proto nestojíme o nablýskanou výlohu na Charing Cross Road."

„Pan Maulding se pohřešuje," řekl jsem. „Neviděli ho už týden..."

Vybavil jsem si kalendář na Fawnsleyho stole a rychle jsem dodal: „... možná déle. Mě najal jeho právník, abych zjistil, kde je mu konec."

Elizu Dunwidgeovou toto oznámení ani v nejmenším nevyvedlo z míry. Lidé kolem ní nejspíš mizeli dnes a denně. Možná v tom svém obchodě měli i takto koncipovaný katalogizační lístek: *„Lidé, jejich mizení."* Nakonec však přece jen našla vhodná slova, byť v jejím případě nemusela jít od srdce.

„To je mi líto," hlesla. „Doufám, že se mu nic zlého nestalo."

„Říkala jste, že to byl váš dobrý zákazník. Takových zákazníků si nemůžete dovolit ztratit příliš mnoho, viďte?"

Trochu naklonila hlavu. Zahleděla se na mě v jiném světle, i když těžko říct, jestli se jí ten pohled zamlouval, či nikoli.

„Ne, pane Sotere, to opravdu nemohu."

Řekla „já", a ne „my". Zajímavé. To jasně ukazovalo, kdo v téhle firmě drží otěže. Možná by bylo výstižnější, kdyby se přejmenovali na Dcera & Dunwidge.

Kousek jsem poodstoupil a zastavil se u zamčené vitríny.

„Jsou cenné?"

Postavila se vedle mě. Nepoužívala parfém a šířila kolem sebe slabý pižmový odér. Nebyl nepříjemný.

„Každá kniha je potenciálně cenná. Záleží na případném kupci, nejenom na knize samotné. Cena se odvozuje od stáří, jedinečnosti, stavu a samozřejmě osobního zalíbení zájemce – či snad touhy po tom ji získat. Některým knihám to pochopitelně přidá na ceně. Ty v téhle vitríně patří mezi ně."

„A prodáte hodně knih, kterým tohle přidá na ceně víc, než kolik je jejich objektivní hodnota?"

„Pár ano."

„Jakou nejcennější knihu tady máte?"

„Takhle z hlavy vám nepovím úplně přesně, ale je tu pár okultních svazků ze šestnáctého století, které by se prodaly za stovky liber. Poptávka po nich je ale mizivá."

„A za tisíce liber? Máte tady knihy, které by stály víc než tisíc liber?"

Zavrtěla hlavou.

„Tady ne. Když se prodává taková kniha, je potřeba mít kupce předem. Nemůžeme si dovolit spekulovat s tak drahými knihami, takže je nenakupujeme jen tak nazdařbůh v naději, že je jednou někdo koupí. To bychom brzy zkrachovali."

„Ale existují takové knihy?"

„Ano, samozřejmě."

„Okultní knihy?"

S odpovědí chvilku váhala.

„Pár ano, ale ne moc –"

„A Lionel Maulding se po takových knihách sháněl?"

To už na mě upřeně zírala. Její obličej mnoho neříkal, ale došlo mi, že zvažuje, kolik asi vím... a kolik mi případně má říct, pokud vůbec něco. Popřípadě jestli mi nemá rovnou nepokrytě zalhat. Také jsem pochopil, že přede mnou stojí silná žena. Silná, ale ješitná. Na první pohled bylo jasné, že se jí nelíbím. Ale nestála o to, abych ji přistihl při lži – to by ji ponížilo a ranilo její hrdost. Proto pro ni asi nejlepší volbu představovalo mlčení. Jenže tím by mi pouze dala najevo, že jsem na správné stopě, tudíž bych se dál vyptával a dříve či později bych ji svými otázkami dostal do úzkých. V obou případech bych si v té podivné hře, kterou jsme spolu hráli, připsal první vítězství.

Vyrukovala tedy s pravdou, přinejmenším s částí pravdy.

„Ano, sháněl jednu velmi vzácnou knihu. Raritní..." řekla nakonec.

„Co to bylo za knihu?"

„Je to tak neobvyklá kniha, že vlastně nemá zavedený titul a je známá pod několika různými názvy. Ani jeden z nich ji však zcela přesně nevystihuje, což je vlastně docela příhodné. Pan Maulding si nebyl zpočátku jistý, jestli ta kniha vůbec existuje. Prováděl totiž takový soukromý výzkum, a ten ho přivedl na velmi obskurní tituly, a ty ho přivedly na ještě obskurnější, a tak se to pořád stupňovalo – jako strom, jehož větve jsou stále tenčí a tenčí. Nakonec narážel na zmínky o knihách, které jako by snad ani nebyly vytištěné – úplné legendy, o kterých si ostatní knihy šeptají."

Čekal jsem. Ráda se poslouchala. Znalci si potrpí na pozorné publikum.

„Název, pod kterým tu knihu znal a který jsem i já v souvislosti s ní slyšela, zní *Atlas Regnorum Incognitum*, což se obvykle překládá jako *Atlas neznámých sfér*, i když jsem se nejednou setkala i s verzí *Atlas geografických nemožností* a *Rozlomený atlas*. Jeho autor je neznámý a stejně tak i jeho původ. Je zmiňovaný v jiných textech, ale bez konkrétních poznámek o obsahu. Je to kniha, o které ví jen hrstka zasvěcenců, kterou však nikdo na vlastní oči neviděl."

„A co obsahuje?"

„Podle všeho mapy světů. Jiných světů, než je tento."

„Máte na mysli planety? Mars a podobně?"

„Ne, mám na mysli sféry bytí, vesmíry mimo ten náš."

„Mnohovesmír," vyhrkl jsem, neboť se mi vybavilo, co říkal ten mladý u Seaforda.

Viděl jsem, jak mě v duchu přehodnocuje, a to jsem si ani nemohl vzpomenout na jméno chlápka, co ten termín zavedl, a naprosto jsem netušil, jestli bych ho dokázal správně vysvětlit – a to ani s pistolí u hlavy.

„Ano," přitakala, „asi by se to tak dalo nazvat."

„A jakou by ta kniha měla cenu, kdyby se její výtisk objevil na trhu?"

„No, to je právě to," vydechla. „Žádné výtisky nejsou. Je jenom originál, a ten je dávno ztracený – pokud vůbec existoval."

„Žádné výtisky? Proč ne?"

Napjaté pohyby jejího těla jako by kopírovaly pracné myšlenkové pochody. Blížili jsme se k hranici, kterou neměla v úmyslu překročit, alespoň ne prozatím. Poprvé se rozhodla zalhat. Poznal bych to na ní na sto honů. Její tělesný zápach se změnil, byl najednou pronikavější.

„Těžko můžete zduplikovat něco, co jste nikdy neviděl," prohlásila. „K vytištění kopií by bylo zapotřebí originálu. Sice jsme pátrali dlouho a důkladně, ale požadavku pana Mauldinga jsme nemohli vyhovět."

Nasál jsem odér nepravdy a oblízl si rty špičkou jazyka, abych ji rovněž ochutnal. Voněla po kopřivách a chutnala po mědi.

„A kdyby někdo vypátral, kde ten *Atlas* je, a kdyby se našel kupec, mohl by stát – dejme tomu – deset tisíc liber? Pokrylo by to náklady?"

„Deset tisíc liber by pokrylo náklady na ledasco, pane Sotere," řekla a dodala něco velmi podivného, pomineme-li, že celý rozhovor byl už od začátku podivný.

„Za deset tisíc liber," zamyslela se, „byste si možná koupil i duši."

Pak se omluvila s tím, že mě ke dveřím vyprovodí pan otec. Pomalu vydupala po schodech nahoru. Otevřely se a zase zavřely dveře, načež dům okolo nás opět utichl.

Přesto jsem slyšel, že Eliza poslouchá.

„Doufám, že vám to pomohlo," zachraptěl pan Dunwidge.

„Jak se to vezme," já na to. „Povězte mi, jsou tady v Londýně ještě další knihkupci, kteří obchodují s podobnými knihami?"

„Nikdo jako my," ubezpečil mě, „ale můžu vám nadiktovat pár jmen. Nevidím důvod, proč bychom měli zůstat jediní, koho oblažíte svou návštěvou."

Napsal mi na kus papíru sloupec jmen, ovšem trval na tom, že mi jej předá až u dveří.

„Sbohem," pronesl pan Dunwidge, když mě vypouštěl do noci, „a dávejte pozor, kam šlapete."

„Myslím, že se ještě uvidíme," řekl jsem.

„Vzkážu to dceři," slíbil pan Dunwidge. „Bude mít radost."

A přibouchl mi dveře před nosem.

VII

Následující den jsem ověřoval jména z Dunwidgeova seznamu, ale nic moc to nevyneslo. Některá jsem znal z Mauldingových účtenek. Ve všech případech se však zdálo, že od nich Maulding nekoupil nic významného. Kdykoli jsem nadnesl otázku *Atlasu neznámých sfér*, buď na mě bezvýrazně zírali, nebo popřeli jeho existenci. Naproti tomu zmínka o Dunwidgeovi & dceři vyvolala v zásadě nevoli s přídechem čehosi, co snad mohly být rozpaky.

Když jsem přišel k Seafordovi, pořád ještě měli otevřeno; zavírali podstatně později než většina podobných obchodů ve snaze nalákat studenty, kteří baží po vědění v jakoukoli hodinu. Ptal jsem se po mladém panu Blairovi a dozvěděl se, že si právě vzal čepici a kabát a chystá se odejít. Počkal jsem na něho před vchodem. Mezitím už padla tma a město zahalila mlha. Vysmrkal jsem se, abych se zbavil nečistot, a jako již nejednou jsem pomyslel na to, jak asi městský vzduch prospívá mým plicím. Ty se tak snadno nečistily.

Mladý pan Blair vykoukl z obchodu jako miminko z dělohy, přinucené opustit teplé a důvěrně známé místo a čelit nepřátelskému světu venku. Naposledy se dlouze ohlédl, načež si nasadil plátěnou placatou čapku – pokud možno tak, aby mu co nejvíc zakrývala uši. U pravé nohy měl hnědou koženou aktovku, opotřebovanou, nikoli však odrbanou, u levé deštník. Viděl jsem, jak se při pohledu na mě snaží zařadit povědomý obličej, a vzápětí už se usmál, jelikož mě poznal. Líbila se mi jeho vlídnost, šťastná to schopnost povznést se nad marnost a nepřejícnost života, projevující se u lidí, kteří přišli na to, že jediné, co má smysl rozdávat, je láska a vděk, a to je drží na nohou.

Pozdravil jsem a zeptal se, zda ho smím kousek doprovodit. Přikývl, jako že souhlasí, a dodal něco jako „ovšemže“ a „bude mi potěšením“, proložené tolika „ehm“, „ach tak“ a dalšími konverzačními povzdechy, že jsem si opravdu nebyl jistý. Společně jsme pak zamířili směrem na Tottenham Court Road a odtamtud na Oxford Street. Cestou kolem čajovny Lyons mlsně začenichal a nebylo třeba ho dvakrát pobízet.

Objednali jsme si čaj a sendviče. Než nám je přinesli, Mladý pan Blair seděl s rukama založenýma v klíně a s laskavým úsměvem pozoroval okolní cvrkot. V porovnání s majestátním tichem Seafordova knihkupectví tam panoval učiněný randál, ale Mladý pan Blair se očividně cítil nadmíru spokojen. Nevšiml jsem si, že by měl snubní prstýnek, a opravdu jsem si nedokázal představit, že by se mladší zaměstnanci chodili po pracovní době povyrazit zrovínka s Mladým panem Blairem. Smrt jeho nemesis, Starého pana Blaira, z něj udělala patrně nejstaršího knihkupce v Londýně. Mnoho kolegů, kteří by mu dělali společnost, tudíž neměl, a už vůbec ne takových, kteří by rozuměli tomu, co říká.

Vybavil jsem si roztoužený pohled, s jakým se na odchodu ohlédl do dveří krámu. Seafordovo knihkupectví byl jeho skutečný domov. Ať už složil na noc hlavu kdekoli, byla to jen nocležna. Měl jsem podezření, že když Mladý pan Blair odejde z knihkupectví, je najednou osamělý.

Tak jsme tedy jedli sendviče a popíjeli čaj, a když Mladý pan Blair dojedl a vyzobal talíř ubrouskem, takže na něm nezůstal ani drobeček, navrhl jsem, že bychom si mohli dát ještě jablečný řez se šlehačkou. Mávl jsem na nejbližší Gladys, jak se u Lyonse říká servírkám, a Mladý pan Blair se sotva zmohl na protest: ano, souhlasil, jablečný řez by byl moc dobrý. Tak jsme dál jedli a nechali si znovu naplnit konvici, a teprve ve chvíli, kdy jsme spokojeně trávili, jsem stočil řeč na Dunwidge & dceru.

Mladý pan Blair se zhluboka nadechl, podrbal se na bradě a poklepal prsty o stůl jako člověk zvažující koupi zboží, jehož kvalita a původ jsou od pohledu podezřelé.

„Strašná ženská," vydechl nakonec, jako by o tom snad někdy pochyboval. „Opravdu strašná."

Dal jsem jasně najevo, že s ním v tomto bodě souhlasím, a nastínil mu své dilema: náš společný známý (zde si Mladý pan Blair poklepal ze strany na špičku nosu a významně mrkl) si u Dunwidge & dcery (zamračení, obrácení očí v sloup, „děsná ženská") objednal jakousi knihu, jenže šlo o tak obskurní dílo, že se jim nepodařilo je vypátrat. Na koho by se za těchto okolností, zeptal jsem se, náš společný známý obrátil?

Mladý pan Blair se nad otázkou zamyslel.

„Okultní knihu?" zeptal se.

„Ano."

„Špína a špatnost. Od toho by se měl člověk držet dál."

„Patrně ano."

„Raritní knihu?"

„Velmi."

„Drahou?"

„Velice, velice."

„Na Maggse," vybafl Mladý pan Blair rozhodně. „Obrátil by se na Maggse."

„Má ten člověk i křestní jméno?"

„Snad. Nepoužívá ho. Je to zkažená hnida."

Naklonil se ke mně přes stůl a zašeptal: „Magůrek Maggs," a zasmušile pokýval hlavou.

„Je to knihkupec?"

„Ale kdepak, co vás nemá."

Mladý pan Blair se zatvářil dotčeně, jako by ho ta představa pohoršila, jako by vrhla stín na jeho dobrou pověst.

„On je *lovec* knih."

„Nevím, co to znamená."

„Pátrá po knihách. Nakupuje levně – od vdov a podobně, na nic lepšího se nezmůže – a svoje úlovky prodává knihkupcům. Já ho v obchodě nestrpím. Vlastně je to zloděj, chápete? Podvodník. Ale má na ně nos, to zas jo, na knihy. Najde všechno, co má vazbu. Taky se v knihách vyzná, ví, co má doma. Rád je ovšem nemá. A v tom je právě ta potíž. Knihy musíte milovat. Jinak to nemá smysl."

Mladý pan Blair otřel prostředníček o palec pravé ruky v nezaměnitelném gestu.

„O nic jinýho mu nejde, chápete? Peníze. Nic víc. Je to stejný zvrácenec jako ta ženská. Měl by si ji vzít!"

Zasmál se vlastnímu vtipu a pohlédl na kapesní hodinky.

„Musím běžet," prohlásil.

Z náprsní kapsy vytáhl peněženku, ale zvedl jsem ruku a zadržel ho.

„Děkuju vám," řekl jsem, „za pomoc."

„Ále," utrousil a mně se zdálo, že mu zvlhly oči. „Drahý příteli. Jste tak laskav."

„Ještě jedna věc," vzpomněl jsem si, když se začal sbírat k odchodu. „Kde toho vašeho Maggse najdu?"

„Princelet Street," odpověděl. „Hned vedle synagogy. Číslo domu neznám. Budete se muset doptat. A jak jsem říkal, jste nesmírně laskav."

Ještě mi poklepal na rameno.

„Dejte si na Maggse pozor," prohlásil zlověstně. „Nemá knížky rád. Kdysi možná míval, ale něco se stalo. To ten okultismus. Děsivé knihy, obchod se špatností. Rozumíte?"

Nerozuměl jsem, tehdy ještě ne, ale ještě jednou jsem mu poděkoval. Podali jsme si ruce a on se vytratil do noci.

Princelet Street byla ve Whitechapelu, kousek od Spitalfields. Tu část města jsem dobře znal a podle toho, co jsem si tak vzpomínal, byly v Princelet Street synagogy hnedle dvě: synagoga nesoucí jméno ulice a Chevrah Torah. Mrkl jsem na hodinky. Bylo krátce po osmé. Mohl jsem se sebrat a jít domů, nebo zkusit odchytit lovce knih Maggse. Doma mě nic nečekalo – podobně jako Mladého pana Blaira, alespoň takovou jsem si o něm utvořil představu. Možná jsem do něj ale jen projektoval vlastní osamělost.

Co naplat? Rozhodl jsem se vydat se za Maggsem.

VIII

Těžko říct, jestli by o Maggsovi někdo z Whitechapelu řekl něco dobrého. Lidé, na které jsem narazil, o něm zkrátka a dobře neměli chuť mluvit vůbec. Začal jsem se po něm ptát v okolí synagogy Chevrah Torah, ale odkázali mě skoupě k té druhé, která stála o kousek výš. Tam mi vyptávání na Maggse vyneslo nevraživé pohledy, a v jednom případě dokonce nefalšovaný plivanec, který o pouhý centimetr minul mou botu. Nakonec se nade mnou slitoval jeden starý chasid se *štrajmlem* na hlavě a nasměroval mě do uličky, která páchla kočičinou a shnilou vodou. Tam mě přivítal otevřený vchod a v něm několik malých bytů připomínajících králíkárny. Před jedním z nich jakási mladá žena, dost možná i prostitutka, kouřila cigaretu.

„Bydlíte tady?" zeptal jsem se jí.

„Bydlím – a pracuju," odpověděla a ležérní pokývnutí hlavou směrem ke schodům mě zbavilo posledních pochybností ohledně jejího povolání. Na návnadu jsem neskočil, a tak potáhla z cigarety a otráveně se olízla růžovým jazykem.

„Jste fízl?"

„Ne."

„Vypadáte jako fízl."

„To je dobře, nebo špatně?"

„Tady spíš špatně."

„Snažím se vypátrat jistého Maggse. Bylo mi řečeno, že snad bydlí někde tady."

„Je v průseru?"

„Proč se ptáte?"

„Protože chlap, co vypadá jako vy, se může ptát po někom, jako je Maggs, leda v případě, že je za tím průser."

„A co za člověka je vlastně ten Maggs?"

„Typ, se kterým bych nešla, ani kdyby měl pozlacenýho pinďoura a nabízel mi ho jako zarážku ke dveřím."

Pozoruhodná představa.

„Marně hledám někoho, kdo by mi o něm pověděl něco pěknýho," poznamenal jsem. „Až ten umře, bude na svým pohřbu sám."

„Ani bych neřekla. Dost lidí se přijde podívat, jenom aby se ujistilo, že je fakt mrtvej."

„Jo, ale to budou muset dávat pití zadarmo."

Usmála se. „Jestli ne, přinesu si svoje."

„Takže je doma, Maggs?"

„Myslím, že jo. Podle mě před chvilkou zrovna přišel. Slyšela jsem ho jít nahoru po schodech. Hrozně furt kašle. Kašle, ale ne a ne umřít."

„Vy ho vážně nemáte moc ráda, co?"

„Kouká na ženský, jako by je chtěl rozporcovat a prodat řezníkovi. Taky smrdí, ale u něj to vychází zevnitř. Smrdí jak dva tejdny stará mrtvola a pro penny by si nechal koleno vrtat."

Dokouřila a zahodila nedopalek do tmy.

„Číslo devět, nahoře vedle schodů," řekla.

„Vy, nebo on?"

„On. Já bydlím v pětce, kdybyste si to náhodou rozmyslel."

„Nerozmyslím, ale i tak dík."

„Proč si to nerozmyslíte? Protože pro vás děvky nejsou dost dobrý?"

„Ne, protože já nejsem dost dobrej pro děvky."

Vylovil jsem z kapsy peníze a vtisknul jí tolik, kolik by si řekla za číslo. A stejně jako prve toho pošťáka jsem ani ji nepožádal o účet: Fawnsley s Quaylem mi holt budou muset věřit.

„To neni nutný," bránila se a hlas jí trochu zjihl.

„Ušetřila jste mi spoustu času," řekl jsem.

Peníze zmizely.

„A na Maggse bacha," varovala mě. „Nosí u sebe nůž."

„Proč?"

„Aby se chránil, ale neptejte se mě před čím."

Maggs podle všeho vyvracel zažité představy o světě knih, hemžícím se plachými svědomitými knihomoly.

„Dík za varování," řekl jsem.

Už jsem se ji chystal opustit, když mě něco napadlo. Vytáhl jsem z kapsy fotku Lionela Mauldinga a ukázal jí ji.

„Viděla jste tady někdy toho muže?"

Vzala si fotku do ruky a docela dlouho si ji prohlížela.

„Myslím, že jo, ale vypadal starší než na tý fotce."

„Kdy to bylo?"

„To nevím. Nebude to dýl jak měsíc, ale ne míň jak tejden.“

„Šel za Maggsem?“

„No za mnou teda nešel.“

Vrátila mi snímek, vykasala si sukni, aby si ji nemáchala v těch páchnoucích kalužích, a vydala se šlapat chodník jinam. Díval jsem se za ní. Byla hezká, ale takovým tím hrubým způsobem. Říkal jsem si, že jestli nezmění povolání, hezkost zmizí a zůstane jen hrubost a usadí se na povrchu jako škraloup na mlíce. Jindy v životě bych s ní možná šel. Zaplatil bych jí za milou společnost i za tu rozkoš, která by z ní nakonec vyplynula.

Před válkou snad: před High Woodem.

Zatímco jsem stoupal do schodů za Maggsem, dával jsem si v duchu pět a pět dohromady. Maulding se při pátrání po *Atlasu* obrátí na Dunwidge & dceru. Ti mu ale nepomůžou, tak se začne poohlížet jinde a postupně se dostane až k Maggsovi. Nabízí za knihu spoustu peněz, víc než kdy Maggs v životě viděl, jenže Maulding má svý jistý, Maggs ne. Maggs vycítí příležitost dopomoct si k bohatství, o jakým se mu nesnilo, a pod příslibem knihy naláká Mauldinga kdovíkam a připraví ho o život.

Maggs, lovec knih s nožem v ruce.

Maggs, vrah.

Tak krásně to do sebe zapadlo, že se to nejspíš takhle nestalo. Ale jestli se ta holka nepletla, Maulding tu byl, Maggse vyhledal, a tudíž se lovec knih stal článkem řetězce událostí, které vedly k Mauldingovu zmizení.

Došel jsem ke dveřím s číslem devět a zaklepal. Nic se nestalo. Zavolal jsem Maggsovo jméno a zaklepal ještě jednou. Vzal jsem za kliku, ale bylo zamčeno. Jenže zamčené dveře zabezpečení jen slibují, ne doopravdy poskytují. Vytáhl jsem pouzdro se šperháky, a netrvalo ani minutu a dveře jsem otevřel.

Uvnitř panovala tma. Závěsy byly zatažené a nikde se neozývalo nic, co by svědčilo o přítomnosti nájemníka, žádný pohyb, žádné chrápání. Znovu jsem zavolal Maggsovo jméno, a až teprve pak jsem vstoupil, nepouštěje ze zřetele pověst muže, kterého jsem hledal, a samozřejmě jeho nůž.

Vkročil jsem do bytu a ocitl se v rozlehlé místnosti. Stál v ní gauč a pár židlí, jinak se všude kupily knihy. Po návštěvě u Mauldinga, u Seaforda a u Dunwidge & dcery jsem si na pokoje zaplněné až po strop knihami pomalu zvykal. Tady to navíc páchlo špinavým prádlem a nemytým starým chlapem, a kdesi pod tím jsem rozpoznával ještě pach spáleného masa, snad vepřového. Vypadalo to, že má čerstvě vymalováno, přesto se mi zdálo, že skrz výmalbu prosvítá nějaké písmo, jako by se někdo neúspěšně snažil zakrýt dílo vandala.

Otevřené dveře vedle dveří do prázdné ložnice vedly do malé kuchyně. Tam seděl u stolu chlap rovný jak pravítko, na sobě vestičku a pod ní šedou košili, která snad kdysi byla bílá. Nohy měl bosé. Začínal plešatět a chomáče vlasů na lebce připomínaly pavučinky babího léta zachycené na kameni.

„Pane Maggsi?“ houkl jsem.

Maggs, jestli to byl Maggs, se ani nepohnul. Sáhl jsem do kapsy pro obušek, jenže když jsem přistoupil blíž, uviděl jsem, že jeho dlaně spočívají nehybně na stole a v dosahu není žádná zbraň.

Zastavil jsem se pár kroků ode dveří. Muž se stále nepohnul. Buď zadržoval dech, nebo byl mrtvý. Vešel jsem do kuchyňky a důvod jeho nehybnosti se potvrdil.

Mrtvola za stolem neměla oči, přičemž oční důlky sahaly tak hluboko do hlavy, že kdybych si do nich posvítil baterkou, uviděl bych vnitřek lebky. Naklonil jsem se blíž a zazdálo se mi, že pach spáleniny vychází právě z těch dvou otvorů – jako by mu do mozku někdo vrazil dva rozžhavené pohrabáče. Sáhl jsem na tělo. Bylo ztuhlé, ale rozklad ještě nezačal. Nebyl mrtvý dlouho.

Na stole před ním, mezi těma jeho rukama ležela obálka. Zvedl jsem ji a podíval se dovnitř. Ukrývala pět set liber, tedy dost peněz na někoho, jako byl Maggs. Přesto tam byly. Odkud se vzaly? Podíval jsem se na obálku. Měla krémovou barvu a vypadala přepychově. Papír měl jemnou texturu. Vybavil jsem si psací stůl u Dunwidge & dcery, papíry a plnicí pera. V náprsní kapse jsem měl pořád seznam jmen, kterým mě vybavil pan Dunwidge. Rozložil jsem ho a položil vedle obálky. Papír se shodoval.

A pak se za mnou ozvalo cupitání. Otočil jsem se a čekal krysu, ale místo toho jsem zahlédl článkovité stvoření s ostrými škvořími klíšťkami. Svíjivě zmizelo za kamny. Jakmile jsem se probral z leknutí, popadl jsem smeták opřený v rohu a honem si klekl. Podlaha byla lepkavá, nejspíš ji léta nikdo nemyl. Nakoukl jsem do tmy pod kamny a uviděl, jak se tam cosi hýbe. Smeták jsem sevřel jednou rukou za štětiny, druhou v polovině násady a zašmátral jsem po potvoře ve tmě. Cítil jsem, že jsem koncem násady na něco narazil a že jsem to přišpendlil ke zdi. Stiskl jsem ještě víc, jenže stvoření mi vyklouzlo. Posunul jsem násadu vpravo a zahnal tu věc do kouta. Lapil jsem ji. Bodal jsem do ní násadou, dokud se nepřestala bránit, a pak jsem ji opačným koncem smetáku vytáhl ven.

Na délku měřila něco málo přes dvacet centimetrů, tělo chráněné krunýřem jako humr. Krunýř měl narůžovělou barvu, jako by ho někdo povařil v hrnci. Napočítal jsem celkem dvanáct párů nohou vybavených v kolínku hnusným ostrým bodcem. Zadní klíšťky skutečně vypadaly jako škvoří, jak mi připadalo už tehdy v Mauldingově koupelně, nicméně složené oči na opačném konci připomínaly spíše oči pavouka: dvě černé bulvy těsně nad čelistmi, lemované menšími zřítelnicemi rozesetými nahodile okolo. Čelisti nesly dvě řady malých špičatých zubů vtočených dovnitř a kolem jako růžice kompasu vybíhaly čtyři výčnělky sloužící zjevně k trhání a porcování.

Zdráhal jsem se na tu věc sáhnout kvůli průsvitným štětinám pokrývajícím krunýř. Dokonce i po smrti vylučovaly mléčně zbarvenou tekutinu, které nebylo radno se dotýkat. Také z nich sálal žár jako z rozpálených kamen, ovšem dlužno dodat, že postupně slábl. Přisunul jsem si to, abych si mohl lépe prohlédnout ústní otvor. Připadalo mi, že se něco zachytilo za těmi zahnutými zuby. Na kredenci ležel špinavý nůž a vidlička, tak jsem po nich sáhl a s jejich pomocí ústa o něco více rozevřel, abych se podíval, co je uvnitř. Bylo to bílé s barevnými flíčky, téměř jako vajíčko, téměř jako –

Upustil jsem vidličku a nůž a vrávoravě couval od té kreatury, a při tom se mi zvedal žaludek. Viděl jsem v životě už dost ohavných věcí, a proto mě překvapilo, že mě ještě něco může znechutit. Ale tohle mě opravdu znechutilo.

V ústech té potvory uvázla oční bulva. Mohl jsem jen předpokládat, že patřila nebohému Maggsovi. Znovu jsem se podíval na mrtvolu na židli a pak na nehybné stvoření na podlaze. Znovu jsem pocítil chladnoucí žár a pach spáleného masa vycházející z Maggsových prázdných očních důlků, z oněch dvou děr proražených do jeho hlavy. Myslel jsem, že je někdo vypálil žhavým pohrabáčem, ale s hrůzou jsem si uvědomil, že jsem se mýlil. Bylo snad možné, aby si něco propálilo cestu *ven* z jeho hlavy na světlo?

Ale proč se při tom ani nepohnul? Proč se nebránil? Proč seděl na židli, jako by spolkl pravítko, ruce na stole, jako by čekal, až mu přinesou večeři? A ta věc – ta ohavnost – nebyla nakonec přece jen trochu velká, aby se protáhla tak úzkým otvorem? Nebo vyrostla, až když vylezla ven, v novém prostředí? Jenže jak vlastně takovíhle tvorové rostou? Musejí se přece vysvléci z kůže. A ta musela někde zůstat ležet. Zadíval jsem se pozorně na podlahu...

Znovu jsem si klekl na kolena a začal hledat důkaz, který by potvrdil mou domněnku, jenže pak jsem se zarazil. V Maggsově hlavě zely *dvě* díry, to znamenalo dvě cesty vyškvařené ven z jeho hlavy. Ta bestie, která se mu kdovíjak dostala do hlavy a pak z ní vylezla, mohla prokousat jen jednu, což znamenalo –

Což znamenalo, že v Maggsově bytě bude ten hnusák ještě jeden. Ztuhl jsem a zaposlouchal se, jestli neuslyším typické cupitání. Zašmátral jsem smetákem v rozích a pod kredencem. Pak jsem přešel do obývacího pokoje a důkladně ho prohledal. Nakoukl jsem dokonce i pod prostěradlo a pod matraci, ale po druhém hnusákovi nikde ani stopy. Neschovával se ani mezi komínky knížek, ani na zaprášených policích knihovny. Pokud jsem se nemýlil a Maggsovu druhou oční bulvu vydloubla ještě další podobná potvora, pak podle všeho utekla.

Vrátil jsem se do kuchyně. Maggs se ani nepohnul a pochopitelně už se v budoucnu nikdy pohnout neměl. Peníze spočívaly pořád v obálce. Takže, další souvislost zapadající do ostatních souvislostí: Maulding se obrátí na Dunwidge & dceru, a ti ho odkáží na Maggse, i když Maggs už mezitím pracuje pro ně, ne na vlastní pěst. Maggs objeví knihu, kterou Maulding shání, a dostane za ni zaplaceno od Dunwidge & dcery; nebo – a to je pravděpodobnější – namluví Mauldingovi, že má knihu u sebe, Maulding si pro ni přijde a přinese peníze, načež ho Maggs odpraví a dostane za to od Dunwidgeových pět stovek. Jenže odkud se vzala ta ohavná potvora a její nyní pohřešované dvojče? A jak se jim podobná dostala do vany v Mauldingově koupelně?

Podíval jsem se na Maggse, jako by mi snad on mohl poskytnout odpověď.

A Maggs, zdálo se, se o to opravdu pokoušel, neboť jeho rty se pohnuly. Brada mírně klesla a ústa se začala otevírat, leč namísto slov z nich vyšla čtveřice ostrých výčnělků porcujících jeho útroby ve snaze dostat se ven mrtvolně ztuhlým ústním otvorem. Slyšel jsem, jak mu praskají čelisti. V proraženém otvoru se objevila hlava druhé potvory, rudě žhnoucí a svírající v zubech nepoznatelný cár Maggsových vnitřností.

Vrhl jsem se na ni se smetákem a udeřil tak prudce, že jsem mrtvému

Maggsovi vyrazil všechny zuby a smeták přelomil vejpůl. Maggsovo tělo se převrátilo a dopadlo na záda na podlahu. Úder zarazil potvoru zpátky do jeho útrob. Nejspíš se však sama rychle stáhla zpět. Nenechal jsem se tím ukolébat. Cítil jsem, jak do mě z hloubi Maggsova jícnu vpíjí své černé oči. Popadl jsem zlomený smeták a začal vrážet jeho ostrý, uštípnutý hrot do mužových úst, která jsem postupně úplně rozdrtil, takže mu z jazyka zbyla masová kaše, poslední zuby odlétly kamsi ke stropu a rozsápaná potvora se smísila s jeho tkáněmi.

A pak jsem se rozplakal.

IX

Nevím, jak dlouho jsem tam takhle seděl, zhroucený v rohu Maggsovy špinavé kuchyně s jeho tělem ležícím vedle mě na podlaze. Během té chvíle jako bych si znovu prožil celý svůj dosavadní život – vlastně ne jeden život, ale životy, protože v každém z nich jsem vystupoval jako jiný muž: syn, manžel, otec, voják, pacient a nyní ztracená existence. Znovu jsem cítil a slyšel, jak zlomená násada smetáku drtí Maggsovo strnulé tělo. Pak už to najednou nebyla násada od smetáku, ale puška, jejíž bajonet se mi zasekl v hrudní kosti muže ležícího v bahně pode mnou, takže jsem mu musel šlápnout na prsa, abych bodec vytáhl. Choulil jsem se u božích muk pod probodeným tělem zmučeného Krista, kdesi v dálce za sebou High Wood a před sebou Údolí smrti rachotící bombardováním, neberoucím konce. Stál jsem nad kráterem po vybuchlém granátu. Bylo ráno kdovíkolikátého září a já se díval, jak prvních čtyřicet sedm mužů londýnských batalionů umírá a mizí v bahně věčného rozkladu, v bezejmenném hrobě.

A pak jsem se zhroutil a celý svět kolem mě se rozsypal.

Ústav Craiglockhart: zdravotní sestra mě dotlačila na vozíku do malého soukromého pokoje, kde na mě čekali kaplan a bratr důstojník a někdo, kdo neosobním hlasem vykládal neuvěřitelnou příhodu o náletech bombardérů Gotha, při němž 13. června zahynula jedna mladá žena, jedna holčička a chlapeček. Pohřbila je suť.

Nakonec jsem stál u jiné díry v zemi, do níž spouštěli ještě další těla. Nedovolili nám podívat se na jejich ostatky, zkrátka je zatloukli do rakví a spustili do společného hrobu – jako bych snad nikdy předtím neviděl těla lidí rozmetaná bombami, jako by snad mé vlastní představy nebyly horší než skutečnost.

Jestli už nejsem manžel, otec, voják, kdo tedy jsem?

Kdo jsem?

Měl jsem zavolat na policii, ale zvítězil zdravý rozum. Maggsovo tělo bylo na maděru a rozšmelcoval jsem ho já. Mrtvá ohava na podlaze konečně vychladla. Během toho se změnila ve vyschlou krustu, a když jsem do ní opatrně šťouchl špičkou boty, rozpadla se na prach.

Ta druhá, co Maggsovi uvízla v krku a smíchala se s jeho vnitřnostmi, vypadala dost podobně – tmavé cucky pokrývající mužova ústa a hrdlo. Kdyby přišla policie, zcela jistě by mě obvinila z vraždy a zohavení lovce knih. Vzpomněl jsem si na holku, co mě nasměrovala do jeho bytu. Neznala mě sice jménem, ale popsala by mě s přehledem. Nevěřil jsem, že jsem jí zaplatil dost na to, aby mlčela. Maggs byl hubený a bydlel na poměrně odlehlém místě, takže se celkem snadno dalo jeho tělo vynést z domu a někam uklidit. Těžko jsem se ale mohl špacírovat ulicemi Spitalfields a Whitechapelu s mrtvým Maggsem přes rameno.

Ozvalo se zaklepání na dveře. Ignoroval jsem ho, ale zaznělo znovu, tentokrát provázené povědomým ženským hlasem, který na mě zpoza dveří volal.

„Pane? Pane? Jste v pořádku?"

Byla to ta holka z průchodu.

„Pane?" zavolala znovu.

Postavil jsem se. Kdybych ji dál zasklíval, klidně se mohla sebrat a jít zavolat policii. Neměl jsem proto na vybranou a šel jí otevřít.

Dveře jsem ale jenom pootevřel: tak akorát, aby viděla, že se mi nic nestalo, a naopak neviděla tu spoušť v kuchyni za mnou. Tvářila se, jako by se jí ulevilo, ale zároveň zmateně.

„Bála jsem se o vás," prohlásila. „Pan Maggs –"

„Má jistou pověst," dokončil jsem větu za ni, „ale vůbec si ji nezasluhuje, nebo na něj spíš nesedí."

„Stalo se mu něco?" zajímala se. „Neublížil jste mu, že ne?"

„Ne. Ve skutečnosti je pěkně pod parou."

Naznačil jsem, jako že pil. Ostatně v koutě vedle Maggsovy postele se kupily prázdné láhve od laciného džinu. Holka přikývla, jako že rozumí.

„To je celej von," poznamenala. „Ani nedokážu říct, jestli je horší vopilej, nebo střízlivej. Nejspíš to vyjde nastejno."

„No jo. Uložím ho do postele. Položím ho na bok, aby se v noci neudusil zvratkama, a pak půjdu."

„Vypadáte, že je vám šoufl," podívala se na mě. „Víte jistě, že vám nic není?"

„No, když o tom tak mluvíte..."

Obličej jsem měl zpocený. Cítil jsem slanou chuť potu na rtech.

„Pojďte si na chvilku sednout dolů k Deseti zvonům," navrhla. „Sklenička whisky vás postaví na nohy. Zvu vás, že jste ke mně byl prve tak laskavej."

Byl jsem v pokušení odmítnout, abych se dostal co nejdřív co nejdál odtamtud, ale představa, že se napiju – navíc něčeho mnohem lepšího než toho dryáku, co měl doma chudák Maggs – působila nadějně. Navíc jsem nechtěl vzbudit podezření.

„A víte, že jo, že si ten drink dám," svolil jsem nakonec. „Jenom chvilku počkejte, než uložím toho Maggse. Hned jsem dole."

„Nepotřebujete pomoct?"

„Ne, zvládnu to sám."

„Tak dobře. Počkám na vás dole."

Usmál jsem se a zavřel dveře. Vrátil jsem se do kuchyně a podíval se na Maggse. Nedalo se s ním dělat nic jiného než ho hodit do řeky. Tekla nedaleko. Když počkám, říkal jsem si, po setmění ho budu moci dovléct ke břehu jako opilého kamaráda, tedy za předpokladu, že mu něčím zakryju obličej. A pak ho hodím do Temže. Může trvat několik dní, než ho najdou, takže už na něm nebude tolik vidět, jak šeredně mu někdo rozbil obličej – a při troše štěstí se zohavení připíše na vrub působení vody nebo srážce s motorovým člunem. Vzal jsem tedy obálku s penězi, co ležela na stole, a strčil si ji do kapsy.

Abyste si nemysleli, že jsem zloděj; měl jsem v úmyslu předat ji Quayleovi. Byly to ostatně peníze Lionela Mauldinga, tím jsem si byl jistý. Kdybych je nechal ležet na tom stole, dřív nebo později by skončily stejně v cizí kapse. Quayle už se o ně postará. Quayle bude vědět, co dělat. V dané chvíli jsem měl totiž sto chutí požádat ho o pomoc, říct mu, co se stalo v Maggsově kuchyni... jenže jsem se bál, že mi nebude věřit a že mě předá do rukou policie.

Quayle byl protřelý a setsakra opatrný, ale rozhodně ne nepoctivý, ne když přišlo na vraždu. Věděl jsem, že by mě udával s těžkým srdcem („Po válce už nikdy nebyl jako dřív, chudák“), a možná by se mě dokonce i zastal před soudem, ovšem dokud by mě neobvinili z vraždy.

Sešel jsem dolů za holkou, co se mi představila jako Sally. Šli jsme si sednout k Deseti zvonům na Commercial Street. Bar byl vyhlášený dík mlhavé spojitosti s Annie Chapmanovou a Mary Kellyovou, dvěma oběťmi Jacka Rozparovače, ale v té čtvrti se podobnou spojitostí mohl chlubit lecjaký pajzl. Přišlo mi nevkusné vybavovat se se Sally o vraždách a ani ona na ně nezavedla řeč. Místo toho jsme mluvili o jejím životě a o tom, jak chce pověsit řemeslo na hřebík. Já jí na oplátku pověděl něco málo o sobě, ale opravdu jen málo, a rozhodně jsem jí neprozradil své skutečné jméno. Asi za hodinu se objevila nějaká její známá, tak jsem se omluvil a odešel.

Sally se mezitím docela lízla. Pokusila se mě na rozloučenou políbit a zvala mě k sobě do bytu. Odmítl jsem, ale slíbil jsem jí, že přijdu jindy. Prokoukla moji lež a zatvářila se tak smutně, až mě píchlo u srdce. Byla to hodná holka a já neměl ženskou kdovíjak dlouho. Naposled ve svém předchozím životě.

Zaplatil jsem na baru a objednal jí i jejím přátelům jednu rundu. Na odchodu mě vyprovázely její tmavé smutné oči. Dneska by mě zajímalo, jak asi skončila, ale už je pozdě. Pro nás všechny je už pozdě.

X

Takže, kdy jsem si začal myslet, že přicházím o rozum? Když jsem ve vaně narazil na tu první hnusnou potvoru? Snad. Nebo když se tehdy v noci roztříštil černější kus tmy na tisíce hvězd a explodoval? Ano, to jsem měl opravdu namále. Jenže ty věci byly skutečné, o tom jsem byl přesvědčený. Takže to bylo, když jsem se setkal s Fawnsleym a dozvěděl se, že mi telegram posílal před týdnem, a ne včera? Možná. Možná že někdy tehdy to začalo. To, že se v Maggsově příbytku vyskytly další dvě potvory s článkovitými krunýři, pouze dokazovalo, že stávám-li se skutečně obětí vlastních představ, pak se vší parádou. Mé vnímání reality se postupně pokřivovalo tolik, že jsem pomalu a jistě spěl k tomu provrtat si hlavu kulkou. A pokud možno včas, dokud mi to ještě trochu myslelo.

O svůj zdravý rozum jsem se však doopravdy začal obávat až poté, co jsem se vrátil k Maggsovi do bytu, posílený kořalkou a odhodlaný hodit jeho mrtvolu do Temže. Zjistil jsem totiž, že mi mezitím lovec knih zmizel. Jeho tělo už neleželo na podlaze v kuchyni.

A to nebylo zdaleka to nejhorší. Celý jeho příbytek se změnil: nábytek stál na jiných místech, knihy byly přerovnané, dokonce i uspořádání místností – všechno bylo jinak. Kuchyni jsem měl nyní po levé ruce, ne po pravé. Rozválená postel stála v opačném rohu místnosti. Knihovny byly ty tam a knihy stály vyrovnané vedle sebe jako kuličky na počitadle.

„Ne," vydechl jsem nahlas. „To není možné."

Jenže bylo. Stalo se to. Viděl jsem to na vlastní oči.

Sáhl jsem do kapsy kabátu. Obálka v ní pořád byla. Podíval jsem se na vlastní dlaně a uviděl na nich mozoly od násady smetáku. Zamotala se mi hlava a whisky mi v žaludku zabublala. U okna stála židle, na kterou jsem se posadil a zkusil se trochu vzpamatovat.

Seděl jsem na ní sotva pár vteřin, když jsem ve stinné uličce dole zahlédl pohyb. Dál jsem nehnutě seděl, schovaný za Maggsovými špinavými záclonami plnými much, a díval se, jak dole Dunwidge – puštěný z vodítka své dcery – pomalu mizí do tmy.

XI

Takže. Podle mě se to seběhlo nějak takhle.

Elizu Dunwidgeovou probudil šramot v přízemí – konkrétně v místnosti, kde schovávali ty nejúžasnější knihy. Většina těch nejcennějších spočívala zabalená v krabicích připravená na převoz a zbytek hodlali přestěhovat do dvaceti čtyř hodin. Přesněji, hned jak se vrátí otec. Vlastně už měl být touhle dobou doma, ale byl noční pták a ona si o něj nemínila dělat starost, nakonec měl na ponocování věk.

Šramot se ozval zas: tiché zavrzání koženého křesla, zapraskání dřeva. Možná se otec vrátil a neřekl jí, ale to by bylo divné, protože to dělal vždycky, bez ohledu na to, kolik bylo hodin.

Ne, dole někdo byl. Někdo jiný.

Vytáhla zpod postele obušek. Svého času patříval jednomu liverpoolskému strážníkovi, kterého propustili po policejní stávce v roce 1919 a který krátce nato zemřel. Uniformu zabavili; obušek nikoli. Eliza Dunwidgeová jej získala od jeho vdovy spolu s knihovničkou okultní literatury, kterou onomu strážníkovi odkázal dědeček a jejíž hodnotu si ani vnuk, ani zbytek rodiny neuvědomovali. Eliza vdově za knihy nabídla víc než slušnou částku vzhledem k tomu, že ji mohla pořídit za zlomek ceny. Eliza neměla ve zvyku lidi šidit. Víc než dobře věděla, co knihy dovedou. Knihy měly svou historii, a historie, to je vlastně paměť.

A nejvíc si toho pamatovaly právě okultní knihy.

Opatrně sešla po schodech. Znovu uslyšela praskání hořícího dřeva a na stěnách uviděla odraz záře plamenů. Zmocnila se jí panika, že dům zachvátil požár a knihy jsou v ohrožení. Vrazila do pokoje. Nemyslela při tom na nic jiného než na záchranu knížek.

„Zdravím vás, slečno Dunwidgeová," řekl jsem. „Říkal jsem si, kdy se ke mně asi připojíte. Dělám si tady ohýnek, venku je taková zima..."

Vytrhl jsem dalších pár stránek z knížky, kterou jsem právě držel v ruce, a přihodil je do ohně. Kniha nesla název *Kniha obřadní magie* a napsal ji Arthur Edward Waite; poprvé vyšla roku 1913 v Londýně, ovšem ta v mé ruce pocházela patrně, soudě dle úvodu, z pozdější doby a vyšla soukromým nákladem. Vybral jsem si ji, protože měla velké stránky z kvalitního papíru, který dobře hořel.

Eliza Dunwidgeová vyjekla a už se na mě chystala s obuškem. Avšak výkřik i obušek jaksi zamrzly na půli cesty, když uviděla mou zbraň. Byl to luger se čtyřpalcovým zásobníkem, který jsem vzal mrtvému Němci u božích muk. Nikdy jsem neměl příležitost zbraň použít, až dnes. Skočil jsem si pro ni domů poté, co jsem si promluvil se starým Dunwidgem. Dostihl jsem ho na Commercial Road a přiměl ho, ať se se mnou vrátí do Maggsova bytu. Zpočátku neprojevoval ochotu ke spolupráci, v niž jsem doufal, ale nakonec jsem ho přesvědčil, aby mi v pátrání trochu pomohl.

„Nevím," opakoval neustále dokola. „Nic nevím. Neptejte se mě."

Něco ale přesto věděl, jen to nebylo dost.

„To ten *Atlas*," vypadlo z něj nakonec, když jsem ho trochu pocuchal. „To ten *Atlas*. Svět už nebude nikdy stejný."

Ale to byl důvod, proč jsem se vrátil do sídla firmy Dunwidge & dcera. Vzal jsem jí obušek a položil ho vedle svého křesla: domníval jsem se, že to bude bezpečnější pro mě i pro Elizu. Řekl jsem jí, ať se posadí, což udělala. Zahalila se při tom významně do županu, jako by snad ve mně pohled na její obnaženou kůži mohl vyvolat vilné myšlenky. Zeptal jsem se jí, kde vzala obušek – hlavně kvůli tomu, jestli náhodou ona či její otec nemají nějaké konexe u policie, což by mi dvakrát nepomohlo. Vyprávění o původu obušku mě těchto obav účinně zbavilo.

S pistolí namířenou na ni jsem levou nohou odklopil víko nejbližší krabice s knihami. Pár jsem si jich namátkou prohlídl. Eliza mě vyděšeně sledovala. Vypadaly o dost starší než Waiteovo pojednání. Také byly pečlivě zabalené.

„Tak se mi zdá, že se stěhujete," nadhodil jsem. „Nejspíš jste si za Mauldingovy peníze pořídili něco většího."

„Stěhujeme se na venkov."

„A smím se zeptat proč?"

„Město už není bezpečné."

„Pro Maggse rozhodně nebylo. Vlastně ho dočista zahubilo."

Ani nemrkla, ale fakt, že jsem v Princelet Street narazil na jejího otce, mě nenechal na pochybách, že i dcera bude mít prsty v neblahém Maggsově osudu. Starý Dunwidge tvrdil, že vůbec netuší, co se Maggsovi stalo. Prý u něj v bytě nebyl. A s tělem také nehýbal. Tvrdil, že nevěděl, že tam nějaké tělo bylo, dokud jsem mu to neřekl. Zvláštní bylo, že jsem mu to věřil.

„Zaplatili jste Maggsovi pět set liber. To je hodně peněz," pokračoval jsem. „Za co?"

Pořád nic neříkala.

Vzal jsem do ruky knihu, co ležela navrchu, a hodil ji do ohně.

„Ne!"

Vyskočila na nohy. Nedokázala se ubránit touze knihu zachránit z plamenů, ačkoli jsem k ní opět pozvedl zbraň.

„Já po vás střelím, slečno Dunwidgeová," zahrozil jsem. „Střelím vás do nohy nebo do kolene, protože vás pochopitelně nechci zabít. Ale bude to bolet. A bude to bolet opravdu hodně. Taky byste měla vědět, že mám vašeho otce. Jeho zdraví, nedávno lehce podlomené, je nyní ve vašich rukách."

Ve skutečnosti jsem byl nucen vrazit jejímu otci jen dvě facky, pak už začal celkem obstojně spolupracovat. Když se o něco později rozplakal, zastyděl jsem se za to, jak jsem se k němu choval, ale to jeho dcera vědět nepotřebovala. Zjistil jsem, že starý Dunwidge je loutkou v rukou své dcery, a ta že mu zatajila posledních pár jednání s Maggsem. Dnes večer ho za Maggsem poslala jednoduše proto, aby mu vzkázal, že se zajímám o Lionela Mauldinga, a ať se vypakuje z Londýna, protože mě mé pátrání nejspíš co nevidět zavede k jeho dveřím.

„Je to starý člověk," vykřikla a při zmínce o otci se okamžitě zase posadila.

„Když budete spolupracovat, dožije se ještě vyššího věku."

Naprázdno polkla.

„Nepalte už žádné další knihy, prosím vás," hlesla.

„Nebudu, slečno Dunwidgeová, pokud se mnou začnete mluvit. Povězte mi o těch pěti stovkách. A povězte mi o *Atlasu*."

A ve svitu ohně polykajícího její knihy to udělala.

XII

Mluvila se mnou jako s malým dítětem.

„Ta kniha přepisuje svět," začala.

Za jiných okolností bych se jí vysmál, ale tvářila se tak, že bylo jasné, že nežertuje, a upřímně řečeno, byl jsem nakloněný tomu jí věřit. Ostatně jsem viděl, jakou proměnu prodělal Maggsův příbytek, a také jsem si vyslechl ztrápené a zoufalé svědectví jejího otce.

„Jak? Jak může kniha přepisovat svět?"

„Podívejte se kolem sebe, pane Sotere. Knihy mění svět neustále. Jestli jste křesťan, změnila vás Bible, slovo Boží, nebo alespoň to, co z něj zbylo v rukou lidí. Jestli jste muslim, podívejte se na Korán; jestli jste komunista, tak na Marxe a Engelse. Copak nevidíte? Knihy mění tenhle svět neustále. *Komunistický manifest* vyšel v roce 1848, to je méně než před stoletím, a *Kapitál* je ještě mladší, a přesto už zachvátil celé Rusko a brzy přibudou další národy."

„Ale to jsou přece myšlenky," namítl jsem. „Knihy tlumočí myšlenky, a teprve ty mění uvažování lidí. Knihy jako takové za to nemůžou, stejně jako zbraně nemůžou za to, že se z nich střílí, a nože za to, že se s nimi bodá. To lidé střílí ze zbraní a zasazují rány nožem, to lidé mění svět. Knihy je možná inspirují, ale knihy jsou neživé předměty, které samy o sobě nic nedělají."

Zakroutila hlavou.

„Jestli tomu věříte, jste hlupák. Kniha je jako šiřitel nákazy a její obsah infekce, kterou rozsévá. A přenáší ji na člověka. Přizpůsobuje se svému hostiteli. Knihy mění lidi a lidé obratem mění svět.“

„Ne, to je –“

Naklonila se blíž a položila mi dlaň na předloktí. Dokonce i v těsné blízkosti ohně mě z toho doteku zamrazilo. Ucítil jsem fyzickou bolest a měl jsem co dělat, abych neucukl. Ta ženská byla odporná.

„Vidím, že mi věříte,“ pronesla tiše. „Od našeho posledního setkání jste se v jistém ohledu změnil. Povězte mi o Maggsovi. Povězte mi, co jste viděl.“

Jak může vědět o Maggsovi, podivil jsem se. Přesto o něm věděla.

„Místo očí měl díry propálené do lebky,“ začal jsem. „Byla tam stvoření, článkovci nebo korýši – nic, co bych znal nebo o čem bych slyšel. Věřím, že to byly děsy, co se vyklubaly Maggsovi z hlavy a vylezly mu ven očima. Obě ty potvory jsem zlikvidoval.“

„Maggs,“ řekla a do hlasu se jí vloudil nádech smutku, „nenáviděl knihy, víte. Viděl v nich jen zdroj peněz. Bavilo ho po nich pátrat, jako takové je ale rád neměl, a takový byl vždycky. Začal se jich bát. Někdy se to stává, zvlášť lidem v našich kruzích: ne všechny knihy jsou krásné na pohled i uvnitř. Vdechujeme prach z nejhrůznějších z nich, kapičky jejich jedu, a ten do nás pomalu proniká. A to se stalo Maggsovi. Hledal knihy, čím obskurnější, tím lepší, ale číst je nechtěl. Myslím si ale, že u *Atlasu* u něj zvítězila zvědavost: podíval se do něj a v jeho mysli něco zapustilo kořeny.“

„Jak ho našel?“

„Pátral po něm odjakživa – slýchal o něm povídačky, legendy. Maggs se lišil od ostatních lovců knih; chtěl dokázat to, co se těm druhým nepodařilo. A pak za mnou přišel Maulding. Snažila jsem se ho od pátrání po *Atlasu* odradit, ale Maulding po něm vyloženě toužil. Tak jako byl Maggs divný lovec, byl i Maulding po čertech výstřední sběratel. Byli dokonalá kombinace a jejich síly se sečetly: a právě na tuhle příležitost ta kniha čekala, takže se rozhodla objevit.“

„Mluvíte o ní, jako by byla živá,“ podotkl jsem.

„Vy to pořád nechápete,“ vzdychla. „Knihy nejsou obyčejné předměty: jsou nositelky světů a myšlenek. Na čtenáře působí jedinečným způsobem. Vkládají představy do mysli. Vrůstají jako kořeny. Viděl jste Maggse. Tím pádem jste viděl, co se může stát člověku, který podcení knihu, zvlášť knihu, jako je *Atlas*."

Pohlédl jsem do ohně. Pořád v něm hořely knihy. Cítil jsem pach kůže jejich desek, škvařící se v plamenech. Jejich stránky se kroutily, svíjely se, jako když trpí.

„Mluvila jste o *Atlasu*," navázal jsem.

„Maggs ho nakonec našel na tom nejnepravděpodobnějším místě: ve sbírce jedné staré panny v Glasgow, bohabojné ženy, která ani nevěděla, že taková kniha vůbec existuje, a nedokázala mu říct, jak k ní vlastně přišla. Nějak se schoval mezi bezcennými dotisky. Nedovolil, aby ho kdokoli četl, ne dřív, než přijde čas. Pak ho objevil Maggs, který dobře věděl, co je to za knihu, pročež se obrátil na mě. Zajímal se, jestli bych nedokázala najít kupce. Nevěděl, že kupec už se dávno sám přihlásil. Jenže *Atlas* to věděl. *Atlas* o nich obou věděl moc dobře."

„Tak jste zaplatila Maggsovi za to, že knihu našel, a předala jste ji Mauldingovi."

„Ano."

„Neošidila jste ho?"

„Ne. To bych si vyprosila."

„Máte zásady?"

„Zásady ani tak ne. Strach."

Na to jsem nic neřekl.

„Prohlížela jste si ho?" zeptal jsem se.

„Ne."

„Proč ne?"

„Jak jsem říkala, bála jsem se."

„A viděla jste ho vůbec?"

„Krátce. Když si pro něj přišel Maulding."

„A jak vypadal?"

„Měřil tak šedesát centimetrů na čtyřicet, tmavě rudá vazba, hřbet opatřený dvěma zlatými kruhy. Na přední desce byla vypálená dvě slova: *Terrae Incognitae*. Neznámé země."

„A čím byly potažené desky? Jelenicí?"

„Ne. Byla to kůže."

„Zvířecí?"

Podruhé zakroutila hlavou.

„Ne... lidská?"

„Ještě jednou ne. Nemyslím si, že ty desky pocházejí z tohoto světa; ta kniha mi doslova *pulzovala* v ruce. Cítila jsem, jak je teplá, jako by jí v žilách kolovala krev. Nechtěla, abych ji držela, chtěla k Mauldingovi. Ten ji měl získat. Vlastně mu patřila odjakživa."

Bralo to dech. Věřil jsem, že *Atlas* našla a předala ho Mauldingovi, ale ten zbytek byl pro mě těžko přijatelný: živoucí kniha, kniha s vlastním záměrem, kniha, která se schová a čeká na vhodnou chvíli, na vhodného majitele.

„Jestli to, co říkáte, je pravda, tak proč až teď? Co přimělo tu knihu začít se chovat jinak?"

„Svět," odpověděla. „Svět, který se změnil bez jejího přičinění. Zlo vždy plodí zlo. Nastaly správné okolnosti. Vy byste to měl vědět líp než kdo jiný."

A tehdy jsem pochopil.

„Válka," řekl jsem.

„Válka," zopakovala. „‚Válka za skončení války,' takhle nějak to řekl Wells, že? Ale zmýlil se: byla to válka za skončení světa, tohoto světa. Předivo života se zpřetrhalo: svět uzrál pro příchod té knihy, a kniha byla připravená vstoupit do tohoto světa."

Zavřel jsem oči. Slyšel jsem pleskání těžkých nehybných těl vhazovaných do jámy, slyšel jsem, jak pláču nad tělem své mrtvé ženy a dětí. Viděl jsem, jak vynášejí zohavené ostatky z trosek jakési usedlosti, byla to celá rodina, kterou zabil jediný granát, malé a ještě nenarozené děti zabité v ohni a suti. Má pravdu, pomyslel jsem si: a jestli je to tak, jak říká, ať si ta kniha klidně vezme tenhle svět, protože z něj nemůže udělat nic horšího, než co už je. Manželka hostinského to vystihla: nevěřím, že válka rozdrtila semena zkázy. Naopak, ta semena vyklíčila z prolité krve.

„Kdo tu knihu napsal?" zeptal jsem se. „Kdo ji vyrobil?"

Podívala se jinam.

„Nebůh," řekla.

„Ďábel?"

Zasmála se: nepěkně, chraplavě.

„Není žádný ďábel," ucedila. „Tohle všechno –" rozmáchlým gestem obsáhla okultní knihy v bednách i mimo ně a podívala se, jako by je i ona chtěla vhodit do plamenů, „– je jen šalba a klam, pouhé hračky pro nevědomé. Opírají se o skutečnost asi stejně jako herec poskakující na jevišti v černém plášti, s falešnými rohy na hlavě a trojzubcem v ruce. Věc, která stvořila tuhle knihu, je mocnější a strašnější než jakýkoli trojjediný křesťanský bůh. Má milion podob a každá z nich ještě milion dalších. Její součástí je každá bytost bojující proti světlu, každá taková z ní vzešla. Je to vesmír sám pro sebe. Je to Velké Neznámo."

„Co to říkáte? Že skrz tuhle knihu vstoupilo do tohoto světa něco, co jej přetvoří k obrazu svému?"

„Ne," pronesla a přísný výraz u ní vystřídal fanatický zápal, který ji učinil ještě ošklivější. „Copak to nechápete? Tenhle svět přestal existovat, když tu knihu otevřeli. Jistě, sice už zanikal, ale *Atlas* zlikvidoval jeho pozůstatky a nahradil je vlastními krajinami. Tohle okolo už je Velké Neznámo. Je to, jako by odraz v pokřiveném zrcadle přestal být odrazem a stal se skutečností."

„Tak proč ty změny nevidíme?"

„Ale vždyť jste je *viděl*, i když nevím proč. Ostatní je už také brzy uvidí. Někde v hloubi duše už je nejspíš cítí, ale zavírají oči před tím, co se děje. Aby prohlédli, budou si muset přiznat pravdu, jenže tahle pravda je sežere zaživa."

„Ne," hlesl jsem. „Přece s tím pořád můžeme něco dělat. Najdu tu knihu. Zničím ji."

„Nemůžete zničit něco, co je věčné."

„Můžu se o to pokusit."

„Je příliš pozdě. Zkáza už započala. Tohle už není náš svět."

Zvedl jsem se, i ona vstala.

„Mám ještě jednu otázku," otočil jsem se. „Jednu poslední otázku, a pak už půjdu."

„Vím, na co se chcete zeptat," odtušila.

„Opravdu?"

„Je to první a poslední otázka, a jediná, která má opravdu význam. Zní: ‚Proč?' Proč jsem to udělala? Proč jsem se tou knihou zabývala? Proč, proč, proč?"

Pochopitelně měla pravdu. Nezbylo mi než přikývnout.

„Protože jsem byla zvědavá," odpověděla. „Protože jsem chtěla vidět, co by se mohlo stát. Jenže stejně jako Maggs a jako Maulding jsem jen vykonala vůli *Atlasu*, třebas jsem to nevěděla."

Jestli „Proč?" byla první a poslední otázka, pak „Protože jsem chtěla vidět, co by se mohlo stát," byla první a poslední odpověď. Něco takového nejspíš slyšel i Bůh v ráji; to byl důvod, proč se tolik věcí v rukou lidí zvrhlo.

„Říkám vám," navázal jsem, „že to najdu a zastavím."

„A já vám říkám," opáčila, „že byste se měl zabít dřív, než přijde na nejhorší."

Začala ode mě ustupovat, až došla ke krbu a narazila rameny do krbové římsy. Župan na jejích zádech se vzňal. Rudé a žluté plameny jí začaly olizovat nohy. Pak se otočila zády ke mně, takže jsem uviděl, jak jí na nahém těle naskakují puchýře a škvařící se látka jí splývá s kůží. Vrhla se do plamenů dřív, než jsem stačil natáhnout ruku a zadržet ji. Když jsem ji po chvilce vytáhl z ohně, měla už obličej celý ohořelý a změněný k nepoznání. Umírala. Její tělo sebou škubalo v předsmrtné křeči a knihy kolem ní vzplály, jako by ji nechtěly ani v této chvíli opustit.

Nechal jsem je na pospas plamenům.

XIII

Když jsem odcházel od Dunwidgeových, slyšel jsem za sebou křik a nářek a tříštění okenních tabulek. Neušel jsem ani půl míle, a z dálky zazněly hasičské sirény.

Neměl jsem důvod vracet se k sobě do bytu. Měl jsem zbraň a v Mauldingově domě jsem nechal nějaké náhradní oblečení. Zbývalo mi vykonat jediný úkol, než se tam vrátím. Zamířil jsem na Chancery Lane, do kanceláří advokáta Quaylea.

Asi míli od místa určení jsem získal pocit, že mě někdo sleduje. Otočil jsem se a na protějším chodníku uviděl malou holku v modrobílých šatech, šla asi sto metrů za mnou. Byla ke mně otočená zády, takže jsem jí neviděl do obličeje. Pak se ze stínu mezi kužely světla lamp vyloupl kluk – zhruba stejně daleko jako holka, ale na mé straně ulice. Šel pozpátku. Na sobě měl krátké kalhoty a bílou košili. Pohyboval se trhaně a nepřirozeně, vypadalo to jako film, který někdo střídavě promítá a přetáčí dozadu.

Jak kluk, tak holka si podle všeho všimli, že se na ně dívám, a přestali se v tu ránu hýbat – kluk dokonce tak, že nechal jednu nohu viset ve vzduchu.

Teprve tehdy jsem si všiml, že má bosé nohy, navíc podivně znetvořené. Připomínaly nohy vojáků ze zákopů, oteklé vinou sněti nebo vyboulené zlomenou kostí. I holka byla naboso. Ta zase měla nohy křivé, takže připomínala přerostlého vybledlého tučňáka.

„Běžte pryč," zavolal jsem na ně a pak zakřičel: „Běžte pryč! Běžte domů. Už je pozdě na to, aby si děti hrály venku."

Jenže už když jsem to říkal, kdovíjak jsem vytušil, že jejich domov je někde velmi daleko odsud; nebo – pokud měla Eliza Dunwidgeová pravdu – byli dávno, vlastně vždycky doma tady, a já byl cizinec, nezvaný host.

Nechtělo se mi otáčet se k nim zády, tak jsem začal couvat. Náhodnému pozorovateli by se v tu chvíli naskytl věru zvláštní pohled, ale žádný takový pozorovatel tam nebyl. Jakmile jsem se dal do pohybu, začali se hýbat i kluk s holkou. Slyšel jsem, jak jim praská v kloubech, jako by jim za tu krátkou chvilku zmrzly nohy na kámen. Kluk se sunul podivnými nepravidelnými přískoky, nohy se mu podlamovaly. Holka se kolébala ze strany na stranu, jenže teď už nepřipomínala tučňáka, ale spíš panáčkující ropuchu. Tu podobnost ještě podtrhovalo tlusté břicho, protože holka byla pěkně baňatá.

Nakonec jsem se dal do běhu. Přiznávám se: otočil jsem se a utíkal a utíkal. Slyšel jsem, jak mě pronásledují. Jejich nohy pleskaly stále rychleji a já se modlil, ať se někdo objeví, nějaký noční chodec, který by je přinutil nechat mě na pokoji nebo by alespoň potvrdil, že jsem se dočista nezbláznil. Jenže nikde nikdo: žádní lidé, žádné automobily, dokonce ani povoz s koňmi žádný. Město spalo. Možná už to ale žádné město nebylo, možná že Londýn zmizel a místo něj tady byl jen přízrak Londýna obývaný zmrzačenými dětmi a muži bez očí.

Utíkal jsem a utíkal, když tu jsem postřehl, že mě nikdo nepronásleduje. Byly pryč. Zastavil jsem se a s rukama na kolenou chvilku popadal dech. Mé plíce už nebyly co kdysi. Do Francie jsem odjížděl jako mladík, a za těch pár let se ze mě stal stařec. Přede mnou ležel West End: tam konečně potkám lidi, říkal jsem si, dokonce i v tuto hodinu. Muselo co nevidět začít svítat. Ještě jsem se naposledy ohlédl, abych se ujistil, že jsem sám, a vykročil jsem kupředu.

Samozřejmě tam byly. Mělo mi to dojít. Přečetl jsem koneckonců dost duchařských povídek, dost šestákových hororů. Ty děti – jestli to tedy byly děti. Nadběhly si mě jako vojenská jednotka, která má strategickou výhodu v příchodu z nečekaného směru. Objevily se asi jen třicet metrů přede mnou, stále obrácené zády ke mně. Pomalu se začínaly otáčet – otáčet jako závaží na provázku. Nakonec jsem uviděl jejich obličeje.

Strašidelné děti, ohavné stvůry: z horní půlky jejich hlav shlížela hejna malých černých oček připomínajících rozinky na bábovce; nos žádný, pouze dva otvory rozdělené tenkou přepážkou; ústa bez rtů rozšklebená a cenící křivé hlodavčí zuby, zakončená výrůstky připomínajícími jedová kusadla pavouka.

Nemeškal jsem. Nemyslel jsem. Přemohl mě jakýsi prapůvodní strach. Pozvedl jsem zbraň k dívčinu obličeji a stiskl spoušť. Kulka ji zasáhla přímo doprostřed čela, odkud vystříkla žlutá, NE červená tekutina – jako z hmyzu. Bezhlesně padla na záda, zato klukovi se z hrdla vydral skřek. Vyrazil na mě a já i po něm vystřelil. Jenže mě svým zuřivým výpadem překvapil, takže ho první kulka zasáhla jen do ramene. Zkroutil se a padl na zem. Bohužel jsem ho musel dodělat. Svíjel se pode mnou a chňapal čelistmi do vzduchu – snažil se mě sežrat, přestože umíral.

Když jsem je vyřídil, odtáhl jsem těla do postranní uličky a schoval je za přeplněné popelnice páchnoucí hnijícím masem. Nebyl čas volat policii, cokoli vysvětlovat. Musel jsem najít tu knihu: najít ji a zničit.

XIV

Fawnsley přišel do práce jako první, ostatně jako vždycky. Bylo chvilku po osmé. Já mezitím proseděl hodiny schoulený v rohu toho děsivého dvora, obklopen zavřenými dveřmi zahalenými tmou a zataženými okny, které mi připomínaly obličeje velkých spáčů. Zkusil jsem se do Quayleovy kanceláře i vloupat, ale zámek chrabře odolal mým pokusům. Ukázalo se, že Quayle na dost věcí kašle, ovšem ne na svou bezpečnost.

Blížil jsem se zezadu k Fawnsleymu, zatímco lovil klíče. Prozradil mě však můj stín. Obrátil se ke mně, sinalou tvář ještě šedivější.

„Vy,“ hlesl. „Co tady děláte?“

Hlas se mu chvěl a klíče mu v ruce řinčely, jak se snažil odemknout s očima obrácenýma ke mně.

„Jdu za Quaylem. Něco od něj potřebuju.“

„Tady nemáte co dělat.“

„To se pletete. Mám tu jednu důležitou práci, daleko důležitější, než tušíte. Vím, co se stalo Mauldingovi, nebo aspoň myslím, že to vím. Jsem už blízko. Můžu to zastavit. Svět se mění, ale já ho můžu zase dát do pořádku."

„Vůbec nevím, o čem mluvíte," odsekl Fawnsley. „Týdny jsme vás neviděli. Týdny! Dostal jste od nás peníze a pak si klidně zmizíte. Beze slova, bez jediného slova. Přitom když jste se tu ukázal naposled, varoval jsem vás. Jasně jsem vám řekl, co se od vás čeká."

Ty jeho řeči se mi zajídaly. Něco mě tam ale zaráželo, něco, čemu jsem nerozuměl. Rozptylovalo mě to jeho žvanění. Nechtěl jsem, aby to byla pravda.

„Co tím myslíte – ‚týdny'? Byl jsem tu před dvěma dny."

„Nesmysl. Dneska je dvanáctého listopadu. Jste blázen. Podívejte se na sebe, člověče. Podívejte se, co se z vás stalo."

Snažil jsem se nedat najevo obavy. Snažil jsem se nepřijít o poslední zbytky rozumu.

„Ne ze mě, ale ze světa," ohradil jsem se. „Vy se podívejte, co se stalo se světem… a pak pochopíte, co ten svět udělal se mnou."

Viděl jsem, jak se Fawnsley ovládá, jako by ho i předstíraná odvaha mohla zbavit strachu. Ruka se mu přestala třást, neklid se rozplynul, takže sám sebe asi opravdu obelstil.

„Tak snad abyste šel dál," řekl. „Trochu se ohřát. Konvice víte, kde je. Udělejte si čaj a trochu si odpočiňte. Dojdu pro pana Quaylea. Je na zasedání v Session House, ale přijde, povím-li mu, jak jste, ehm, rozrušený." Naprázdno polkl. „Má vás moc rád – i přes to přese všechno, co se stalo."

Session House se mezi lidmi říkalo Korunnímu soudu vnitřního Londýna v Southwarku. Od Quayleovy kanceláře to bylo celkem daleko, takže by Fawnsley musel vynaložit poměrně značné úsilí, aby tam pro Quaylea došel. Věděl jsem, že kvůli mně by se Fawnsley rozhodně takhle nenamáhal. Kvůli mně by nedošel ani naproti přes ulici.

Vytáhl jsem na něj zbraň a na kalhotách se mu objevila tmavší skvrna.

„Ne," vypískl. „Prosím, ne."

„Tak mluvte," vybídl jsem ho. „A povězte mi pravdu."

Šťouchl jsem ho hlavní do žeber pro případ, že by stále pochyboval o tom, jak je to s ním vážné.

„Policie," skřehotal Fawnsley. „Hledají vás. Říkají, že jste zabil nějakého muže v Cheapside. Tělo se našlo ve sklepě toho domu a nějaká žena, prostitutka, si vás pamatovala. Chtějí s vámi mluvit ještě o dalších věcech: o požáru a –"

Slova mu uvázla v krku.

„Mluvte!"

Fawnsley se rozplakal. „Děti," kňoural, „ty mrtvé děti."

„Nejsou to děti," odsekl jsem. „Máte mě za někoho, kdo by dokázal zabít dítě?"

Fawnsley zakroutil hlavou, ale do očí se mi nepodíval.

„Ne, pane," dodal. „To nemám."

„Dovnitř," přikázal jsem.

Konečně otočil klíčem v zámku a otevřel dveře.

„Nezabíjejte mě," žadonil. „Nikomu nic neřeknu."

„Udělejte, co vám řeknu," pokračoval jsem, „a já si rozmyslím, jestli vám pocuchám fazonu nebo ne."

„Cokoli. Cokoli budete chtít: peníze, jídlo. Stačí říct."

Přinutil jsem ho vyjít nahoru po schodech. Při tom jsem si vzpomněl, jak jsem tam byl naposled. Tehdy byl svět už nalomený, ale ještě se nebortil.

„Jídlo ani peníze nepotřebuju," řekl jsem. „Chci se jenom podívat do vaší složky, co tam máte o Mauldingově domě."

XV

Našel jsem, co jsem hledal. Quayle i jeho předchůdci spravovali záležitosti Mauldingovy rodiny už po generace, přičemž na koupi sídla Bromdun Hall dohlížel Quayleův děd. Zaplaťpánbu, že pečlivé záznamy advokátní kanceláře obsahovaly i detailní nákres Mauldingova domu. Říkal jsem si však, že na trochu toho štěstí mám konečně nárok.

Na High Holbornu jsem si koupil *Timesy*. Stálo na nich datum dvanáctého listopadu, takže Fawnsley nelhal. Ani jsem ho ze lži nepodezíral.

Šel jsem a měl pocit, že mě město dusí a jen Bůh brání tomu, aby se okolní domy nezřítily a nezasypaly své obyvatele sutí. Pro některé by to nejspíš bylo vykoupení, poněvadž muži a ženy na ulicích působili nervózně a vulgárně, jako by na ně doléhala tíha nebes a zmáhalo je nepřirozené horko, které od rána panovalo.

Kousek od Chancery Lane nevybral autobus zatáčku a srazil se s povozem poštovního doručovatele. Vážně poranil koně. Když jsem šel kolem, nebohé zvíře leželo na zemi, zadní nohu tak ošklivě zlomenou, že mu kost protrhla kůži. Šlo o běžný londýnský dvoupatrový autobus, typ B, podobný stovkám jiných, které se za války zrekvírovaly pro vojenské účely a používaly se pro převoz vojáků a zbraní na bojišti, občas dokonce i jako holubníky pro poštovní holuby, co létali se zprávami na frontu. Dopravní společnost pomalu model B nahrazovala typem K a S, takže byl div, že tenhle vysloužilec pořád ještě jezdil. Také byl notně obouchaný. Nejméně rok už jsem žádný takový v ulicích neviděl. Stal se anachronismem.

U nehody postával starý pán s kufrem u nohou a kouřil cigaretu.

„Jezdím na týhle trase skoro celej život a něco takovýho se mi ještě nestalo," poznamenával. Měl chraplavý kuřácký hlas. „Člověk by řek, že za tím ten řidič sedí prvně, přitom jezdí na těchhle strojích už od dob, co nám sem starej Tilling poslal z Peckhamu první kousek, a to nebylo zrovna včera."

„Rok 1904," řekl jsem.

„Přesně tak."

„Vyrůstal jsem tady. Tak si to pamatuju."

Řidič skutečně vypadal zkušeně. To, co se stalo, jím silně otřáslo. Tiše rozmlouval s konduktérem, zatímco si policista dělal poznámky. Vmáčkl jsem si klobouk nízko do čela a zabodl oči do chodníku.

Starý pán potáhl z cigarety a opovržlivě pohodil hlavou.

„Slyšel jsem ho lamentovat, že se ulice snad zúžila. Podle mě má upito."

Blížili se další policisté. Doprovázel je mladý muž v tvídovém obleku. V jedné ruce nesl černý pytel, ve druhé zvláštní, nemotornou zbraň.

„To bude policejní veterinář," poznamenal starý pán. „Taky už bylo načase. Kdybych u sebe měl pistoli, zbavím to nebohý zvíře utrpení sám."

Ruka mi instinktivně zajela do kapsy, kde jsem měl zbraň. Starý pán se na mě zvídavě podíval.

„Není vám něco?"

„Ne, nic mi není," ujistil jsem ho. „To jen… ten kůň. Nesnesu pohled na trpící zvíře."

„Brzy trpět přestane," prohlásil starý pán. V odpověď mu zazněl výstřel veterinární pistole, nezvykle hlučný ve ztichlém Londýně. Zavřel jsem oči. Připadalo mi, že cítím koňskou krev.

„Měl byste se posadit, aby to s vámi neseklo," radil mi starý pán.

„Ne," hlesl jsem. „Radši půjdu."

„Jak myslíte."

Splynul jsem s davem. Pořád mi ale bylo na omdlení a taky se mi zvedal žaludek. Ulice mě děsily. Vzal jsem to podzemní dráhou na Liverpool Street, kde jsem sedl na vlak. Na sklonku odpoledne jsem už byl zase zpátky v Norfolku. Bromdun Hall byl ztichlý a zamčený. Zkusil jsem odemknout svým klíčem, ale nešlo to. Vylomil jsem tedy tabulku okna pracovny a dostal se do domu tamtudy. Nahoru jsem vůbec nešel. Přízemí mi připadalo bezpečnější. V kuchyni jsem našel kus starého chleba. Snědl jsem ho a zapil černým čajem.

Málem jsem se pustil do práce, jenže na mě dolehla tíseň a děsy předešlých několika hodin. Lehl jsem si v pracovně na pohovku a přikryl se kabátem. Netuším, jak dlouho jsem spal, vím jen to, že když jsem se probudil, světlo se změnilo. Panovala noc v barvě melasy a tma byla hmatatelná. Cítil jsem to, sotva jsem zvedl ruku – jako by vzduch kladl odpor. Zdálo se, že se změnila i zemská přitažlivost a atmosféra se mě snaží zadusit.

Kdesi blízko se ozvalo nepříjemné škrabání, jako když nehty přejíždí po školní tabuli. Právě to mě vzbudilo. Zapátral jsem, co je způsobuje, a uviděl v okně siluetu. Škrabání se ozvalo zas. Pomalu jsem přistoupil k oknu; brodil jsem se při tom vzduchem jako medem. V ruce jsem držel pistoli. V zásobníku mi zbývaly už jen tři kulky.

Zaškrabalo to na dvě okenní tabulky současně a na sklo cákla černá tekutina jako sépiový inkoust. Podíval jsem se z okna. Na obloze nevisel měsíc, nesvítily ani žádné hvězdy. Čerň byla tak hustá, že jsem mohl být klidně pod vodou. Vůbec by mě nepřekvapilo, kdyby škvírami v oknech a dveřích začala dovnitř proudit tekutá tma, v níž bych se pomalu utopil.

Ta vylomená tabulka: jestli jsem se já dostal do domu tak, že jsem skrz otvor protáhl ruku a otočil obrtlíkem, ta věc tam venku mohla klidně udělat to samé. Tak proč tedy škrabala a šramotila?

Odpověděl mi podivný zvuk a vzápětí se objevil i jeho původce. Zaslechl jsem prudký nádech a po něm čenichání, jak mě to stvoření ve tmě zavětřilo. Ke sklu se přimáčklo šedé vráščité cosi. Očividně se to toužilo dostat dovnitř, jak naznačovaly roztažené údy přitisknuté na sklo. Na nich visela plandavá svraskalá kůže. Špičaté prsty připomínaly jehly, jen měly klouby. Výškou stvoření zhruba odpovídalo člověku, ale chyběly mu vlasy a oči. Krčilo zploštělý nos, který čenichal. A pak to pomalu začalo otevírat ústa, do té doby neznatelná. Byla bezzubá a rudá a z jejich hloubi vystřelil výrůstek pramálo připomínající jazyk. Vypadal spíš jako chobot na konci lemovaný bodlinami. Chobot narazil do skla a zanechal na něm další černý cákanec.

Opět se ozvalo čenichání a pak se stvoření sklonilo k rozbité okenní tabulce. Levou rukou ohmatávalo okno jako slepec, dokud nenarazilo na otvor, do něhož vsunulo končetinu. Úplně jej zacpalo.

Chystal jsem se vystřelit, ale pak jsem se zarazil. Co ještě dalšího venku číhá? Jaké další hrůzy by mohl hluk přilákat? Navíc ty kulky: zbývalo mi jich bolestně málo a neměl jsem naději na dobití.

Rozhlédl jsem se, jestli někde nenajdu další zbraň. Na stole Lionela Mauldinga ležel nůž na dopisy. Ostří měl tupé, ale hrot ostrý. Bodl jsem jím stvoření v okně do jeho podivné ruky, a byť z rány nevyšla krev ani nevyhřezlo maso, jasně jsem viděl, jak ohava rozšklebila ústa bolestí. Znovu jsem bodl, a ještě jednou a ještě. Zarýval jsem se stále hlouběji, až se potvora pustila okna a otvor se uvolnil. Prchla kamsi do tmy a byla pryč.

Okna měla dřevěné okenice. Soudě dle prachu a mrtvých much je dlouho nikdo nepoužíval, ale zavřít šly, tak jsem to udělal a pečlivě je zajistil. Totéž jsem provedl v celém domě. Nespal jsem, pouze čekal na rozednění. Když konečně začalo svítat, málem jsem se rozplakal, protože někde tam uvnitř jsem se bál, že už denní světlo nikdy neuvidím. Tak černá to byla noc. Otevřel jsem okenice. Na trávě se povalovala mlha a slunce barvilo temná mračna doruda.

Připadalo mi, že jsem v životě neviděl nic krásnějšího.

XVI

Jakmile noc definitivně vystřídalo ráno, pustil jsem se do práce. Podíval jsem se do plánku na přesnou výměru místností a následně je začal jednu po druhé procházet a přeměřovat, jestli odpovídají původnímu zakreslení. Štěstí, že jsem začal právě v pracovně – štěstí a taky poslední zbytky logického uvažování a rozumu, co mi zbyly v tomhle rozpadajícím se světě. Zkrátka a dobře, pracovna neměřila na délku tolik, kolik měla, a bylo jasné, že police na západní stěně nevisí na stěně, nýbrž stojí nějaké dva metry před ní. Přesto jsem ještě asi hodinu dumal, jak se dostat do dutiny za nimi. Nakonec jsem se rozhodl police vyprázdnit – když jsem se dostal asi do výšky dvou metrů, objevil jsem konečně přístupový mechanismus: obyčejnou páku ukrytou za výpravným vydáním Gibbonova *Úpadku a pádu římské říše* – čtyři díly z roku 1776, jak jsem si všiml. To bibliofilství už mi začínalo lézt na mozek.

Pohnul jsem pákou. Ozvalo se cvaknutí a kus polic se pootevřel. Než jsem tajné dveře otevřel úplně, chvilku jsem váhal, nejistý, co mě za nimi může čekat: mrtvolný zápach; další ohavné stvoření s tělem žhavým jako kamínka; nebo snad pohled do nekonečného víru zkázy, cesta do jiných vesmírů? Místo toho jsem tam – když mě přemohla zvědavost – našel jen menší verzi místnosti za sebou. Stál v ní čtvercový stůl a jedna prostá židle. Na stole svíčka. Nesvítila. Našel jsem zápalky a jednu rozškrtl a přiložil ke knotu. Tajné dveře se totiž nedaly otevřít úplně, což mohl být i záměr, anebo porucha mechanismu. Tak tak jsem se jimi protáhl dovnitř. Mihotavé světlo svíce ozářilo Mauldingovu okultní knihovnu, řady prastarých svazků, které již na pohled působily zapovězeně a zlověstně.

Příliš dlouho jsem si je neprohlížel, protože mou pozornost zaujala okamžitě kniha ležící na stole. Vypadala přesně tak, jak ji popsala Eliza Dunwidgeová: velká vázaná kniha s deskami potaženými jistě nějakým druhem kůže. Rozpoznal jsem vrásky a jizvy a – Bůh nás chraň – snad i spleť žil. Ba co hůř, kniha podle všeho pulzovala životem, ale to mohlo mít na svědomí i chvějivé světlo svíce v kombinaci s vzezřením vazby a legendou, jíž mě vybavila Eliza. Přesto jsem se zdráhal se jí dotknout. Ta její rudá vazba a zažloutlé hrany stránek nepříjemně připomínaly ústa. Navíc jsem měl pořád v živé paměti nebohého lovce knih Maggse a dvě díry, které mu vyžralo do lebky cosi – co mu tahle kniha nasadila do hlavy.

Jenže *Atlas* mě volal. Zašel jsem příliš daleko. Chtěl jsem se dozvědět víc. Někde na jeho stránkách se nacházela pravda: pravda o tom, co se stalo Lionelu Mauldingovi, ale i odpověď na otázku, co se děje – nebo spíš co se stalo – s naším světem.

Otevřel jsem tu knihu. Nahlédl do ní.

Byla prázdná. Aby ne? Vždyť veškerý svůj obsah dávno přenesla do tohoto světa a přepsala jím všechno, co kdy existovalo – jako palimpsest, který pomalu, leč jistě překryje originál.

A kdesi blízko a současně nesmírně daleko zazněl smích, přísahám, že jsem ho slyšel. Byl to však smích prokletých.

XVII

Spálil jsem tu knihu. Rozdělal jsem oheň v krbu Mauldingovy knihovny, a jakmile jsem získal jistotu, že plameny sálají potřebným žárem, položil jsem ji na rozžhavená polena. Kniha syčela a praskala a prskala, jako když se peče maso, ne pálí papír. V jedné chvíli vydala hlasitý pištivý zvuk, téměř připomínající výkřik. Ten však utichl a desky zčernaly. Když je polykaly plameny, ohavně páchly. Ten zápach trochu připomínal pach rozkládajícího se těla, které se konečně dočkalo kremace – ale jen trochu; páchly totiž daleko hůř.

Nevím, jak dlouho jsem tam seděl a pohrabáčem ji převracel v ohni, jak dlouho trvalo, než se rozpadla na kusy, které už nehořely. Na chvilku jsem nejspíš i usnul a zdálo se mi o *Atlasu*. Ve snu se mi zjevil takový, jaký kdysi býval, plný podrobných map světů tolik odlišných od našeho, světů hemžících se bestiemi a démony, světů zachycených zručnou rukou kartografa Neboha. Jeho stránky byly nyní prázdné, protože vše, co obsahovaly, se přeneslo do našeho světa, přelilo se jako písek v přesýpacích hodinách. Nic nezůstalo a přerod započal. Kam se poděl Lionel Maulding, jsem říct nedokázal. Možná – podobně jako Maggs – začal umírat v okamžiku, kdy knihu otevřel a kdy myšlenky v ní obsažené pronikly do jeho mysli, nahlodaly ji a jeho pohltily.

Ještě se tu odvíjel jeden příběh, byť jsem před ním zavíral oči, stejně jako jsem se obracel zády k představě, že jeden svět nahlodává a zachvacuje jiný: ta kniha nikdy neexistovala. Šlo o výplod Dunwidgeových, o podvod, na němž se tajně podílel i Maggs, jehož nešťastná smrt byla předem dobře promyšlená, aby dodala lži na věrohodnosti a samozřejmě aby ho umlčela. I já jsem se na něm podílel. I já sehrál svou roli. Nechal jsem se zmanipulovat.

Ale co všechny ty lezoucí ohavnosti nebo výbuch křišťálové temnoty v tomto domě? Co znetvořené děti, které mě pronásledovaly ulicemi

Londýna, nebo sivá nestvůra za oknem pracovny? Co všechny ztracené dny – týdny –, na které mě upozornil Fawnsley? Proč to –

Všechno?

Protože se tu odvíjel ještě třetí příběh, či snad ne?

Odpoledne se nachylovalo. Paní Gissingová se neobjevila, nepřišel ani Willox. Opustil jsem Mauldingův dům a s taškou s pár osobními věcmi došel na nádraží. Každou chvíli měl jet vlak do Londýna. Mínil jsem se tam vrátit. A jít za Quaylem. Byl jsem připraven přijmout od něj jakékoli vysvětlení. Jestli mě čekala cela a oprátka, ať si. Nic nemohlo být horší než tohle.

V pokladně jsem nikoho nezastihl a z nástupišť ke mně doléhal zmatený ruch. Šel jsem veden tím zvukem a objevil přednostu stanice, jak se dohaduje s čekajícími cestujícími. Vedle něj stál výpravčí a všichni se tvářili zkroušeně.

„No tak co se děje?“ zajímal se kdosi.

„Od rána nejel vlak z Londýna,“ odpověděla jakási korpulentní dáma. „Do Londýna odjel, to jo, ale z města nic.“

Kývla hlavou směrem na přednostu.

„Tady starej Ron toho ví stejně málo jako my, ale já se potřebuju dostat do Londýna. Dcera má co nevidět porodit svoje první a já slíbila, že budu u ní.“

Byl jsem vyšší a silnější než všichni přítomní, takže jsem se mezi nimi snadno protlačil k přednostovi. Nejlepší léta měl už za sebou: šedivé vlasy, nadváha a knír, podtrhující vzezření starého mrože.

„Vysvětlete mi to,“ řekl jsem stroze a cosi v mém hlase všechny okolo umlčelo a zbavilo osloveného veškeré snahy klást odpor.

„Už jsem to říkal tady těm lidem, pane: od rána nepřijel žádnej vlak a spojení se přerušilo. Nemůžu se dovolat nikam, kde by mi řekli, co se děje. Poslal jsem jednoho z našich chlapců na kole do Norwiche, jestli třeba tam něco nevědí, ale ještě se nevrátil. Víc vám zatím nepovím.“

Stál jsem na nástupišti a hleděl na jihozápad. Možná to byl jen světelný klam, ale zdálo se mi, že obloha se tam nápadně mračila a navíc měla nachový nádech, ačkoli slunce dávno vyšlo. Vypadalo to, jako když v dálce hoří oheň. Podíval jsem se na nádražní hodiny a sledoval minutovou ručičku.

„Hodiny,“ řekl jsem.

„Co je s nimi?“ zeptal se přednosta.

Dál jsem hleděl na ciferník. Bylo krátce po poledni a minutová ručička se pohnula, jenže ne směrem k jedné hodině, ale ke dvanácté. Točila se pozpátku.

Čas ubíhal dozadu.

Nechal jsem je tam a vrátil se na Bromdun Hall. Zavřel jsem okenice a zatarasil dveře. Nějaké jídlo v domě pořád zbývalo, i voda. Obloha temněla a světlo už nemělo přijít. Z horního patra a ze zahrady se ozývaly prapodivné zvuky. Zavřel jsem tajné dveře do tajné pracovny Lionela Mauldinga. Za nimi se tříštila rozpadající se realita, praskala jako led na jezeře.

Nebůh přicházel.

Měl jsem tři kulky.

Čekal jsem.

V. A spočineme v temnotě

Rolety byly stažené, takže do kanceláře advokáta Quaylea nepronikla noc ani pohledy zvědavců, které mohlo přilákat svítící okno. Aby však k tomu oknu vůbec zabloudil něčí pohled, musel by dotyčný stát na onom malém dvorku mezi domy na Chancery Lane. Tam ale nikdo nechodil, leda by měl zrovna rozjednanou nějakou záležitost s Quaylem. Kdokoli by chtěl nakouknout do Quayleovy kanceláře oknem, musel by se nějak dostat do některého z domů tyčících se nad dvorkem, jejichž vyšší patra vždy o trochu přesahovala ta nižší, jak tomu bývá u domů v Nizozemsku. Ve skutečnosti byly ty domy tak úzké, že veškerý nábytek museli dovnitř natahat okny. K tomu sloužily děsivě vyhlížející železné háky trčící z průčelí.

Nikdo si nevzpomínal, proč vlastně ty domy postavili zrovínka takhle ani kdo je navrhoval. Kupodivu si nikdo nepamatoval ani to, že se ty háky používaly k vytahování nábytku, a pátrání v dostupných záznamech po dokladech za doručení čehokoli – nejenom nábytku – na tuto adresu by nic nepřineslo, tedy s výjimkou Quayleova inventáře. Taktéž otázka vlastnictví objektů byla nejasná; kdyby někdo vynaložil čas a úsilí potřebné k ověření kupních smluv a zápisů v katastru, dopídil by se jedině toho, že majitel či majitelka je klientem advokáta Quaylea.

Úctyhodný džentlmen tohoto jména se nyní nacházel za masivním dubovým stolem, stohy papírů odsunuté stranou a v ruce sklenku šery. Na židli naproti němu seděl detektiv Scotland Yardu jménem Hassard, který se spokojil toliko s čajem. Quayleův koncipient Fawnsley se vytratil krátce před příchodem detektiva, podle všeho do svého bytu. Jeden by se pozastavil nad tím, že se ten úhoř zdržuje jinde než pod Quayleovou střechou, neboť tam se vyskytoval takřka neustále jako věrný stín svého pána.

„Hassard," poznamenával právě Quayle. „To je hugenotské jméno, že ano?"

„Nizozemské," přitakal detektiv.

Byl mladý, předčasně šedivý. S těžko skrývanou nedůvěrou hleděl na

Quayleovu kštici, neboť advokát měl na svůj věk barvu vlasů nezvykle tmavou.

„Vybavuje se mi jistý Peter Hasaret, jestli to říkám správně, který v šestnáctém století prchl ze země před zákonem," pokračoval Quayle.

„Myslím, že patříme mezi jeho potomky," přisvědčil Hassard.

„Zaživa ho upálili."

„I to je mi známo. Zdá se, že jste velmi dobře obeznámený s historií hugenotů, pane Quayle."

„Tuto firmu zakládali dva společníci, Quayle a jistý Couvret, džentlmen právě tohoto vyznání," vysvětlil právník. „Nedopadlo to dobře. Couvret zemřel."

„Byl zavražděný, že?"

Quayle povytáhl obočí a podíval se na detektiva, jako by ho uviděl v novém, nepříliš vítaném světle.

„Vykuchaný, mám-li být zcela přesný," pokračoval Hassard.

Chvilku to vypadalo, že i Quayleovo druhé obočí vyletí vzhůru a připojí se k prvnímu, ale nějak ho dokázal zkrotit.

„Nejsem tu podle všeho jediný, kdo je kovaný v historii," odtušil Quayle. „Takže si vás dovolím ušetřit dalšího upřesňování a povím vám, že mého předka Quaylea z Couvretovy vraždy dlouho podezírali, ale nenašly se žádné usvědčující důkazy."

„To by pochopitelně firmě uškodilo," doplnil Hassard.

„Nesmírně," přitakal Quayle.

Srkl si šery. Hassard se znovu pokusil upít trochu čaje, ale byl na něj příliš silný, navíc tak podivně kalný a dehtovitý, že lnul ke stěnám šálku. Nechal čaj čajem a otevřel notes.

„Co se týče pana Sotera," začal.

„Ano?"

„Mohu předpokládat, že se vám dosud nepřihlásil?"

„Ticho po pěšině."

„To je nanejvýš nezvyklé."

„To je."

„Jeho rukopis prohlédla řada odborníků, včetně vojenského psychiatra. Jestli mělo jít o sebevražedný dopis na rozloučenou, pak musím říct, že jsem se s takovým ještě nesetkal."

„Dali mi k nahlédnutí opis," navázal Quayle. „Obsahuje sice jasné narážky, že je Soter ochotný skoncovat se životem, ale to by se přece někde našlo tělo."

„Proto po něm také pátráme," přitakal Hassard. „Potřebujeme ho vyslechnout v souvislosti s pěti případy: smrtí Elizy Dunwidgeové a jejího otce; toho lovce knih Maggse; a dvou dětí nalezených na ulici."

„Pokud to správně chápu, Maggs se stále pohřešuje," podotkl Quayle, „a o tom, co se mu stalo, víme pouze ze Soterova vzkazu."

„Včera večer jsme vytáhli z Temže tělo. Je v hodně špatném stavu, ale jsme si jistí, že je to Maggs. Takže to opravdu dělá pět mrtvých."

„A co ten zjev, co se podle Sotera pokoušel vniknout oknem do Mauldingova domu?"

„Patrně fantasmagorie narušené mysli," mínil Hassard. „Okno Mauldingovy pracovny sice bylo rozbité, ale nikde v okolí Bromdun Hallu jsme nenašli jedinou stopu po cizím člověku či jiném tvoru. Kdepak, máme jen těch pět obětí a všechny mají nějakou spojitost se Soterem. To by mělo na oprátku stačit."

„Zdá se, že jste vážně přesvědčený o jeho vině."

„Soterův vzkaz se mi jeví jako samoúčelný, stejně jako nesmysly o lezoucím hmyzu v Maggsově pokoji a o zmizení těla. Soter chce zjevně naznačit, že Maggsovo tělo odklidil starý Dunwidge, jenže toho už se na nic nezeptáme. O to se Soter postaral. Ubil ho k smrti a mrtvého nechal ležet ve sklepě Maggsova domu."

„To tvrdíte vy."

„Zůstává prvním podezřelým, pokud ovšem neukážete na někoho jiného."

„Byl duševně narušený, ale svého času hrdina. Válka ho zlomila."

„Válka zlomila mnoho mužů, a nestali se z nich vrazi."

„Ne, to nestali. Přesto je důležité vzít v potaz okolnosti, které mohly z jednoho z nich vraha udělat."

„Když to říkáte."

Quayle si povzdychl. Možná že detektiv si takový zájem nezasloužil.

„A ty děti..." pokračoval Quayle.

Hassard si poposedl.

„Co s nimi?"

„Slyšel jsem, že byly... neobvyklé."

„Měly křivici, jestli myslíte tohle."

„Něco horšího než křivici. Doneslo se mi, že byly téměř zmutované."

„To je nesmysl."

„Opravdu? A je také nesmysl, že jste je zatím nedokázali identifikovat a že nemají ani rodiče, ani opatrovatele, ani nikoho, kdo by se k nim přihlásil?"

„To je pravda," připustil Hassard. „Ale to z nich nedělá o nic menší mrtvoly. Smím-li být tak smělý, pane Quayle, zdá se mi, jako byste chtěl zpochybňovat, že se pan Soter vůbec něčeho dopustil."

„Jsem právník," na to Quayle. „Zpochybňování je moje práce."

„A moje práce je najít vraha, možná že i komplice."

„Komplice?"

„Někdo vešel do Mauldingova domu ještě před tím, než přijela policie, kterou zavolala hospodyně. Soter ve svém vzkazu tvrdí, že než se zamkl v Mauldingově tajné knihovně, zabednil vstupní dveře, jenže ty byly při příchodu hospodyně otevřené, stejně jako knihovna. Jedny i druhé dveře byly vylomené zevnitř. Našli jsme jasné stopy."

„Jaké stopy?"

„Nejdřív jsme si mysleli, že od sochoru, ale teď to spíš vypadá na vidle nebo na nějaký nástroj s hroty schopnými rýt do dřeva. Ptali jsme se na to správce, jenže ten byl celou tu dobu doma. Rodina mu to dosvědčí."

„Hroty," zopakoval zamyšleně Quayle. Zvedl pravou ruku, roztáhl prsty a zkoumavě se zadíval na své pečlivě zastřihované nehty. Jestli si Hassard toho gesta všiml, nic neřekl.

„A ta kniha, o které Soter píše," navázal Hassard, „ta, jak tvrdí, že ji spálil?"

„Ano," přisvědčil Quayle. „*Rozlomený atlas*."

„V ohni jsme po něm nenašli ani stopu."

„Byla to kniha," prohlásil Quayle. „Knihy hoří."

„Ano, to bude jistě tím."

Hassard poklepal tužkou o notes.

„Myslíte si, že Soter byl šílený?" zeptal se Quayle.

„Jak jsem říkal, myslím si, že byl narušený."

„Máme-li věřit tomu jeho vzkazu, domníval se, že hodiny šly pozpátku a dimenze tohoto světa se měnily. A tomu vykolejení, které zablokovalo dvě trati, takže nemohly jezdit vlaky, připisuje nějaký hrozivý záměr."

„Já si pamatuji jiného Sotera. Lepšího."

„Věděl jste, že před pár týdny přišel do domu generála sira Williama Pulteneyho a ztropil tam povyk? Štěstí, že generál neskončil jako další oběť."

„To jsem nevěděl, ale Soterovi byl Pulteney svým způsobem ukradený. Přinejmenším v tomto ohledu žádným bludem ani šílenstvím netrpěl."

„Mauldingův synovec vyjádřil jiný názor, když jsme s ním mluvili."

„Pan Sebastian Forbes," podotkl Quayle s jistou dávkou nelibosti. „Ten zdědí pěkné peníze, tedy až se vyřídí všechny formality ohledně Mauldingovy pozůstalosti."

„Pan Forbes je toho názoru, že vy – coby vykonavatel závěti jeho strýce – děláte všechno pro to, abyste jeho právoplatné nabytí dědictví co nejvíc pozdržel."

„Vážně?" podivil se Quayle. „To je zvláštní. Podle mne lze bez obav říci, že pan Forbes dostane, co je jeho, až přijde ten správný čas."

Hassard jako by chtěl něco poznamenat, ale pak si to rozmyslel a odložil notes.

„Už jsme skončili?" zeptal se Quayle.

„Prozatím."

„Mrzí mě, že jsem vám nedokázal víc pomoci."

Hassard se s přemáháním usmál.

„Opravdu vás to mrzí?"

„Jste velmi cynický, dokonce i na detektiva."

„Snad. Ale napadá mě ještě jedna, poslední otázka."

„Ptejte se."

„Věříte, že je Soter mrtvý?"

Quayle se zamyslel.

„Věřím, že Sotera už na tomto světě nenajdeme živého," pronesl nakonec.

„To je zajímavá odpověď."

„Viďte?" na to Quayle. „A teď pojďte, vyprovodím vás. Ty schody mohou být pěkně záludné."

Noc potemněla. Nakonec pohasla i záře pronikající zpod Quayleových rolet a právník se objevil venku na dvorku. Přešel dláždění, odemkl protější dveře a tiše je za sebou zavřel. Ani se neohlédl, jestli ho někdo nesleduje. Velmi citlivě totiž vnímal i sebenepatrnější změny v důvěrně známém okolí.

Ostatně, pobýval tu velmi, velmi dlouho a budoucnost před ním se rozprostírala do věčnosti.

Sešel po úzkém schodišti a vstoupil do pohodlného příbytku: jídelna, obývací pokoj spojený s knihovnou, malá kuchyně a ložnice s velikánskou dubovou postelí, jejíž odstín i kvalita provedení odpovídaly těm u psacího stolu v kanceláři. Kdyby tam směl vstoupit mytický vládce času, mající eminentní zájem na způsobu života advokáta Quaylea, a navíc pronikavý bystrozrak, nejspíš by postřehl, že plošná výměra místností jaksi přesahuje prostor vymezený zdmi. Většinu svazků v knihovně představovala právnická literatura. Tu a tam ovšem stálo zcela jedinečné okultní dílo, včetně knih zmiňovaných, leč nikdy neviděných, a včetně pojednání zapovězených Církví svatou v okamžiku, kdy se dozvěděla o jejich existenci.

Pouze jedna kniha nestála na polici. Ležela na čtecím pultíku, obálku zuhelnatělou, stránky zčernalé. V okamžiku, kdy Quayle vešel dovnitř, se obálka o kus zvětšila – sice jen o píď či zlomek pídě, přesto však zakryla část pultíku, kde předtím zelo holé dřevo. *Atlas* se znovu skládal dohromady.

Quayle odložil štos papírů, které si přinesl, a svlékl si sako a šálu. Přistoupil ke dveřím zabudovaným do polic, za nimiž by se nezvanému hostu – kdyby je zázrakem otevřel – ukázala pouze bílá zeď. Jenže Quayle věděl lépe než kdo jiný, jak je vesmír podivný, a byl si dobře vědom toho, že co člověk vidí, neodpovídá vždy skutečné povaze viděného. Z kapsy kalhot vylovil klíč a vsunul jej do klíčové dírky. Byť klíčem otočil pouze jednou, z hlubin dveří se ozvalo cvakání mnohočetného mechanismu. Ten zvuk se jako ozvěna opakoval a postupně vytrácel, jako by se dveří otevíral nekonečný počet.

Quayle vzal za kliku a stiskl. Zatlačil směrem od sebe. Za dveřmi visel nahý muž, téměř jako by se vznášel v temnotě rozprostírající se za ním.

Lionel Maulding. Nepřestával křičet, ale na tom místě přitom nevydal ani hlásku. Quayle chvíli přihlížel, jak se z jeho hlavy odloupl proužek kůže a pomalu se odvíjel jako slupka z jablka přes čelo, nos, rty a šíji, až se postupně sloupal na hrudník a břicho...

Quayle odvrátil pohled. To divadlo už viděl. Dokonce je i načasoval. Trvalo den, než to Lionela Mauldinga oholilo na maso a kost, na žíly a tepny, a tehdy započal proces přestavby. Quayleovi se zdálo, že je pro Mauldinga přinejmenším stejně trýznivý jako svlékání z kůže, bez něhož se neobešel. Přesto k tomu muži necítil žádnou lítost. Maulding to měl vědět. Okultní knížky, jimiž se stal posedlý, přece nikde neslibovaly, že konec jeho bádání přinese něco příjemného.

Vedle Mauldinga visel Soter. Měl zavřené oči. Měl je zavřené pořád, stejně jako uši a ústa a nosní dírky, všechny zašité ovčím střívkem, jímž měl připevněné i ruce k tělu a nohy sešité v rozkroku. Uvnitř spočívalo uvězněné Soterovo vědomí, lapené navěky v pekle High Woodu, kde si prošel takovým utrpením, že se na něj dalo těžko vymyslet něco trýznivějšího. K Soterovi Quayle cosi jako lítost pociťoval. Quayle nebyl člověk, dokonce ani na poměry svého povolání, avšak za tu dlouhou dobu se lidstvím přece jen trochu nakazil.

Za těmi dvěma visely stovky dalších podobných postav; muži a ženy připomínající prázdné schránky hmyzu lapeného v obří pavučině. Někteří se tam pohupovali tak dlouho, že si Quayle už ani nepamatoval jejich jména ani co udělali, že si zasloužili takhle skončit. Všechno záviselo na úhlu pohledu, domníval se Quayle.

Z hloubi temnoty za jejich těly vystupovaly žíly jako pukliny v chladnoucí lávě. Vesmír se tříštil, jeho tenká skořápka pukala. Místy byla téměř průhledná. Quayle se díval, jak se na ni navaluje obrovité těleso, bytost, vedle níž působily celé galaxie jako tenká námraza na vzdáleném jezeře. Zahlédl článkovité nohy a chřtány uvnitř chřtánů. Uviděl rozeklané zuby a chomáče černošedých očí připomínající hrozny žabích vajec v rybníce.

I po tak dlouhé době se Quayle v přítomnosti Neboha zachvěl.

Za ním se tlačili další bohové, mnoho bohů, byť ne tak mocných jako ten první. Všichni do jednoho dychtivě čekali, až se pukliny rozevřou a oni budou moci projít. To samozřejmě mělo nějaký čas trvat, ale pro ně to nic neznamenalo, ani pro Quaylea. Svět se přepisoval. Kniha odvedla svou práci. Jakmile se znovu složí a ožije, začne se odvíjet nový příběh, jehož první kapitola bude představovat zrození nového vesmíru.

Quayle se odvrátil. Zamkl za sebou dveře, přešel do kuchyně a uvařil si konvici čerstvého čaje.

Pak se posadil a díval se, jak *Rozlomený atlas* roste.

Kostobřit

Můj dědeček se jmenoval Tendell Tucker a byl to drsňák. Za prohibice pašoval kořalku pro Krále Šalamouna. Dohlížel na trasy, co vedly z Kanady přes Maine na jih do Bostonu. Většinou se zodpovídal Danu Carrollovi, což byl Šalamounův společník. Můj dědeček totiž radši pracoval pro Iry než pro Židy. Nikdy neřekl proč. Zkrátka mu to tak vyhovovalo.

Řada lidí to vůbec neví, ale Dan Carroll byl hodně opatrný, což možná vysvětluje i to, proč žil tak dlouho. Za prohibice vykládal z lodí většinu nákladů v noci. Na břehu čekaly připravené náklaďáky, co alkohol rozvezly do skladů, odkud se šířil dál. Dan měl všechno radši pojištěné. Nehazardoval jako Abe Rothstein ani jako Král Šalamoun. Pěkně si spočítal výdaje a možný zisk z každé dodávky a pak ji podle toho rozdělil. Takže když do zásilky z Kanady investoval třicet tisíc a měla mu vydělat tři sta, spočítal si, kolik beden potřebuje na to, aby se mu těch třicet vrátilo, a ty pak převezl do Bostonu zvlášť, většinou ve speciálně upravených cadillacích. Tímhle způsobem nepřišel nikdy na mizinu, ani když mu hlavní náklad vyhmátla a zabavila policie.

A tady nastupuje na scénu můj dědeček. Narodil se ve Fort Kentu, přímo na hranici Maine s Kanadou, takže znal dokonale ten kraj a taky lidi, co v něm žili. Převáděl Carrollovy pašerácké party: najímal řidiče, dohlížel na údržbu aut a rozdával úplatky nezbytné pro to, aby se policie dívala stranou. „V pašování jelo víc policajtů než zločinců," říkával děda a měl pravdu, stejně jako se vždycky smál tomu, že politici, kteří schválili Volsteadův zákon, jako první kupovali pašovanou kořalku.

Dan Carroll dědovi důvěřoval. Nikdy si neřekli křivého slova.

A Král Šalamoun?

Inu, Král Šalamoun nebyl ten typ, co by někomu důvěřoval, a z toho nakonec vzešly všechny ty potíže.

Jednu věc musíte pochopit, a ta se týká státu Maine. V devatenáctém století ho pokládali za nejzpiťarštější stát Unie. Starosta Portlandu, Neil Dow, byl kvaker a zakládající člen Mainské protialkoholní společnosti. Moc dobře proto znal pověst, jakou si stát vysloužil. Herdek, vždyť mu stačilo dojít z Congress Street na Munjoy Hill, a hned viděl, co se z jeho města stalo. Zmiňovaný úsek je dlouhý asi míli a v Dowově době tam fungovalo na tři sta podniků, kde jste si mohli koupit alkohol – chlap nebo ženská, to bylo jedno. Dokonce jste ani nemuseli sejít z chodníku: hokynáři nabízeli rumový punč z kbelíků rovnou přede dveřmi, rozlévaný do plechových kalíšků. Dowovi nakonec v roce 1851 došla trpělivost a jedním tahem pera prosadil prohibiční zákon. Platil téměř pět let, dokud v roce 1855 nevypukla Rumová stávka, při které padly výstřely, a dokonce byli i mrtví, a která poslala k šípku prohibici i Dowovu pověst. Takže asi tušíte, že vztah Maine k alkoholu byl poněkud složitější, tedy mírně řečeno, dokonce už před schválením Volsteadova zákona.

A můj dědeček si za prohibice slušně přilepšil, ostatně jako řada dalších lidí, kteří v pomýleném zákonu vytušili příležitost a měli dost odhodlání a organizačních schopností na to, aby ji využili. Organizace tady zaznívá jako klíčový pojem, jelikož za prohibice vznikl organizovaný zločin: při tolika penězích, co se daly vydělat, představovala kázeň naprostou nezbytnost. Můj děda to naprosto chápal, a stejně tak i Dan Carroll. Dědovi za jeho práci štědře platil a dával mu i podíly ze zásilek, co se dostaly bez újmy až do Bostonu, což byla většina. Jenže pak v lednu v roce 1933 poslal Král Šalamoun do Maine chlapa jménem Mordecai Blum.

Blum přijel do dědova domu v Portlandu a hned druhý den měl být ve Vanceboro, kde ho čekalo osmdesát beden prvotřídní whisky, putujících přes hranice z McAdamu. Děda věděl, že Blum je na cestě: Dan Carroll mu dal předem echo. Carroll se ještě předtím nepohodl se Šalamounem kvůli nějaké zásilce, co kdovíkde zabloudila. Šuškalo se, že náklad připlul na lodi do Machias Bay, jenže něco z té kořalky se pak našlo v garáži jistého Billa Sellerse, co dělal pro Carrolla. No nic, Carroll prohlásil, že o tom nic neví, a Sellers skončil v díře v zemi. Na obchodní vztahy Carrolla a Šalamouna to vrhlo na nějakou dobu stín. A podle mýho dědy ten stín nesl jméno Mordecai Blum.

Blum byl skrček bez smyslu pro humor, měl malá šedá očka bez života, co na svět hleděla zpod těžkých víček. Hlavu měl šišatou a přerostlou a v místě krku se nezužoval. V dědových vzpomínkách vypadal jako velký palec čouhající z límce u košile. Byl obrovsky chlupatý: děda ho jednou zahlídl v podvlíkačkách při holení a přísahal, že měl holé jen ruce a obličej. Zbytek těla mu prý pokrývaly černé chlupy jako dráty, skrz které sotva prosvítala kůže.

Blum vyzařoval primitivní sílu a vědělo se o něm, že pro Šalamouna dělá tu nejšpinavější práci, to jest zabíjí. Dan Carroll Blumovi přezdíval Motke Funebrák a dědovi radil, ať si na něj dává dobrý pozor, a pokud možno se k němu neobrací zády. Carroll si nemyslel, že snad dědovi hrozí akutní nebezpečí, tedy pokud nešlápne vedle, čímž si byl u dědy jistý. Tendell byl sice zločinec, ale poctivý, tedy jestli to není moc velký protimluv. Tak či onak, měl dost rozumu na to, aby Dana Carrolla nešidil, a měl spočítanou každou bednu s kořalkou, co mu prošla pod rukama. Přesto na rozdíl od Carrolla nevěřil v Blumovu schopnost rozeznat poctivost od nepoctivosti, respektive ochotu to udělat. Děda věděl, že Král Šalamoun se se smrtí Sellerse nespokojí, a nestál o to udělat ze sebe exemplární případ.

Do Vanceboro jeli děda s Blumem spolu a většinu cesty mlčeli. Blum nebyl nijak hovorný a děda ve společnosti cizích lidí taky radši moc nemluvil. Dozvěděl se nicméně, že Blum se nedotkne alkoholu. Víno a kořalka mu podle všeho nedělaly dobře na zažívání a pivo mu zase nechutnalo. To měli s mým dědou společné. Tendellův otec byl totiž pijan toho nejtěžšího kalibru, hrubec a sprosťák, co zemřel násilnou smrtí. Zabili ho rybáři, kterým zkřížil cestu na Commercial Street. Vykuchali ho železným hákem a pověsili na vyvazovací kůl v přístavu. Proto Tendell nedůvěřoval mužům, co nedokázali udržet pití pod kontrolou, a sám se úzkostlivě hlídal. Nikdy jsem ho neviděl vypít víc než skleničku rumu nebo whisky, a pivo upíjel tak dlouho, až mu v půllitru většinou zvětralo.

Takže, nakonec dojeli do Vanceboro, kde na ně už čekali řidiči a auta. Chvilku po desáté večer překročily hranici dva náklaďáky a začalo se překládat zboží do cadillaků. Blum se toho neúčastnil. Sledoval práci zpovzdálí a pak šel vyzpovídat kanadské řidiče, kteří převáželi alkohol už čtyři nebo pět let, a taková nedůvěra se jich prudce dotkla. I oni možná byli zločinci, ale taky poctiví, a jestli někdy něco ukradli, tak ne víc, než na kolik měli nárok. Blum si dělal poznámky do notýsku, kde měl zanesenou každou zásilku, která se převezla za posledních dvanáct měsíců. S každým řidičem jednu po druhé prošel, aby porovnal to, co si pamatovali, že vezli, s tím, co nakonec můj děda s Danem Carrollem dopravili do Bostonu. Když ho jejich odpovědi neuspokojily, udělal si vedle příslušného zápisu otazník. Děda to všechno sledoval a neřekl ani slovo. To přitom Blum okatě naznačoval, že je Tendell lhář, a kanadské řidiče pěkně naštval. Na nebi se kupily sněhové mraky, a tak děda chtěl hlavně co nejdřív vyjet na cestu, jenže Blum nemínil spěchat. Než skončil, rozpoutala se první sněhová vánice, kvůli které se jejich konvoj musel plahočit sotva dvacetikilometrovou rychlostí po silnici, co nebyla vidět.

„Potřebujeme se někde schovat," prohlásil nakonec Tendell. „Nemůžem tady zůstat viset s auťákama plnýma chlastu."

„Myslel jsem, že jste podplatil policii," namítl Blum. Vytáhl z kapsy notýsek a začal vypočítávat, kolik peněz a kolik lahví kořalky vynaložil Tendell za předešlé měsíce na úplatky.

Tendell měl sto chutí odseknout, že to on je zdržel tím svým vyslýcháním – jinak že by vyrazili včas a vánici by ujeli, ale neviděl smysl v tom popouzet si proti sobě Šalamounova muže.

„Policajty uplatím, ty jo," ohradil se Tendell, „ale ne prohibiční hlídky, alespoň ne ty nový, co tu zřídili v listopadu. Pár chlapů od nich jsou starý firmy, ale Prohibiční úřad sem začal posílat opravdový fanatiky, a na ty jsou úplatky krátký. Navíc to nejsou žádný hlupáci. Vědí, že jezdíme právě tudy."

„Co tedy navrhujete?"

„Kousek odsud bydlí chlapík jménem Wallace. Má stodolu, a v tý nás čas od času schovává. Bude nás to stát bednu kořalky, ale myslím, že se to bohatě vyplatí. Tam počkáme, než se ta fujavice přežene. Kdyby bylo potřeba, tak Wallace má navíc traktor a sněžný pluh. Pomůže nám dostat se zpátky na silnici."

Pomyšlení, že stráví noc v North Woods, Bluma příliš nenadchlo, ale Tendell si nedokázal představit situaci, na kterou by se Motke Funebrák tvářil nadšeně. Kladné reakce jako by neměl v repertoáru.

„Celou bednu?" protáhl otráveně Blum. „To mi připadá celkem dost."

„Hodně riskuje, ale zase fušuje do pančování, takže to pro něj bude lákavá nabídka... hádám, že z toho, co mu dáme, udělá pětinásobek a výhodně to zpeněží."

„O důvod navíc smlouvat."

„On moc nesmlouvá."

„Každej smlouvá, jen musíte přijít na tu správnou páku."

Tendell se podíval na Blumovy obří tlapy. Zatínal je v pěst a zase povoloval, jako by se na nebohého Wallace chystal použít vlastní přesvědčovací metody.

„Poslyšte," pronesl Tendell tiše. „Tohle je můj kraj a moji lidi. Mluvení necháte na mně. Vy se za den za dva vrátíte zase zpátky do Bostonu, jenže Wallace bude pořád tady a já ho budu potřebovat. Rozumíte?"

Blum líně otočil hlavu a zvedl k Tendellovi zpod napuchlých víček malá očka. Připomněl mu tak velké kočičí šelmy ze zoo ve Franklinově parku, které vypadaly ospale, dokud před ně někdo nehodil kus masa.

„Znáte Krále Šalamouna?" zeptal se Blum.

„Znám."

„On vám nevěří."

„Vážně? A proto jste se vláčel až sem, abyste mi to dal sežrat?"

„Ani já vám nevěřím."

„To mě mrzí."

„To vykládejte Králi."

Blum se odvrátil. Tendell sevřel volant. Nikdy nikoho nezabil, dokonce ani nebyl v pokušení to udělat, ale měl pocit, že Motkeho Funebráka by odpravit dokázal, kdyby se mu naskytla příležitost. A Král Šalamoun ať se jde bodnout.

Tendell zajel ke krajnici, vystoupil z auta a šel říct o změně plánu ostatním řidičům.

„Do prdele! K Wallaceovi!" prskal Riber, velkej Dán. „Tam zmrznem jak psí hovna."

Conlon s Marksem, druzí dva řidiči, mlčky přikývli. Wallace žil v pěkně krušných podmínkách, a to i na poměry Severovýchodu.

„V tomhle dál jet nemůžeme," dodal Tendell. „V takovým betelu."

„A co ten Žid?" zajímal se Conlon.

Sice s Blumem moc pohromadě nebyli a nemluvili s ním, ale slyšeli, jak se vyptával Kanaďanů, a věděli, jaké problémy se jim snaží způsobit. Je zatím ještě nevyslýchal, ale určitě se na to chystal.

„Nadšenej z toho není," odpověděl Tendell. „Ale pro mě za mě může jít klidně zpátky po svejch."

„Bylo by blbý, kdyby se mu něco stalo," poznamenal Marks.

„Jo, to by bylo," souhlasil Tendell. „Král Šalamoun by nás všechny pozabíjel."

„Blum je práskač," mínil Conlon.

„Nemá, co by napráskal. Jsme čistý. Danny to ví. Tohle je jenom naoko."

Ještě chvilku se takhle dohadovali, ale mráz a sníh jejich debatní kroužek rychle rozpustily. Když se Tendell vrátil do auta, všiml si, že Blum má na klíně pistoli.

„Chystáte se na lov?" zeptal se.

„Byl jste venku trochu moc dlouho."

„Potřeboval jsem se provětrat. Noční vzduch utužuje zdraví. Proč si to zase neuklidíte? Nikdo tady proti vám nic nemá."

„Vážně? S tím na mě nechoďte, slyším dobře. Nemyslím, že mě vaši kamarádi mají rádi."

„Nemusej vás mít rádi. Stačí, když s váma budou vycházet, jako se o to snažím i já."

Pistole zmizela v záhybech Blumova kabátu. Tendell uchopil volant.

„Vy nemáte rád Židy," pronesl Blum, když ujeli asi míli. Tendell jel pomaličku, protože kvůli sněhu neviděl než na pár metrů před sebe. Neznělo to jako otázka, ale suché konstatování.

„Je spousta Židů, co rád mám," na to Tendell. „Obchoduju s nima, popíjim s nima, dokonce jsem jednou spal i s jednou Židovkou. O to tady nejde."

„Tak o co tady jde?"

„Vy děláte pro Krále Šalamouna a hledáte si záminku, abyste mi moh prohnat hlavou kulku. Král totiž chce odstrašující příklad pro ostatní – aby neudělali to co Sellers."

„To je bezpochyby. Sellers Krále pěkně vojebal."

„Ale Dana Carrolla taky."

„Tím už si Král tak jistej není."

„Tak v tom případě se Král plete."

Blum vydýchl mlhavý oblak, který se u předního skla rozplynul, jako by se marně snažil uniknout ze stísněných prostor automobilu.

„Král si svýho času myslel, že jsou si s Carrollem podobný," navázal Blum. „Jenže se zmejlil. Irové prosákli k policii, k hasičům, do zastupitelstev. Maj moc. Židi žádnou moc nemají, tedy ne takovouhle moc. Nejsme stejný."

„A vy myslíte, že se situace zlepší, když sem přijedete a budete všechny nasírat svým vyptáváním?"

„Hrajete šachy?"

„Ne. Mě na hry neužije."

„To je škoda," posteskl si Blum. „Hry odrážej skutečnost, a šachy, to je válka na šachovnici. Král a Dan Carroll sváděj boj o pozice. Ty chlapi tam za náma jsou pěšáci. Když dojde ke konfliktu, půjdou jako první. Muži jako my, vy a já, jsme koně, střelci, věže. Když si nedáme pozor, může nás sestřelit i pěšák, ale jinak se můžeme ohrozit jenom navzájem."

„A Sellers? Co byl ten?"

„Pěšák, kterej si myslel, že se může stát králem."

Pak už spolu ti dva nepromluvili, dokud nepřijeli k odbočce vedoucí na Wallaceovu usedlost. Nikde žádná cedule ani brána, jen mezera ve stromořadí. Úzká cesta, rozpoznatelná pouze díky tomu, že na ní nic nerostlo. Stáčela se do lesa, za kterým se otevřel pohled na stavení zpola zahalené sněhovou clonou. Moc ke koukání toho nenabízelo, ale svítilo se v oknech a z komína stoupal kouř prozářený tu a tam neposednou jiskrou. Za domem stála velká stodola a pár menších hospodářských budov. A v lesích kdesi za nimi, jak Tendell věděl, se ukrývala Wallaceova palírna.

Hospodář se s jejich příjezdem objevil ve dveřích. V ruce držel brokovnici, nepozvedl ji však. Tendell zastavil notný kus před vjezdem a ohlásil se.

„Můžete jet dál," vyzval je Wallace, a teprve tehdy Tendell vjel s konvojem do dvora. Zastavil a pověděl Blumovi, ať zůstane, kde je – „Cizí lidi ho znervózňujou" – a šel si promluvit s Wallacem. Hospodáři bylo dost přes sedmdesát, měl dlouhé bílé vlasy a stejně tak i plnovous. U bot měl rozvázané tkaničky a na sobě vlněný kabát s kožešinovým límcem, pod ním moleskinové kalhoty a námořnický svetr. Tendell si všiml, že má u brokovnice natažené kohoutky a zjevně nijak nespěchá s jejich povolením.

„Potřebujem se tu schovat přes noc, Earle."

„Co vezete?"

„Co myslíš?"

Wallace zamžoural do vánice a pohled se mu zastavil na sedadle spolujezdce.

„Kdo to tam s tebou jede?"

Tendell se ani nepotřeboval ohlížet.

„Člověk Krále Šalamouna. Jinak jsou tu Conlon, Marks a taky Riber."

„Řek jsi tomu Šalamounovýmu poskokovi, ať zůstane, kde je?"

„Jo."

„Hm, tak tě neposlech."

Tendell slyšel, jak za ním křupe sníh a skřípe štěrk. Blum se k nim připojil. Podíval se na Wallace, Wallace na něj. To stačilo, víc o Blumovi vědět nepotřeboval.

„Jak se vede?" zeptal se Blum.

„Ale dobře," odpověděl Wallace.

Díval se na Bluma, který přešlapoval ve sněhu jako figura na divadle, ruce zabořené hluboko do kapes. Tendell si byl jistý, že v jedné z nich svírá kolt.

„Máte něco s nohama?" zeptal se Wallace.

„Je mi zima, to je všechno."

„Tak jste měl zůstat v autě."

„Máme tady nějakej problém?" obrátil se Blum na Tendella.

„Ježiš," ucedil Tendell. „Žádnej problém tady nemáme, že ne, Earle?"

Wallace chvilku vypadal, jako že nesouhlasí, ale pak u něj zvítězil zdravý rozum. Povolil pojistky obou hlavní a uložil si brokovnici do náruče jako miminko.

„Obvyklá taxa," prohlásil. „Jedna bedna."

Tendell slyšel, jak se Blum nadechuje s úmyslem něco říct, jenže to už ho měl opravdu po krk. Otočil se a pozvedl varovně ukazovák. Blumovi se to nelíbilo, ale zůstal zticha.

„Jedna bedna," přisvědčil Tendell.

„Budete si muset uhnout s traktorem," pokračoval Wallace. „Jinak je stodola prázdná. Na plotně dusím maso a chleba na přikusování je taky dost. Jo, a postavil jsem na kafe."

„Jsi úžasně pohostinnej, Earle."

Wallace loupl pohledem po Blumovi.

„Taky jsem sakra křesťan," odtušil a zmizel v chalupě.

Tendell pověřil Ribera dozorem nad garážováním cadillaků a nadto mu řekl, ať vezme dovnitř jednu bednu jako odměnu pro Wallace. Nechtěl Bluma nechávat s Wallacem o samotě. Kdoví, co mu mohl Blum začít vykládat? Wallace byl jednak hrdý, jednak celkem svárlivý, a dokonce ani bedna kořalky jim nemohla zaručit nocleh až do rána – stačilo, aby Wallace něco popudilo.

Wallaceův dům tvořily dvě místnosti: kuchyň a obývací pokoj, kde na jedné straně hořel oheň v krbu a na druhé byl spací kout. I přestože v krbu plápolaly plameny, panovala tam zima jako v morně. Pašeráci se měli k spánku složit na zem, mohli však doufat, že jim Wallace půjčí polštáře, možná i deku nebo přikrývku. Přesto měl Riber pravdu: čekala je studená noc, o tom nebylo sporu.

Blum se rozhlížel po strohém okolí: hrubě otesaný dubový stůl, čtveřice židlí, z nichž tři nenesly takřka žádné známky používání, před krbem dvě velkoryse čalouněná křesla. Podlaha byla kamenná, z větší části pokrytá zvířecími kůžemi. Stěny nezdobil ani jeden obrázek a jediná kniha na jediné polici byla Bible plus pár katalogů obchodního domu Sears Roebuck. Blum se k tomu nijak nevyjadřoval. Místo toho se zdvořile zeptal, jestli se smí posadit. Wallace přitakal a Blum si vysunul jednu židli od stolu a postavil ji ke krbu. Zahříval si ruce a nějakou dobu nepromluvil.

Po chvilce se vrátili zbylí tři muži, kteří mezitím zaparkovali auta ve stodole. Riber nesl bednu kořalky pro Wallace. Wallace ji postavil na stůl, otevřel a zkontroloval zátky, jestli nejsou porušené. Pak ji odnesl ven a uložil do jedné z hospodářských budov.

Conlon ještě přinesl v kapse láhev. Tázavě ji pozvedl směrem k Tendellovi.

„Můžeš mi to strhnout z podílu," prohlásil.

„Ne, jde to na mě," na to Tendell.

Našli pohárky. Tendell přijal jen hlt. Blum odmítl úplně, aniž při tom odvrátil pohled od ohně. Zvenku se vrátil Wallace, ale k pití se nepřipojil. Tendell marně vzpomínal, jestli kdy viděl starého pána líznutého. Ostatní čtyři si přiťukli a napili se. Tendell pomohl Wallaceovi najít misky a lžíce na guláš.

„Má ten poskok Krále Šalamouna nějaký jméno?" zeptal se Wallace tiše mého dědy.

„Blum," odpověděl Tendell.

„Motke Blum?"

„Jo. Přesně tak. Ty jsi o něm slyšel?"

„O tom slyšel kdekdo. Nic dobrýho."

Tendell se nepřel. Wallace si šel ven odskočit, jako by v něm sdělení, že má pod střechou Motkeho Bluma, vyvolalo potřebu něco pomočit.

Wallace postavil na stůl kastrol s gulášem. Vlastně to byla spíš zelenina a brambory, sem tam našedlý kousek masa. Chleba byl čerstvě upečený, dokonce ještě teplý.

„Co je to za maso?" zajímal se Blum.

„Převážně veverky," odpověděl Wallace. „Je v tom i trocha hovězího, ale ne zas tak moc, abyste si toho všimnul. Tak či tak, neručím za to, že je to košer."

Mluvil zcela vážně. Dostal zaplaceno a neměl důvod chovat se nezdvořile, ať už si o Šalamounově muži myslel cokoli.

Blum pokrčil rameny. Guláš byl horký a jemu byla zima. Jedli u krbu, Wallace s Tendellem usazení v křeslech. Bavili se o všem možném, převážně přetřásali místní drby: historky o toulavých manželích a hašteřivých manželkách; kdo se narodil a kdo umřel; komu se vede dobře a na koho přišla bída. O Wallaceově nezákonném podnikání nepadlo ani slovo, on se však zmínil, že v kraji se před týdnem objevili agenti Prohibičního úřadu, ale nic nenašli.

„Dostali echo?" zajímal se Tendell.

„Stříleli naslepo," na to Wallace. „Slyšel jsem, že to maj rozkreslený. V Houltonu jim prej visí na zdi velikánská mapa rozdělená na čtverce; vždycky si jeden vyberou, prohledaj ho a odfajfkujou."

„Tak mapa, říkáš?" podivoval se Tendell.

„Jo, každej se na ni může jít podívat, teda kdyby se někdo obtěžoval…"

„Najdou se takoví."

„Hm, asi jo."

„A ti pak maj oči i uši na šťopkách."

„Byli by hloupí, kdyby ne."

Tendell se usmál. „To jo, a s tolika očima i ušima na šťopkách by byl div, kdyby agenti Prohibičního při těch svejch zátazích něco našli."

„To teda jo," souhlasil Wallace.

Půl flašky zmizelo. Riber měl bradu na vestě a chrápal. Conlon s Marksem k tomu neměli moc daleko. Blum popíjel kafe z plechového hrnku, v očích odraz ohně. Sníh pořád padal.

„Co si myslíš o tom sněžení?" zeptal se Tendell.

Wallace zvedl oči ke stropu, jako by se skrz střechu chtěl podívat na nebe.

„V noci ještě něco nasněží, ale ráno už ne," odvětil. „Až se rozední, měli byste to s přehledem zvládnout. Já vám prohrnu cestu, a když bude třeba, odtáhnu vás. Na hlavní silnici už si poradíte."

„Jsme ti vděčný."

Wallace vstal. „Půjdu na kutě. Je tady slanina pro ty, kdo si na ni po ránu potrpěj, ostatní budou mít ovesnou kaši. Přikládejte na oheň, ať nevyhasne."

Podíval se na Bluma.

„Ještě jedna věc," řekl. „Od vás budu chtít jednu láhev návdavkem."

Blum zvedl oči od ohně. „Dostal jste, na čem jste se dohodli," ohradil se.

„Ta není pro mě. Necháte ji venku u plotu."

Blum se zamračil. „Co mi to tu vykládáte?"

„Dneska je úplněk, i když to není vidět," prohlásil Wallace, „a tamto v lese ožívá. Flaška whisky nás před tím ochrání."

„Postarám se to," přislíbil Tendell.

„Hovno se postaráte," ucedil Blum. „Co je to za nesmysly?"

„Pověra," odtušil Tendell. „Stará lidová moudrost. Na tom přece nezáleží. Postarám se o to. Nemusíte si dělat starost."

Blum ukázal ve směru, kde stála stodola.

„Ta whisky je Krále Šalamouna," cedil skrz zuby. „Dan Carrol ji pro něj možná pašuje, ale peníze za ni dal Král. Mlčel jsem, když jste tomu člověku tady dal celou bednu, protože šla nakonec z vašeho podílu, a stejně tak jsem neřek slovo, když si vaši chlapi jednu flašku otevřeli... ale nehodlám mlčky přihlížet, jak mizí další v lese jenom kvůli nějaký báchorce."

„Jak už jsem řekl," pokračoval Tendell. „Postarám se o to. Jde to na mě."

„Ne," odmítl Wallace a do hlasu se mu vkrádala bojovnost. Kývl bradou na Bluma. „Musí to udělat on. Jestli je to whisky Krále Šalamouna a on je Šalamounův člověk, strhne se to z Králova podílu a on tam tu flašku nechá."

„No tak, Earle..." přemlouval ho Tendell.

„Ne! Jestli to nevyřídí on, tak všichni vypadnete z mýho domu i z mýho pozemku. Jestli od něj neuvidím tu flašku, ty auta tady nemůžou zůstat."

„To je do prdele nějakej vtip," vrčel Blum.

„Žádnej vtip," trval na svém Wallace. „Rozhodnutí je na vás. Obětujte lesu, nebo běžte."

Blum zakroutil nevěřícně hlavou. Zvedl se z křesla a začal si rozepínat kabát. Najednou mu pravá ruka vystřelila a zasadila Wallaceovi pořádnou ránu do břicha. Než mohl kdokoli cokoli udělat, přišil Blum další pumelici starému muži ze strany do hlavy, čímž ho srazil k zemi, načež do něj začal kopat. Jako první se k Blumovi dostal Tendell. Prudce ho odstrčil. Blum zakopl o křeslo, ale zůstal stát na nohou. Už se sápal po Tendellovi, ale Riber – kterého potyčka vzbudila – mu zastoupil cestu.

Tendell prohlédl Wallace. Z pusy mu tekla krev, ale byl při vědomí.

„Jsi okej, Earle?"

Wallace něco zamumlal, ale Tendell mu nerozuměl. Zvedl oči k Blumovi, že mu to pěkně od plic řekne, ale všiml si pistole v jeho ruce. Jindy fádní očka mu planula zuřivostí. Riber nebyl ozbrojený, takže zvedl ruce. Současně se ale ohlédl přes rameno na Tendella, v očích tázavý pohled.

„Víte, kdo jsem?" spustil Blum. „Jsem Mordecai Blum. Šalamounův muž. Když mluvím, mluví on. Když na mě vztáhnete ruku, vztahujete ji na Krále Šalamouna. Rozumíte?"

„Co, do prdele?" vyhrkl Conlon.

Tendell viděl, jak se natahuje po kabátu, pod kterým měl položenou zbraň. Zakroutil hlavou a Conlon toho nechal.

„Všichni držte huby," pokračoval Blum. „Držte ty svoje podělaný klapačky."

„To všechno kvůli jedný flašce?" divil se Marks.

„Ne," opáčil Blum. „Jde o princip. Ta kořalka je Krále Šalamouna. Zůstane ve stodole a nebude se na ni sahat, dokud se nedoveze do Bostonu. Už žádná další láhev!"

Wallace zase něco zamumlal. Oči mu chvějivě zamrkaly.

„Pomoz mi dostat ho do křesla," křikl Tendell na Markse. „Musíme na něj dávat dobrej pozor a udržovat ho v teple. Může mít otřes mozku nebo tak něco. A vy" – znovu stočil pohled na Bluma – „dejte pryč tu zbraň. Už jsem vám to říkal: tady jí není zapotřebí. Ježiš, vždyť je to starej člověk."

Marks pomohl Tendellovi posadit Wallace do křesla. Přehodili přes něj přikrývku a Conlon našel čistý ručník, navlhčil ho a otřel jím starému muži krev. Wallace měl natržený horní ret a zubem si rozrazil dáseň. Blum svěsil zbraň, ale dál ji držel v ruce.

„Co se stalo, stalo se," promluvil Tendell, jakkoli ho mrzelo, že něco takového říká. „Vy tři si jděte lehnout. A vám, Blume, naposled říkám, abyste uklidil tu pitomou bouchačku. Vidíte, že by se tady snad někdo jinej oháněl pistolema?"

Blum se zklidnil a vztek ho pustil. Zastrčil pistoli zpátky do podpažního pouzdra a posadil se do křesla vedle Wallace.

„Nechtěl jsem ho tak zřídit," prohlásil. „Ale je to Králova kořalka."

„Příště, až to na vás zase přijde, se zhluboka nadechněte a jděte ven na vzduch."

Blum si hřbetem pravé ruky otřel pusu. Zůstala mu tam šmouha od Wallaceovy krve.

„Co to vykládal o tom lese?"

„Nic."

„Povězte mi to."

„To je taková pověst, co se traduje mezi chlapama, co načerno pálej nebo pančujou kořalku," spustil Tendell. „Za úplňku se nechává láhev pro Kostobřita."

„Pro Kostobřita? Co to je, Kostobřit?"

„Záleží na tom?"

„Jsem zvědavý."

„Teď jste zvědavý... Seru na vás. Jděte si lehnout."

Tendell zamířil k Wallaceově spacímu koutu a posbíral pár polštářků, podhlavníků a náhradních dek. Rozdal je chlapům a jeden polštář si nechal pro sebe. S ním pod hlavou se natáhl na medvědí kůži a přikryl se kabátem. Viděl, jak si Blum nalévá další hrnek kafe. Zavřel oči.

Tendell nebyl pověrčivý – vlastně nebyl ani zvlášť zanícený věřící –, ale chápal, že je nezbytné brát ohled na přesvědčení druhých, zvlášť když jde o někoho, kdo mu prokazuje laskavost. A klidně tomu obětovat nějakou tu whisky. Věděl, že lidi, co pracujou a žijou v North Woods, mají svou vlastní mytologii. Nikdy neubližují sojkám šedým, protože věří, že se do těch ptáků vtělují duše zemřelých lesáků. Bílou sovu považují za znamení smůly, a víra v to je tak silná, že se někteří z nich vyhýbají místům, kde se bílé sovy vyskytují. Tendell potkal i muže, co tvrdili, že viděli wendiga, což je pradávný indiánský démon. Zkazky o něm však často hovořily o kanibalismu; lidé je sice vypravěčům nevyvraceli, ale ani jim příliš nevěřili.

Ani Kostobřit nepředstavoval pro Tendella novinku. Znal totiž chlapy, kteří mu vyprávěli, jak jejich otcové a dědové po léta Kostobřitovi obětovali – nechávali mu za měsíčku demižon s kořalkou, aby jim neponičil destilační přístroje. V minulém století se v oblasti objevilo pár případů skalpování a rituálního zohavení, které se připsaly a vrub domorodým kmenům, ale později – tajně – právě Kostobřitovi. Nikdo stvoření neviděl, takže to nikdo nemohl potvrdit ani vyvrátit, ale Tendell znal v Maine pašeráky – a nebyli to žádní hlupáci –, co prý nechali demižon pro Kostobřita a ráno ho našli prázdný, popřípadě ho nenašli vůbec. Taky vídali podivné stopy: téměř jako od kostlivce, nepřirozeně úzké a šestiprsté, a někteří dokonce říkali, že měly na patě ostruhu nebo bodec.

Tendell otevřel oči. Blum pořád seděl u ohně a usrkával kafe. Vedle něj sípavě odfukoval spící Wallace. Bylo jasné, že to přežije, ale oni už pod jeho střechou nebudou nikdy vítaní – jedno, kolik mu nabídnou kořalky. Blum jim to u něj navždycky rozlil a připravil je o útočiště.

Tendell zase zavřel oči a pokusil se usnout.

Probudilo ho hekání u krbu. Uviděl Bluma, jak stojí a drží se za břicho. Tendell měl co dělat, aby se nesmál. Jestli nebyl Blum zvyklý jíst veverky, mohly mu pěkně zacvičit se zažíváním. Slyšel, jak Blum hlasitě prdí a nadává. Všichni ostatní spali jako dřeva.

Tendell se zvedl a opřel se o loket.

„Radši běžte ven, než nás tady otrávíte plynama," ucedil.

„To ten podělanej guláš," lamentoval Blum, „dělá mi díry do břicha."

„Prostě nejste zvyklej na výživnou stravu," na to Tendell. Podíval se z okna. „Jistej si nejsem, ale mám pocit, že přestalo sněžit. To je fajn."

Blum si prve zul boty. Nasoukal se tedy do nich, zachumlal se do kabátu a vypotácel se ze dveří.

„Vidíte někde můj klobouk?" zeptal se.

„Ne," odpověděl Tendell, „nemám o vašem klobouku ani šajna."

„Je zima."

„Radši sebou hoďte, než se poserete."

Blum se naposledy ohlédl a zapátral po klobouku, načež to vzdal a vyšel ven bez něj.

„Když už jste tam, nechcete si to rozmyslet s tou flaškou?" volal za ním Tendell, ale Blum neodpověděl. Vykročil do zimy a zavřel za sebou dveře. Jeden z řidičů se ve spaní zavrtěl, ale očividně se neprobudil.

„Tendelle."

Hlas patřil Wallaceovi.

„Jsi okej, Earle?" zeptal se Tendell.

Vstal a došel ke krbu, aby starého muže zkontroloval. Oheň skomíral. Přiložil tedy poleno. Položil ho tak, aby hořelo, ne jenom doutnalo.

„Zamkni dveře," řekl starý muž.

Tendell měl pocit, že snad špatně slyšel.

„Co jsi říkal?“

„Zamkni dveře. Teď hned. Běž a udělej to. Není moc času.“

„O čem to mluvíš? Venku je Blum.“

„A není tam sám. Poslouchej! Slyšíš?“

Tendell se zaposlouchal, ale neslyšel nic.

„Je tam ticho,“ řekl.

„Ne, není.“

A pak se to ozvalo: tichounké našlapování na sněhu, křupání mezi vločkami a ještě něco – klapotání, jako když kost naráží na kost.

Tendell nechal Wallace v křesle a přistoupil k oknu. Obloha se projasnila a les se ve svitu měsíce zelenal. Tendell dohlédl ke stododle, kde parkovaly cadillaky. Vedle stála kadibudka, kde právě kraloval Blum, přičemž jediné stopy ve sněhu byly ty jeho a vedly právě tam.

„Nic nev–“ nedořekl Tendell.

Uviděl to. Mohl ten pohyb připsat větru, kdyby ovšem nějaký foukal – komíhajícím se větvím vrhajícím stíny, jenže se v bezvětří ani nehnuly. Mžoural do tmy a nechápal, co vlastně vidí – tvor se držel na kraji lesa a mířil ke kadibudce. Asi nejvíc připomínal obří strašilku, možná kudlanku nábožnou. Měřil nejméně dva metry a měl barvu žluklého másla. Tělo mu nepokrývalo takřka žádné maso; kosti měl potažené kůží, Tendell mu je mohl všechny spočítat. Kolena měl tvor ohnutá dozadu, takže se při chůzi předkláněl. Paže měl zdvižené a prsty dlouhé a zakončené zahnutými drápy cvakajícími jeden o druhý. Z kolene, z paty, z lokte a ze zápěstí mu trčely ostny. Podobné mu vyrůstaly i z páteře a připomínaly výrůstky dinosaura, kterého Tendell kdysi viděl v muzeu. Hlavu měl vyklenutou jako ostří sekery, kterážto podobnost se ještě potvrdila, když se tvor ohlédl směrem k oknu – obličej měl úzký sotva jako Tendellova zaťatá pěst a ústa plná ostrých, jakoby rybích zubů. Oči postrádal, nebo je alespoň Tendell neviděl, zato nozdry měl pořádné a viditelně slizké, větřící do noci.

„Zamkni!“ zasípal Wallace.

„A co Blum?“

V tom okamžiku vyšel Blum z kadibudky a dopínal si kalhoty.

„Blume!“ Tendell bušil do okna. „Blume!“

Za sebou slyšel lomoz, jak i ostatní vstávali.

„Buď zticha,“ okřikl ho Wallace. „Musíš bejt zticha.“

Blum zvedl oči a zamžoural směrem k domu. Tu na něj padl stín a ruce mu klesly podél těla. Uviděl, co na něj jde. Kalhoty mu spadly ke kotníkům. Pokusil se utéct, ale ozvalo se jen zasvištění, jako když tne kosou, a najednou ležel Blum na sněhu, pravou nohu přeseknutou v koleni.

Řval jako zvíře.

Tendell se otočil a vyrazil ke dveřím, ale Riber mu vstoupil do cesty, stejně jako se prve postavil mezi Bluma a Wallace. Za ním se vztyčil Conlon a šel zajistit dveře.

„Musíme mu pomoct," řekl Tendell.

„Nemůžeme," odporoval Riber.

„Jestli půjdete ven, zemřete," přisadil si Wallace. „Stejně ale možná zemřeme všichni."

Tendell se pokusil Riberovi proklouznout, ale na urostlého Dána nestačil. Řidič ho odstrčil jako papírovou figurku.

„Ne," nedal se zlámat Riber.

Tendell znovu vyhlédl z okna. Blum se pokoušel odplazit po sněhu. Nechával za sebou krvavou stopu. Stvoření se tyčilo nad ním a Tendell přihlížel, jak se do Bluma pustilo předníma i zadníma nohama, jak mu trhá kabát na cáry a všude kolem cáká krev. A Blum celou tu dobu řval a řval, dokud ho stvoření nezvedlo levou rukou za vlasy a pravou jedním švihem neskalpovalo.

Tendell se odvrátil. Když se zase podíval ven, stvoření drželo Blumovo bezvládné tělo za levou nohu, hlavou dolů. Rozhoupalo je a hodilo do tmy lesa. Samo však zůstalo stát a zíralo na dům.

Tendell viděl, že Riber, Conlon i Marks jsou nyní již ozbrojení.

„Zbraně tady nic nezmůžou," ozval se Wallace. „Hlavně ustupte od oken. Pojďte sem k ohni."

Čtveřice mužů uposlechla, ale zbraň ani jeden z nich neodložil. V nejbližším okně se mihl stín a pak se to pokusilo otevřít dveře. Uslyšeli hlučné bušení do dřevěných stěn a škrabání na sklo vzdálenějšího okna. Nakonec zavládlo ticho, jenže pak se venku ozval rachot.

„Je ve stodole," odtušil Tendell.

Tříštilo se sklo, lámalo železo a dřevo na třísky. Pak se opět rozhostilo ticho. Uběhlo deset minut, pak patnáct, až nakonec Tendell sebral odvahu a přistoupil k oknu.

„Myslím, že je to pryč," prohlásil.

„Ne," mínil Wallace. „Pořád tam je a čeká."

„Na co?“ zeptal se Riber.

„Na to, až jeden z nás vyjde ven. Mám pocit,“ pokračoval Wallace, „že občas zapomíná, jak moc mu chutná lidská krev.“

Do rozbřesku se nikdo nevzdálil od ohně. Noc skončila a s ní odešel i Kostobřit.

Něco z Blumových ostatků našli v lese, ale poznat v nich části lidského těla by bylo takřka nemožné pro každého, kdo neviděl, jakým způsobem zemřel. To, co z něj zbylo, zakopali v lese.

„Co řekneme Králi Šalamounovi?“ zajímal se Conlon.

„Nic,“ odpověděl Tendell. „Moje instrukce zněly, vyklopit Bluma v Portlandu. A to jsem taky udělal, ať si každej říká, co chce.“

„Král tomu neuvěří.“

„To je, dejme tomu, Danův problém.“

Jeden z cadillaků to schytal tak, že už nešel opravit, ale většinu beden s kořalkou, co v něm byly, se podařilo zachránit. Rozhodili je do ostatních aut a pak Tendell s pomocí Wallaceova pluhu a přívěsného hrabla protáhl cestu k silnici. Wallace byl moc slabý, než aby jim pomáhal. Nechali mu ještě další dvě bedýnky za těžkosti, co mu nechtěně způsobili, ale ani jim nepoděkoval. Tendell už s ním nikdy nemluvil.

A teprve tehdy uviděl klobouk Motkeho Bluma. Ležel ve sněhu vedle sloupku plotu – a u něj prázdná láhev. Kolem byla spousta úzkých, šestiprstých stop.

Tendell se o tom ostatním nezmínil.

Právě zmizení Motkeho Bluma vyvolalo třenice mezi Danem Carrollem a Králem Šalamounem. Dokonce hrozilo, že to přeroste v násilí, ale koncem roku Krále oddělali dva ostrostřelci jménem Burke a Coyne – na pánských záchodcích bostonského Cotton Clubu. Dan Carroll vyvázl se štěstím, ostatně jako vždycky. Zemřel až v roce 1946 ve věku třiašedesáti let.

Krátce před tím, než Dan zemřel, mu děda vyprávěl, jak to ve skutečnosti bylo se smrtí Motkeho Bluma. Carroll byl už tehdy jako věchýtek, ale v hlavě to měl pořád v pořádku.

„Měls mi říct pravdu,“ pověděl tehdy dědovi.

„A věřil bys mi?“ zeptal se děda.

„Vždycky jsem ti věřil,“ odpověděl Carroll, „až na jedinou výjimku, a tou bylo, když mi tvrdil, žes nechal Bluma v Portlandu. Přesto bylo furt lepší to přijmout a nějak se s tím sžít, než do toho šťourat a zbytečně přilákat pozornost Krále Šalamouna. A víš, že by ti možná i Král věřil, kdybys mu to tehdá řek."

„Proč myslíš?"

„Protože den před tím, než Král zemřel, nechal někdo u jeho dveří flašku. V tý flašce byl lidskej skalp naloženej v kanadský kořalce. Furt mi to nešlo do hlavy. Myslíš, že to poslal Wallace?"

„Možná."

„Víš, že Blum zabil jeho bratrance?"

„Ne, o tom jsem neslyšel."

„Žil v Novým Hampshiru. Pálil načerno kořalku a stouplo mu to do hlavy. Bluma poslali, aby zlikvidoval jeho palírnu a aby ho zajal. Neměl ho zabít, ale nechal se unýst."

Carroll se v posteli překulil a jako starý pes nastavil tělo slunci, co pronikalo dovnitř oknem.

„Myslíš, že Wallace věděl, že se Blum chystá na sever?"

„Věřím, že jo."

„A ta vánice?"

„Štěstí, nebo taky něco víc," odtušil Carroll. „Tenkrát začalo sněžit fakt nečekaně. Co si pamatuju, tak to každýho zaskočilo."

„Wallace nebyl žádnej šaman."

„Že ne? Možná ale nemusel bejt. Napadlo tě někdy, co dělal se vší tou kořalkou, co jste mu dali? Určitě ji nevypil. Wallace byl celej život abstinent."

„Ale měl palírnu."

„Jestli jo, tak svoji kořalku neprodával." Carroll upřel na dědu pohled. „Myslel jsem, že ty lidi znáš skrz na skrz. Možná jsem se plet."

„Ksakru," zaklel děda.

„Jo, ksakru," zopakoval Carroll. „Všichni – a všechno – musí dostat zaplaceno. To věděl dokonce i Král Šalamoun."

Carrollovi se začaly klížit oči. Usínal spánkem spravedlivých. To bylo naposled, co s ním děda mluvil.

„Byls tam někdy po tom, Tendelle?" zeptal se Carroll. Ani se u toho na dědu nepodíval.

„Od tý doby už ne."

„Řek bych, že to od tebe bylo nanejvýš moudrý," na to Carroll. „Myslíš, že to je pořád tam v těch lesích?"

„Hádám, že jo."

„A co myslíš, že to dělá?"

V tu chvíli si děda vybavil, co jim řekl Wallace poté, co Kostobřit skalpoval Motkeho Bluma.

„Čeká," odpověděl. „Prostě čeká."

O *Pitvě neznámého muže* (1637) od Franse Miera

I

Obraz nazvaný *Pitva neznámého muže* představuje jedno z nejpodivnějších děl nepříliš známého holandského malíře Franse Miera. Jde o neobvyklou malbu, byť námět je na svou dobu – dalo by se říci – typický: chirurg či anatom provádí pitvu člověka, na jehož nahé tělo dopadá světlo ze závěsné lampy; pitvaný má obnaženou lebku a odkryté útroby, nad nimiž se se skalpelem v ruce sklání učenec, připravený proniknout ještě hlouběji do organismu a ještě více poodhalit jeho spletité mechanismy, tělesnou podstatu nekonečně rozmanitého vesmíru.

Před nedávnem jsem zavítal do Anglie a stal se tam svědkem oběšení jisté Elizabeth Evansové – nazývané Canterburská Bess –, nechvalně proslulé vražedkyně a kapsářky, kterou odsoudili spolu s jejím společníkem Thomasem Shearwoodem. I Country Tom, jak se mu říkalo, skončil na šibenici. Zůstal však viset na náměstí Gray's Inn, zatímco ona putovala na pitevní stůl. Pro chirurgy je totiž ženské tělo zajímavější, a pokud jde o pitvy, špatně se shání. Proto Canterburská Bess putovala po smrti do Barber-Surgeon's Hall. Když ji vedli k šibenici, naříkala a kvílela, dovolávala se křesťanského pohřbu, neboť Barber-Surgeon's Hall v ní vyvolával větší hrůzu než sama oprátka. Nakonec ji kat umlčel roubíkem, aby zbytečně nepobuřovala, a ukončil její žití.

Svým strachem ale přesto nakazila některé čumily, pročež v davu pod šibenicí zavládl rozruch. Chirurgové sice přišli oděni v šat prostého lidu, dav je však přesto odhalil a začal vykřikovat, že ta žena přece trpěla už dost a že by se na ní neměly páchat další hanebnosti. Obávám se, že jim ani tak nešlo o pokoj její duše, jako spíš o to, aby nepřišli o nechutnou podívanou – její mrtvola by za běžných okolností byla vystavená u nádraží St. Pancras v King's Cross, kde by se pomalu proměnila v kostru. Chirurgové si přesto prosadili svou, takže když se oprátka zatáhla, ženu odřízli, vysvlékli, nahou položili do truhly a naložili na povoz. Takto ji přivezli do Barber-Surgeon's Hall na místě bývalé Cripplegate. Já směl spolu s několika dalšími zvídavci za penny vstupného sledovat chirurgy při práci. Bylo to pro mne velmi poučné.

Ale to odbočuji. Zmiňuji to zde proto, abych zdůraznil, že Mierův obraz nelze pochopit vytržený ze souvislostí. Jde o dobový záznam a je třeba jej nahlížet v kontextu děl Valverdeho a Estiennea, Spigelia a Berrettiniho a také Berengaria a dalších znamenitých ilustrátorů zachycujících tajuplné vnitřní uspořádání našich pomíjivých schránek.

Stačí se však podívat opravdu důkladně a hned je jasné, že námětem Mierova obrazu není to, co se na první pohled zdá. Neznámý muž má obličej zkřivený předsmrtnou křečí, ale nenese známky škrcení – krk má zcela bez šrámu. Jestli ho přivezli z popraviště, jak potom zemřel? Osvětlení pitevního stolu je chabé, přesto je jasné, že je přivázaný za ruce lanem. Jistě, na obraze je mu vidět pouze pravá ruka, ale těžko by ho někdo přivázal jen za jednu, a ne za druhou. Na zápěstích má modřiny, jak se snažil z pout vyvléci, a ze stolu stékají na zem potoky krve. Mrtví přitom takhle nekrvácejí.

A jestli je pitvající skutečně chirurg, tak proč nemá plášť učence? Proč provádí úkon sám v jakési temné kobce, a ne na sále či v posluchárně? Kde jsou jeho kolegové? Proč kolem nestojí další učenci, pomocníci, zvídaví přihlížející, co zaplatili penny vstupného? Kdepak, tohle vypadá na práci v utajení.

A hle: vzadu v koutě za anatomem se nad pitvaným mužem sklání tvář. A není-li to tvář a horní polovina těla ženy? Levou rukou si zakrývá ústa a oči má vytřeštěné hrůzou a žalem. I zde je vidět provaz. Je rovněž spoutaná, byť ne tak pevně jako anatomova oběť. No ovšem, *oběť*! To je to pravé slovo. Neboť z výjevu lze vyvodit jediný závěr, a sice že muž na pitevním stole trpí. Není to mrtvý přivezený z popraviště a není to žádná pitva.

Je to něco mnohem horšího.

II

V podobných případech se jen velmi těžko stanovuje, co umělec vlastně sděluje. Vypadá to na rekonstrukci či zpodobnění nějakého zločinu, leč to je pouze domněnka. Vrah za sebou nechává stopy, vodítka, a úkolem bystrého a všímavého pozorovatele zůstává, aby na základě těchto důkazů odhalil pachatele. Použití jednoho zdroje světla, směřujícího zprava doleva, je pro Miera typické. Totéž platí i pro protáhlé obličeje, které připomínají spíše přízraky nežli skutečné lidské tváře, jako by jejich cesta na onen svět již začala. To ruce jsou naproti tomu neohrabané, ovšem vyjma rukou anatomových. Možná že je maloval někdo jiný, neboť Mier nebyl ve své době jediný malíř, který nechával obrazy dodělávat své žáky. Nabízí se však také, že Mier chtěl k rukám anatoma přilákat naši pozornost. Je zde jistý půvab a jemnost, s nimiž vědec pracuje, a Mier se nejspíš domnívá, že skalpel spočívá v obratných, zkušených rukách.

Mier vnímá muže jako umělce.

III

Přiznávám, že jsem zmiňovaný obraz nikdy neviděl. Pouze si jej dovedu v duchu představit, jelikož mám v tom oboru jisté znalosti. Proč bychom si však nad ním měli lámat hlavu? Proto snad, že představa předchází zrodu skutečné věci? Člověk musí věc nejprve uvidět vnitřním zrakem a teprvé poté ji může uvést ve skutečnost. Všechna významná umělecká díla se opírají o vizi, a ta vize měla možná blíž k Bohu nežli to, co nakonec umělec stvořil štětcem. Výsledné ztvárnění bude vždy oslabeno lidskou nedokonalostí. Dokonalosti může dosáhnout pouze umělcova mysl.

IV

Je možné, že obraz nazvaný *Pitva neznámého muže* vůbec neexistuje.

V

Kdo je ona žena? Proč by ji někdo nutil přihlížet tomu, jak nějakého muže porcuje na kousky, proč by ji nutil poslouchat jeho křik, zatímco se mu skalpel pomalu zarývá do masa a pozvolna z něj ukrajuje? Chirurgové ani lékaři lidi takhle nemučí.

VI

Nuže tedy, nevidíme-li při práci chirurga, pak se patrně díváme – promiňte mi ten výraz – na vraha. Je starší než ostatní postavy na obraze, byť ne tak starý, jak může napovídat jeho prošedivělý plnovous. To žena je naproti tomu krásná; o tom nemůže být pochyb. Mier si nepotrpěl na zbytečný sentiment, takže by ji jistě nezachytil jinak, než jak vypadala. Také oběť se věkem blíží spíše ženě nežli muži se skalpelem. Vidíme to v jeho tváři i na mladistvém, nyní zohaveném těle.

A ovšem, je na něm cosi španělského.

VII

Připouštím, že je možné, že Frans Mier nikdy nežil.

VIII

A ze všech těchto poznatků, získaných pozorným prostudováním zmiňovaného díla, sestavme nyní vyprávění. Muž se skalpelem není chirurg, jakkoli bychom si přáli, aby jím byl. Zajímá se však náruživě o lidskou přirozenost a stavbu těla, a to jej vedlo k osvojení postupů oboru anatomie. A ona žena? Řekněme, že je to jeho manželka: krásná, ale nevěrná, přelétavá v projevech náklonnosti a znechucená stárnoucím tělem, s nímž sdílí lože, toužící po pevnějším objetí.

A muž ležící na pitevním stole je – nebo spíše byl – její milenec. Předpokládejme nyní na chvíli, že manžel odhalil ženinu nevěru. Možná že mladší muž je jeho učedník, kterému důvěřoval a kterého měl rád jako vlastního syna, jehož mu žena nedala. Když zjistí jeho zradu, naláká mladíka do sklepa, kde již čeká pitevní stůl. Vlastně ne, počkat: omámí ho přiotráveným vínem, ježto učedník je mladší a silnější než mistr, a proto si starší muž není jist svou převahou. Když učedník přijde k vědomí – probuzen kvílením ženy zamčené spolu s ním ve sklepě – nemůže se hýbat. Jeho křik se připojí k jejímu, jenže stěny jsou silné a sklep je hluboký. Nikdo je neslyší.

Ze tmy se vynoří postava, ve světle lampy se zablýskne čepel skalpelu a pochmurná práce započíná.

IX

Takže: toto je jedna verze pravdy, náš pokus o vysvětlení toho, co umělec obrazem sděluje. Já, Nicholas Deyman, jsem zabil svého učedníka Mantegnu. Rozpitval jsem ho ve svém sklepě, pomalu rozkrájel na kousky jako lékař starých časů, doufaje v nalezení dosud neznámého pátého *humoru*, černé a ohavné materie, jež způsobila jeho zradu. Svou ženu, svou milovanou Juditu jsem přinutil, ať se dívá, jak z něj zaživa stahuji kůži a poté odkrajuji svaly od kostí. Když její milenec zemřel, uškrtil jsem ji provazem, a při tom jsem plakal.

Přijímám verdikt spravedlnosti a soudu: že mé jméno by mělo být vymazáno ze všech záznamů a již nikdy by nemělo býti vysloveno; že bych měl odsud zmizet a být někde potají pověšen a odříznut, dokud ještě dýchám, a předán anatomům, kteří mě položí na oltář vědy a rozkrájejí na kousky, zatímco mé srdce bude tlouci a má pomalá smrt obohatí lidské poznání, a tím pádem jaksi vyváží mé zločiny.

Žádám jen jedno: aby byl přizván nějaký umělec obstojného talentu, který by to všechno zachytil a dal světu obraz jménem *Pitva neznámého muže*. Nakonec jsem jeho dílo už začal. Stvořil jsem představu. Svou představu jsem popsal. Dal jsem mu námět a důvod jej ztvárnit.

Neboť i já jsem svého druhu umělec.

Duch

Svět se stával stále podivnějším. Dokonce i v hotelu to působilo jinak, jako by v jeho nepřítomnosti přesunuli všechen nábytek: pult recepce stál dobře o půl metru víc vpředu než posledně, což vstupní halu opticky zmenšilo; světla svítila buď moc slabě, nebo moc jasně. Zase chyba. Předtím to bylo akorát. Všechno se změnilo.

Aby ne, když už s ním nebyla? Ještě nikdy sem nepřišel sám. Vždy mu stála po boku, po levém, a tiše se dívala, jak je zapisuje do knihy hostí. Když psal „pan & paní" – jako tehdy poprvé při jejich líbánkách –, prsty mu stiskla paži. To nepatrné, neskonale důvěrné gesto zopakovala i po roce, když přijeli oslavit výročí. Beze slova mu tím sdělovala, že jejich spojení, sloučení dvou protikladů pod společným jménem nebere jako samozřejmost, nikdy nebude. Patřila mu a on jí, a nikdy toho nelitovala a nikdy se toho nenabažila.

Jenže teď už nebyla žádná „paní", pouze „pan". Zvedl oči k mladé recepční. V životě ji neviděl a předpokládal, že je nová. Poslední dobou pořád přijímali někoho nového, přitom dřív je pokaždé přivítalo dost známých tváří na to, aby se cítili jako doma. Dali mu elektronický klíč a protáhli čtečkou kreditní kartu. Přelétl pohledem všechny přítomné, ale nikoho z nich nepoznával. Dokonce ani vrátný nebyl ten samý. Zdálo se, že po její smrti je všechno jinak. Když zemřela, změnil se sklon zemské osy, a to pohnulo nábytkem, osvětlením, dokonce i lidmi. Lidé odešli spolu s ní a všechno se tiše nahradilo.

On ji však nenahradil, to nemínil udělat nikdy.

Sehnul se pro tašku a tělem mu opět projela bolest, tak prudká, že zalapal po dechu a musel se na chvilku opřít o pult. Mladá recepční se ho zeptala, jestli je v pořádku, a on zalhal, že to nic není. Přišel hotelový poslíček a nabídl, že mu odnese tašku do pokoje, což v něm zanechalo nejasný pocit studu, že už nezvládne ani takhle jednoduchý úkon: donést koženou tašku od recepce k výtahu a od výtahu do pokoje. Věděl, že se nikdo nedívá, že je každému ukradený, že to má poslíček v náplni práce, ale o to nešlo; šlo o to, že nedostal na vybranou. To ho trápilo. Tu tašku si nemohl odnést sám, ne teď, ani kdyby chtěl. Tělo ho bolelo a každý jeho pohyb svědčil o slabosti. Někdy si představoval své útroby jako medové plástve s prázdnými buňkami, které vyhnily, jako křehkou konstrukci, která se při prvním náporu zřítí. Konec jeho života se blížil a jeho tělo procházelo poslední fází úpadku.

Cestou výtahem nahoru si prohlížel elektronický klíč, který vypadal jako další kreditka. Všiml si čísla pokoje. Byl to týž pokoj, jejž měl už tolikrát, jenže pokaždé s ní, a to mu znovu připomnělo, jak osamělý bez ní je. Přesto nechtěl první výročí po její smrti strávit v domě, kde spolu žili. Chtěl to prožít stejně, jako když byli spolu, a tak nějak tím uctít její památku. Proto zvedl telefon, zavolal na recepci a zamluvil si apartmá, které tak dobře znal.

Po krátkém zápolení s eletronickým zámkem – co bylo špatného na starých železných klíčích? prolétlo mu hlavou, a proč je musely nahradit tyhle kusy umělé hmoty? – vstoupil do pokoje. Bylo tam uklizeno a všechno pěkně srovnané, anonymní, a přitom ne cizí. Měl vždycky rád hotelové pokoje, líbilo se mu, jak snadno jim může člověk vtisknout svou osobnost – jednoduše tím, že položí knížku na noční stolek nebo nechá boty u paty postele.

V rohu vedle okna stálo křeslo na čtení. Posadil se do něj a zavřel oči. Lákala ho postel, ale bál se, že kdyby si lehl, možná by už nevstal. Cesta ho vyčerpala. Poprvé od její smrti letěl letadlem a úplně zapomněl, jak špatně to snáší. Kdysi dávno, blahé paměti, mu to žádné obtíže nedělalo, a z té doby v něm zůstal pocit, že létání je něco velkolepého a vzrušujícího. Před přistáním povečeřel z tácku. Všechno, co jedl, chutnalo po papíru a plastu. Žil ve světě nahraditelných věcí: kelímků, tácků, manželství, lidí.

Musel usnout, protože když otevřel oči, světlo v pokoji se změnilo a on měl v ústech nakyslou pachuť. Podíval se na hodinky a překvapilo ho, že uplynula hodina. Kromě toho uviděl v rohu zavazadlo, které mezitím přinesl poslíček. Nebylo jeho.

V duchu mladíka proklel. Co může být těžkého na tom donést správné zavazadlo do správného pokoje? Vždyť když se ubytovával, nebylo v hale nijak rušno. Vstal a přistoupil k rozčilujícímu předmětu. Šlo o červený kožený kufřík – nebyl otevřený a stál vedle skříně. Najednou ho napadlo, že si ho možná jen nevšiml, když přišel, protože byl unavený – že tam kufr stál už od začátku. Prohlédl jej. Byl zamčený a k držadlu měl přivázaný zelený šátek, aby byl snadno k poznání mezi ostatními podobnými zavazadly na letišti. Jmenovka nikde nevisela, ačkoli držadlo ještě lepilo od nálepky letecké společnosti. Podíval se do odpadkového koše, ale byl prázdný, takže neměl majitele kufru jak identifikovat. Přesto mu zavazadlo připadalo zvláštně povědomé...

K telefonu v koupelně to měl blíž než k tomu na nočním stolku. Rozhodl se zavolat z něj, ale ještě před tím se znovu zadíval na kufr. Projel jím záchvěv strachu. Byl ve velkém hotelu velkého amerického města, nebylo tedy možné, že kufr v jeho pokoji někdo nechal úmyslně? Hlavou mu prolétlo, zda se neocitl v ohnisku hromadného teroristického útoku. V duchu už se viděl roztrhaný na kousky, které se rozletí po celém apartmánu jako střepy porcelánové sošky upuštěné na podlahu: tu jeden kousek, tu oko, stále mrkající. Vybrali si ho, protože je paralyzovaný žalem; jeho osobnost měla trhliny.

Tikají bomby ještě dneska? Nedokázal říci. Předpokládal, že některé – nějaké starší typy – pravděpodobně ano. Možná i tady platila zásada, kterou se řídil on, když večer natahoval klasický ručičkový budík, aby mu ráno neuletělo letadlo (kdykoli měl někam letět nebo stihnout důležitou schůzku, měl panickou hrůzu z výpadku elektrického proudu). Ta zásada zněla: je radno spoléhat jen na staré osvědčené mechanismy s tikající časomírou a malou klíčovou dírkou vzadu.

Opatrně přistoupil ke kufru, sehnul se a pozorně se zaposlouchal. Dokonce i zadržel dech, aby nic nepřeslechl. Jenže nic neslyšel a okamžitě si připadal jako hlupák. Šlo o zatoulané zavazadlo, nic víc. Rozhodl se, že zavolá do recepce, ať si pro kufr přijdou.

Vešel do koupelny, nahmatal vypínač a zarazil se, ruku nataženou k telefonu. U umyvadla stála úhledná řada kosmetiky, včetně kartáče a hřebenu na vlasy a malé toaletní taštičky. Poznal zvlhčující krém a rtěnky. Ve sprchovém koutu stála lahvička šamponu Zelené jablko a vedle kondicionér s jojobovým olejem. V kartáči se zachytilo pár blond vlasů.

Dali mu pokoj, ve kterém už někdo bydlí, podle všeho žena. Pocítil vztek a rozpaky – jak kvůli ní, tak kvůli sobě. Co by asi udělala, kdyby se teď vrátila a našla v křesle u okna chrápat stárnoucího muže? Vyjekla by? Napadlo ho, že šok ze ženské, která na něj ječí v cizím pokoji, by patrně urychlil jeho umírání, a byl rád, že k něčemu takovému nedošlo.

Už si v duchu sumíroval vysvětlení, když tu zaslechl, jak se otevírají dveře. Do pokoje vstoupila žena. Měla na sobě červený klobouček a pršiplášť krémové barvy. Obojí odložila na postel spolu se dvěma nákupními taškami z butiku Chi Chi. Byla k němu otočená zády, blond vlasy ležérně sepnuté na temeni koženou sponou. Pod pláštěm měla citronově žlutý svetřík a bílou sukni, holé nohy a na nich sandály z přírodní kůže.

Pak se otočila a upřela na něj oči. Ani se nepohnul. Jeho rty vyslovily její jméno, ale ona ho neslyšela.

Ne, pomyslel si, to není možné. To nejde.

Byla to ona, a přesto nebyla.

Nehleděl do tváře ženy, která zemřela před necelým rokem, do tváře zbrázděné vráskami a trýzní nemoci, jež jí vzala život, tváře lemované řídnoucími šedými vlasy, do tváře ženy s takřka ptačím tělíčkem, jež měla v posledních měsících. Hleděl do tváře ženy, kterou bývala kdysi. Tohle byla jeho manželka, jak ji znal, ona před narozením jejich dětí. Tohle byla mladá žena, kterou miloval – tak třicetiletá, ne starší. Němě na ni zíral, zasažen její krásou. Vždycky ji miloval a vždycky ji považoval za krásnou, dokonce i na samém konci, nicméně fotografie ani vzpomínky nezachytí dívku, která ho poprvé okouzlila a ke které cítil to, co předtím k žádné ženě.

Vykročila směrem k němu. Znovu tiše vyslovil její jméno, ale nereagovala. Přešla do koupelny. Proklouzla kolem něho jako éterický přízrak a nechala ho stát za dveřmi. Slyšel, jak se uvnitř vysvléká. Žasl, ale přesto poodešel stranou, aby měla soukromí. Začal si pobrukovat jako vždy, když se ho zmocnil neklid a rozrušení. Za tu krátkou chvilku, co spal, se svět podle všeho znovu změnil. Teď už ale vůbec nechápal, jaké v něm zaujímá místo.

Slyšel spláchnout záchod a pak vyšla ze dveří a pobrukovala si stejnou melodii. Nevidí mě, pomyslel si. Nevidí mě, ale co když mě slyší? Jenže když vyslovil její jméno, nic se nestalo. Přesto tam byla a zpívala si písničku. Stejnou jako on. Patřila k jejich oblíbeným, takže se nebylo co divit, že si ji tiše prozpěvovala, když byla o samotě, spokojená. Nikdy ji neviděl samotnou, to dá rozum. Pravda, byly chvíle, kdy o něm nakrátko nevěděla, takže ji mohl sledovat – tanec každodenních drobných činností –, ale takové chvíle se vždy jako mávnutím kouzelného proutku rozplynuly, sotva si ho všimla, popřípadě si on usmyslel, že se z nějakého zásadního důvodu musí také zúčastnit. Jak důležité ale byly ty důvody? Když zemřela, řadě z nich – možná všem – by nepřikládal význam jen pro tu vzácnou chvíli strávenou s ní. Zpětně to tak viděl. Ale po bitvě je každý generál.

Na ničem z toho teď nezáleželo. Záleželo jedině na tom, že má před sebou svou ženu takovou jako kdysi, ženu, která tam být nemohla, a přesto byla. Zvažoval různé možnosti: možná že sní s otevřenýma očima nebo má halucinace způsobené únavou z cesty. Jenže když se mihla kolem něj, ucítil její vůni, navíc slyšel její tichý zpěv, slyšel, jak zlehka našlapuje po měkkém koberci, na němž nakrátko zanechává otisky chodidel. Chci se tě dotknout, říkal si v duchu. Chci cítit tvou kůži na své.

Odemkla kufr a začala z něj vybalovat oblečení, věšet halenky a šaty na ramínka do skříně a skládat spodní prádlo do levého šuplíku stejně jako doma. Stál tak blízko ní, že slyšel její dech. Znovu ji oslovil jménem, zlehka jí dýchl na krk a na okamžik se mu zazdálo, že v písničce uprostřed sloky zaváhala. Znovu zašeptal a ona přestala zpívat. S nejistým výrazem se ohlédla přes rameno. Podívala se přímo skrz něj.

Natáhl ruku a zlehka jí přejel prsty po tváři. Hřála. Byla živá a dýchala stejný vzduch jako on. Zachvěla se a na místo si sáhla, jako by ji tam zašimrala pavučinka.

Mysl mu zaplavil příval myšlenek.

První vlna: Už nikdy nepromluvím. Ani se jí nedotknu. Nechci znovu vidět ten výraz na jejím obličeji. Chci ji vidět tak, jak jsem ji zaživa takřka nevídal. Chci se projednou účastnit toho, co dělá, a současně to sledovat nezúčastněně. Nechci chápat, co se děje, a stejně tak nechci, aby to skončilo.

Druhá vlna: Jestli je skutečná, co jsem pak já? Stal jsem se nehmotným. Když jsem ji uviděl, považoval ji za přízrak, ale teď se mi zdá, že jsem to já, kdo je stále méně tím, kým býval. Přesto cítím, jak mi tluče srdce, slyším, jak polykám sliny, a cítím bolest.

A třetí myšlenka: Proč je tady sama?

Na oslavu výročí jezdili přece vždycky spolu. Bylo to jejich místo a pokaždé si rezervovali stejný pokoj, ve kterém spali tehdy poprvé. Nezáleželo na tom, že během let vyměnili tapety, ani na tom, že se apartmán podobal jako vejce vejci jiným hotelovým pokojům. Důležité bylo číslo na jeho dveřích a vzpomínky, které pohled na ně vyvolával. Bylo vzrušující vrátit se – jak to jen kdysi řekla? – „na místo činu“. Smála se při tom tím svým hrdelním smíchem, který když slyšel, měl chuť ji povalit na postel. Pokud byl pokoj výjimečně obsazený, zklamalo je to, ale radost jim to zkalilo jen nepatrně.

Viděl ji na jejich místě, ale bez sebe. Neměl tam také být? Neměl se teď dívat na své mladší já, na sebe uhýbajícího jí z cesty, odpočívajícího, zatímco ona se sprchuje, čtoucího, zatímco ona se obléká, a (co si budeme povídat) nervózně podupávajícího, zatímco ona si na odchodu upravuje vlasy či oblečení? Zatočila se mu hlava a vlastní identita se mu zhroutila jako zeď z cihel pod údery bouracího kladiva. Připustil i eventualitu, že si celý svůj život vysnil, že nebyl vůbec skutečný. Probudí se a zjistí, že je zase doma u rodičů, leží na úzké chlapecké válendě a za chvilku půjde do školy a po vyučování na basket a domácí úkoly bude zase dělat za tmy.

Ne. Je skutečná a já jsem také skutečný. Jsem starý a na prahu smrti, přesto se vzpomínek na ni nevzdám bez boje.

Sama. Přijela sama. Nebo je sama jenom dočasně. Má snad přijet ještě někdo další, možná milenec – nějaký jejich známý nebo někdo, koho jaktěživ neviděl? Byla mu nevěrná v tomhle pokoji, v *jejich* pokoji? Ta představa byla tak zničující, dokonce víc, než kdyby svou ženu nikdy nepotkal. Uzavřel se do sebe. Bolest mu drásala nitro. Chtěl ji chytit za ruce a domoci se vysvětlení. Ale teď ne, zarazil se, ne na samém konci, kdy čeká jen na to, až se s ní zase shledá; nebo – pakliže po smrti nic není – až se rozplyne v prázdnotě, kde neexistuje bolest. Její smrt ho pak přestane trápit, a on pouze splyne s onou větší nicotou.

Usedl ztěžka do křesla. Zazvonil telefon, jenže on nevěděl, jestli v jeho, nebo v jejím světě. Ty světy byly jako dvě vrstvy, jako dva filmové pásy navinuté na sebe, jen každý s jiným hercem v hlavní roli. Jeho žena vyklouzla z bot, skočila na postel a zvedla sluchátko.

„Haló? Ahoj. Jo, všechno dobrý. Dojela jsem dobře a dali nám náš pokoj." Chvilku poslouchala. „Ach ne, to je smůla. Kdy myslíš, že to poletí? No tak jo, tak aspoň že nezmeškáš celej víkend." Znovu zmlkla. Slyšel tlumený hlas ve sluchátku. Svůj hlas. „Hm, asi bude nejrozumnější ubytovat se v letištním motelu – co kdyby to náhodou letělo dřív. No jo, ale tak hezký jako tady to tam určitě nebude." Pak se zasmála tím svým hlubokým hrdelním smíchem a on přesně věděl, co v tu chvíli řekl do sluchátka. Ostatně řekl to on sám. Vybavil si to téměř doslova a spolu s tím každou minutu toho víkendu. Celé se mu to vrátilo a všechno mu to došlo. Ulevilo se mu, ale současně se zastyděl. Pochyboval o ní. Po tolika letech strávených bok po boku o ní smýšlel nehezky. Kéž by se jí mohl nějak omluvit, ale nešlo to.

„Promiň," zašeptal alespoň, a sotva to pustil ven, trochu se mu ulevilo.

Listoval pamětí. Letiště postihla sněhová kalamita a všechny lety se musely odložit. Měl toho ten den hodně, spoustu schůzek a jednání. Tohle byl poslední let, který mohl stihnout, a místo něj teď seděl a sledoval tabuli odletů, kde pořád blikalo „opožděn" a „opožděn" a nakonec „zrušen". Strávil nudný večer v letištním motelu, aby ráno chytil první letadlo – tedy za předpokladu, že se zlepší počasí. Zlepšilo se a další noc už strávili spolu, ale tu první ne. Poprvé byli v den výročí od sebe – ona v jejich hotelu, on v jiném, kde jedl pizzu z krabice a díval se na hokej v televizi. Vybavil si, že to nakonec nebyl tak strašný večer, že si to skoro užil, přesto by radši byl s ní. Za těch osmačtyřicet let, co byli spolu, strávil jen málo večerů jinde než po jejím boku.

Ta noc mu ještě něčím utkvěla, byť si nevzpomínal, čím přesně. Vrtalo mu to hlavou. Bylo to, jako když ho něco svědí a on se nemůže podrbat. Co to jenom bylo? Proklínal svou děravou paměť, ale to už se do popředí dral jiný pocit.

Uvědomil si, že závidí svému mladšímu já. Byl tehdy tak domýšlivý, tak přesvědčený o vlastní důležitosti. Někdy dokonce koukal po jiných ženských (i když vždycky zůstalo jen u koukání), a občas si dokonce vzpomněl na svou bývalou přítelkyni Karen, kterou si málem vzal. Odstěhovala se kvůli škole na Severovýchod a čekala, že on přijede za ní, ale neudělal to. Sice se tehdy odstěhoval, ale jinam, blíž domovu. Zkoušeli udržovat vztah na dálku, ale neklapalo to. V prvních letech manželství se občas přistihl, jak přemýšlí, jaké by to asi bylo mít za manželku Karen – jak by asi vypadaly jejich děti a jak by každou noc spali spolu v jedné posteli, jak by ji potmě budil polibkem a čekal, jak zareaguje – jestli ho obejme a jejich těla se pomalu propletou. Ty myšlenky ho postupem času opustily a on naplno prožíval přítomnost, vděčný za to, co mu život – a jeho žena – dali. Ten stejný mladý muž, bezstarostný a lehkomyslný, zítra přijede a povalí svou krásnou ženu na postel a vůbec mu nedojde, jaké má štěstí.

Zavěsila a zůstala sedět. Chvilku hladila kámen snubního prstýnku, načež jí prsty sklouzly na zlatý kroužek pod ním. Vstala a pak – zatímco on dál seděl v křesle a sledoval chumelenici venku – šla a zatáhla závěsy a rozsvítila lampičku na nočním stolku. Pokoj zalilo hřejivé světlo a ona se začala svlékat.

A tak se stalo, že s ní mohl strávit ještě jednu další noc – na dálku, a přesto zblízka. Když se koupala, seděl na podlaze koupelny s tváří přitisknutou ke stěně vany. Ona měla hlavu podloženou ručníkem a se zavřenýma očima poslouchala rádio, kde zrovna vysílali Hodinku se Stanem Getzem. Seděl vedle ní, když si v županu a s turbanem z ručníku na posteli lakovala nehty na nohou a smála se nějaké strašné televizní estrádě, na kterou by se v jeho přítomnosti nikdy nedívala – a on se přistihl, jak se směje spolu s ní. Zavolala pokojovou službu a nechala si přinést Cobbův salát a k tomu půl lahve chablis. Viděl otisky jejích prstů na orosené sklence. Když si četla, díval se jí přes rameno a četl spolu s ní. Byla to zrovna knížka, kterou dostala od něho; kterou právě dokončil a myslel si, že by se jí mohla líbit. Teď jak ji znovu četl, znovu objevoval, o čem vlastně je. Za ty roky to už zapomněl, takže pro ně oba byla vlastně nová.

Nakonec si sundala z hlavy ručník, protřepala si vlasy, svlékla župan a vklouzla do noční košile. Zalezla si pod peřinu, zhasla lampičku a spočinula hlavou na polštáři. Zůstali spolu sami. Její obličej ve tmě téměř světélkoval, bledý a chvějivý. Cítil, jak ho přemáhá spánek, ale bál se zavřít oči, protože v hloubi duše věděl, že až se probudí, ona už tam nebude – a on si tolik přál, aby tahle noc trvala věčně. Nesnesl pomyšlení, že je osud zase rozdělí.

Ale pořád měl toho brouka v hlavě – vědomí něčeho důležitého, nějakého důležitého momentu, který si ani za nic nedokázal vybavit. Věděl, že se to týkalo rozhovoru, který vedli, když se druhý den konečně dostal do hotelu. Vracelo se mu to; pomalu, ale o to jistěji sestavoval skládačku toho víkendu, zašantročeného kdesi na půdě jeho paměti. Pomilovali se, ano, a ona pak byla nezvykle potichu. Když se na ni podíval, viděl, že pláče.

„*Co je?*"

„*Nic.*"

„*Nic těžko. Vždyť pláčeš.*"

„*Budeš si myslet, že jsem pitomá.*"

„*Tak mi to pověz.*"

„*Zdálo se mi o tobě.*"

A pak to najednou bylo pryč. Zkusil se rozpomenout, o čem ten sen byl.

Nějak s tím vším souvisel. Všechno tu noc nějak se vším souviselo. Dech jeho ženy vedle něj se změnil, jak se vnořila hlouběji pod hladinu spánku. Zahryzl se soustředěně do rtu. O čem to jen bylo? Na co si teď nemůže vzpomenout?

Cítil, jak mu znecitlivěla levá ruka. Říkal si, že si ji asi přeležel. Zkusil se pohnout, jenže z necitlivosti se stala bolest. Rychle se mu šířila tělem jako prudký jed vstříknutý do žil. Otevřel ústa, vydechl a vyplivl slinu. Pocítil sevření na hrudi, jako by si mu cosi neviditelného a těžkého sedlo na prsa a zabraňovalo mu dýchat a stlačovalo srdce. Měl pocit, jako by mu je svírala cizí pěst a pomalu z něj ždímala krev.

„Zdálo se mi, že jsi vedle mě a něco ti je, a já se k tobě nemůžu dostat. Snažila jsem se ze všech sil, ale byl jsi hrozně daleko.“

Z dálky uslyšel její hlas a ta slova se mu vracela jako ozvěna. Držel ji a hladil ji po zádech, zasažený silou a něhou jejích slov. Přesto si v duchu říkal, že je pošetilá, když se kvůli snu rozpláče.

Ve spánku se pohnula a teď to byl on, kdo brečel. Bolest mu vháněla do očí slzy.

„Zdálo se mi, že umíráš, a já nemůžu udělat nic, abych tě zachránila.“

Umírám, prolétlo mu hlavou. Konečně to přišlo.

„Pššt,“ špitla jeho žena. Podíval se na ni. Oči měla sice zavřené, ale její rty se doopravdy pohnuly a tohle skutečně šeptala jemu: „Pššt. Pššt. Jsem tady, i ty jsi tady.“

Převalila se na druhý bok, rozevřela náruč a objala ho. Zabořil obličej do jejích vlasů a ucítil znovu její vůni. Dotýkal se jí, zatímco se mu tělo zmítalo v poslední agonii, srdce selhávalo, život podléhal pomíjivosti masa a kostí. Pevně ho sevřela a přitiskla k sobě. Vyšla z něj poslední slova, která v životě pronese.

Poté ho pohltila temnota.

Poté zavládlo ticho a nehybnost.

„Pššt,“ zopakovala, zatímco umíral. „Jsem tady.“

Bože, já tě tak miluju.

Pššt.

Pššt.

A pak otevřel oči.

Lazar

I

Probudí se do tmy, svázaný. Pod sebou má kámen a vzduch, který vdechuje, je zatuchlý a nehybný. Matně si vybavuje, že slyšel hlas volat jeho jméno, jenže ten utichl. Zkusí se zvednout, ale v pohybu mu brání pouta. Necítí nohy. Nevidí a dýchat musí přes roušku. Zmocňuje se ho panika.

Ozve se šramot, kámen se sune po kameni. Zazáří světlo a on znovu zavře oči, neboť svit proniká i skrz látku. Ucítí dotek rukou, které ho zvedají z kamenného lože. Prsty mu něžně odkryjí obličej. Na tváři ucítí slzy, nikoli však své vlastní. Jeho sestra ho líbá a opakuje jeho jméno.

„Lazare! Lazare!“

Ano, tak se jmenuje.

Ne, nejmenuje.

Kdysi býval Lazarem, ale už jím není. Neměl by tu být. Přesto tu je. Lazar.

Před ním stojí muž, na sobě roucho pokryté prachem ušlých mil. Lazar jej poznává. Milovaný. Jeho sestra jej miluje, i on jej miluje. Nedokáže však vyslovit jeho jméno. Hlasivky mu v hrobce ochably.

Hrobka: sklápí oči, zatímco z něj odvinují pruhy látky a halí ho do čistého prostěradla, aby zakryli jeho nahotu. Ohlédne se za sebe na kámen, jejž vysunuli z ústí jeskyně.

Nemoc: byl nemocný. Sestra mu otírala čelo a lékaři kroutili hlavami. Po čase uvěřili, že zemřel, zavinuli ho do lněného plátna a pochovali do jeskyně. Zmýlili se a teď se to snaží napravit.

To je však lež. Ví to a věděl to dřív, než si to plně uvědomil. Ve jménu lítosti a lásky spáchali nesmírnou křivdu. Ten, kterého poznává – milovaný – se ho dotkne a vysloví jeho jméno. Lazarovy rty se pohnou, leč ústa nevydají ani hlásku.

Cos to udělal? pokouší se říci. Co jsi mi vzal a čemu jsi mne vyrval?

II

Lazar sedí u okna v sestřině domě, před sebou podnos s netknutým ovocem. Nemá se k jídlu, ostatně stejně necítí jeho chuť. Vše, co mu od návratu předložili, je pro něj bez chuti. Pokouší se chodit s oporou dvou holí, jenže kam by šel? Svět pro něho po návratu z hrobu pozbyl krás.

Lazar si nepamatuje, co se stalo od chvíle, kdy naposledy zavřel oči. Pouze ví, že něco zapomněl, něco velmi důležitého a krásného a také strašlivého. Je to, jako by mu vzpomínky zamkli do truhly a jako by to, co kdysi znal, bylo náhle zapovězené. Možná je to jen iluze, stejně jako dojem, že jeho skutečný život halí závoj – následek čtyř dnů strávených vleže na kameni, během kterých mu oči pokryl mléčný povlak, takže je už nemá modré, ale šedé.

Sestra Marta přichází a odnáší podnos s ovocem. Odhrne mu vlasy z čela, už jej však nepolíbí. Páchne mu z úst. On pachuť rozkladu na jazyku necítí; uvědomí si ji však, neboť ji čte z výrazu jejího obličeje. Marta se na něj usměje, on se pokusí úsměv opětovat.

Venku za oknem se tlačí ženy a děti, zvědavé na muže, který vstal z mrtvých. Naplňuje je úžas, zvědavost a –

Ano, také strach. Bojí se ho.

Odejde od okna a doklopýtá k posteli.

III

Lazar nedokáže spát. Děsí se tmy. Kdykoli zavře oči, ucítí zatuchlý pach hrobky a hruď mu sevřou stahující obinadla, ústa a nos ucpe rouška zakrývající obličej.

Lazar přesto nepociťuje únavu. Nemá hlad ani žízeň. Není šťastný ani smutný, ani zlostný, ani podezřívavý. Zůstala pouze netečnost a touha po spánku bez skutečné potřeby.

Ne, po spánku ne: po zapomnění. Po zapomnění a po tom, co s ním přichází.

IV

Třetí noc uslyší v domě kroky. Otevřou se dveře a v nich se objeví žena. Je to Ráchel, jeho snoubenka. Když vstal z mrtvých, byla v Jeruzalémě a teď je tady. Rukama mu přejíždí po čele, po nose, po rtech. Lehne si vedle něho a jeho jméno vyslovuje šeptem, aby nevzbudila sestry. Skloní se nad něj a políbí ho na rty. Odtáhne se, ale prsty jí dál putují po jeho hrudi, po břiše, až ho konečně najde. Hladí ho a slovy povzbuzuje. Tvář jí však zkřiví zmatek a zklamání.

Odejde a už se nikdy nevrátí.

V

Lazara povolají kněží. Stane před jejich radou, před stolcem velekněze Kaifáše. Hlas se mu mezitím vrátil, je však nedokonalý, jako by mu hrdlo zavál písek a prach.

„Co si pamatuješ z hrobu?" ptají se ho a on odpovídá: „Nic než prach a tmu."

„Čtyři dny jsi v něm ležel mrtvý; cos viděl?"

„Nevzpomínám si," odpoví.

Kaifáš pošle všechny pryč a zůstane s Lazarem o samotě. Nalije víno, Lazar se ale nenapije.

„Pověz mi," obrací se na něj Kaifáš, „pověz, cos viděl – teď, když ostatní odešli. Zahlédls Boží tvář? Existuje Bůh? Pověz!"

Jenže Lazar mu nemá co říci, a tak se k němu nakonec Kaifáš otočí zády a pošle ho zpátky za sestrami.

Takové otázky neslyší Lazar prvně. I sestry se na něm snažily vyzvědět, co se stane po smrti. Jenže on jen kroutil hlavou a pověděl jim totéž, co později kněžím.

Nic. Nic se nestane, nebo se alespoň na nic nepamatuji.

Nikdo mu však nevěří. Nikdo mu nechce věřit.

VI

Kaifáš svolá další radu, tentokrát ale nepředvolají Lazara.

„Jsou nějaké stopy po tom, kdo jej vyzvedl z hrobu?“ ptá se a farizejové odpovědí, že Nazaretský se skrývá.

Kaifáš je rozladěný. S každým dalším dnem, který přijde, Laraza stále více nenávidí. Lidé jsou nešťastní. Donese se jim, že si Lazar nepamatuje, co bylo po smrti, a začnou si šuškat, že ani není co si pamatovat, že jim patrně kněží lhali. Kaifáš nemíní dopustit, aby jeho moc byla takhle oslabena.

Nařídí ukamenovat ony tři muže, kteří to slyšeli Lazara říkat. Mají posloužit jako odstrašující příklad pro ostatní.

VII

Lazar si spálí ruku o rozžhavené železo. Všimne si toho, až když železo pustí. Zůstane na něm totiž kus jeho kůže. Necítí vůbec žádnou bolest. Nebýt toho, že se Lazar už ničemu nediví, připadalo by mu to divné. Svět ho nezajímá. Necítí chuť, ani pachy nevnímá. Neodpočívá a každý den prožije jako sen s otevřenýma očima. Zírá na krvácející dlaň, načež do rány dloubne prstem – zprvu opatrně, ale pak už se nerozpakuje a trhá kusy masa a obnažuje holou kost, zoufalý, že nic, ale vůbec nic necítí.

VIII

Jakási žena se na Lazara obrátí, zda by se nespojil s jejím synem, který zemřel před dvěma dny a s nímž se pohádala, než ulehl na lůžko. Jakýsi muž ho žádá, aby vzkázal jeho zesnulé choti, jak ho mrzí, že jí byl nevěrný. Bratr muže zmizelého v moři prosí Lazara, ať zjistí, kam jeho sourozenec zakopal zlato.

Lazar jim nedokáže pomoci.

Nadto se ho nepřestávají ptát, co přijde po životě, a on jim neumí odpovědět. Vidí v očích lidí zklamání a současně podezření, že lže.

IX

Kaifáš se trápí. Sedí potmě v chrámu a prosí o radu shůry, ale žádná rada nepřichází.

V případě Lazara a Nazaretského je jen několik možností, které přicházejí v úvahu.

1) Nazaretský je, jak se mezi lidmi šeptá, Boží syn. Jenže Kaifášovi se Nazaretský nezamlouvá. Kaifáš ovšem miluje Boha. Proto – je-li Nazaretský skutečně Boží syn – by měl Kaifáš milovat i jeho. Možná tedy, jestliže Kaifáš Nazaretského nemiluje, to znamená, že ve skutečnosti není Boží syn, protože kdyby byl, pak by i jeho Kaifáš miloval. Kaifáš se s tímto vysvětlením spokojí.
2) Jestliže Nazaretský není Boží syn, nemá moc někoho vzkřísit z mrtvých.
3) Jestliže Nazaretský nemá moc vzkřísit někoho z mrtvých, co potom Lazar? Tady lze dojít k jedinému závěru, a sice že Lazara pohřbili zaživa. Jenže kdyby se tak stalo, byl by teď mrtvý. Tudíž by Lazar *měl* být mrtvý a jeho neochota umřít je protivení se přírodě a Bohu.

Kaifáš se přestává trápit a jde si lehnout.

X

Ráchel zruší zasnoubení s Lazarem a provdá se za jiného. Lazar z olivového háje sleduje, jak nevěsta se ženichem přijíždějí na hostinu. Vidí Ráchel a vzpomíná na noc, kdy k němu přišla. Snaží se rozpomenout, co by měl nyní cítit, a předstírá žárlivost, smutek, touhu, zklamání. Jeho citovou pantomimu vidí jen ptáci a hmyz. Nakonec usedne do prachu a zaboří hlavu do dlaní.

Pomalu se začíná kolébat.

XI

Nazaretský se vrací vítězoslavně do Betánie. Lidé doufají, že jim zodpoví jejich otázky, že jim vysvětlí, jak vykonal zázrak na Lazarovi – a je-li připraven vykonat podobný znovu, neboť od jeho poslední návštěvy zemřeli další lidé, a kdo je on, aby zármutek Marty a Marie stavěl nad žal jiných? Přichází žena, které zemřelo dítě. Nese je v náruči, tělíčko zabalené do bílé látky potřísněné krví, slzami a prachem. Zvedá mrtvolku k Nazaretskému, aby jí vrátil její dítě, ale lidé se překřikují a její hlas v tom zmatku zaniká. Odvrací se a chystá děťátku pohřeb.

Nazaretský odchází do domu Marty a Marie a večeří s nimi. Marie mu maže nohy mastí a otírá svými vlasy. Lazar tomu beze slova přihlíží. Před odchodem Lazar Nazaretského požádá, zda by mu nevěnoval chvilku.

„Proč jsi mě vzkřísil?“ zeptá se.

„Protože tě milovaly tvé sestry a protože jsem tě já miloval.“

„Nechci tady být,“ hlesne Lazar, ale u dveří už se tlačí lidé. Nazaretského odvádějí jeho žáci pryč, co kdyby se v davu skrýval nepřítel.

A pak je pryč a Lazar zůstává o samotě.

XII

Lazar stojí u okna a poslouchá, jak se Ráchel miluje se svým manželem. Psi ho očichávají a olizují mu poraněnou dlaň. Ukusují z ní kousky masa a on jen netečně přihlíží.

Lazar zvedne oči k noční obloze. Představuje si dveře do temnoty, za nimiž se skrývá to, co ztratil. Tento svět je nedokonalou napodobeninou toho, kterým byl, a všeho, čím by být měl.

Vrátí se domů. Sestry s ním už nemluví. Místo toho na něj jen hledí bezvýraznýma očima. Chtěly zpátky svého bratra, jenže ten, kterého milovaly, zůstal v hrobě. Chtěly lahodné víno, a místo něj dostaly prázdnou láhev.

XIII

Pro Lazara znovu přijdou kněží, tentokrát pod rouškou noci. Nadělají ale spoustu rámusu – dost na to, aby probudili i mrtvého, pomyslí si Lazar, kdyby ovšem dotyčný mrtvý spal. Jeho sestry však nepřijdou, aby se zvědavě vyptávaly. Tentokrát ho nepostaví před církevní radu, ale vedou ho do pouště. Ruce má svázané za zády, v ústech roubík. Jdou a jdou, až přijdou k hrobce, ve které ležel. Strčí ho dovnitř a položí na kamennou desku. Z úst mu vyndají roubík a pak už Lazar vidí přicházet Kaifáše.

„Pověz mi to," šeptá Kaifáš. „Pověz a všichni budou spokojení."

Jenže Lazar nic neřekne a Kaifáš zklamaně odstupuje.

„Je odporný," poznamená směrem k ostatním, „ani mrtvý, ani živý. Nepatří mezi nás."

A tak Lazara opět ovinou pruhy látky, nyní mu však ponechají nezakrytý obličej. Jeden z kněží vystoupí z řady. V ruce drží šedý kámen. Pozvedne ho nad hlavu.

Lazar zavírá oči. Kámen dopadá.

A Lazar se upamatovává.

Holmes na scéně:
příběh z Caxtonovy soukromé knihovny & knižního depozitáře

Historie Caxtonovy soukromé knihovny & knižního depozitáře se neobešla bez nehod, což se ostatně dalo čekat u zařízení se zdánlivě nekonečnou kapacitou, obývaného převážně románovými postavami, které se zhmotnily v našem světě.

Kupříkladu smrt Charlese Dickense v červnu 1870 vyvolala největší hromadný příchod postav, jaký Caxtonova knihovna pamatuje. Panu Torransovi, tehdejšímu knihovníkovi, se dostalo alespoň náznaku varování, neboť mu pár dní předtím přišlo poštou neobvyklé množství prvních vydání Dickensových děl, pečlivě zabalených do hnědého balicího papíru, převázaných motouzem a postrádajících adresu odesílatele, jak bylo zvykem. Žádný knihovník se nikdy nedopídil toho, jak se vlastně knížky zasílají; starý George Scott, předchůdce pana Torranse, dospěl k závěru, že se knihy zkrátka zabalí do papíru samy a samy se odešlou, ačkoli tou dobou už Scottovi značně harašilo a většinu času trávil zabraný do nikam nevedoucích rozhovorů se strýčkem Tobym Tristrama Shandyho, z čehož patrně nemohlo vzejít nic dobrého.

Ty, kdo se dosud s Caxtonovou knihovnou nesetkali, bude možná zajímat, že instituce získala jméno po svém zakladateli Williamu Caxtonovi, který se jednoho rána probudil a na dvorku se mu hádalo několik postav z *Canterburských povídek* Geoffreyho Chaucera. Caxton si bryskně uvědomil, že tyto postavy – Mlynář, Správce, Rytíř, Jeptiška a Bodrá žena od Bath – se tak vryly do povědomí lidí, že opustily svět fikce a zhmotnily se v naší realitě, což všem zúčastněným způsobilo nemalé problémy. Bylo nutné najít nějaké místo, kde by mohly postavy bydlet, pročež byla zřízena Caxtonova soukromá knihovna & knižní depozitář a stala se domovem chvalně a někdy i nechvalně proslulých literárních postav. Provoz knihovny se hradil z půlpencí zaokrouhlených při obchodování s knihami.

To, že se na prahu knihovny objeví postavy z Dickensových románů, pan Torrans pochopitelně očekával dávno před smrtí slavného autora a před doručením prvních vydání. Některé postavy totiž měly cestu do

Caxtonovy knihovny zaručenou již v okamžiku, kdy jejich román prvně vyšel tiskem. Proto pan Torrans tu a tam zavítal do ztemnělých částí Caxtonovy knihovny, kde teprve vznikaly pokoje, a snažil se uhodnout, které postavy v nich budou bydlet. V případě Dickense se dalo uhádnout, že v pokoji s průvodcem po zájezdních hostincích Británie bude nejspíš bydlet Samuel Pickwick a v komůrce s otlučenou miskou a opékačem zase Oliver Twist z doby, než se vyhrabal z té strašlivé bídy. (Pan Torrans byl toho mínění, že taková názornost není za daných okolností nutná, ale Caxtonova knihovna si počínala občas nevyzpytatelně.)

Ve skutečnosti se pan Torrans bál, aby knihovnu nezamořilo víc nevycválaných postav, než mu bylo po chuti – nevěděl, jak by si poradil s Quilpem nebo Uriášem Heepem –, a tak se mu velmi ulevilo, když pak přišly postavy převážně příjemné, s výjimkou starého Fagina, který vypadal, že mu oprátka prospěla. No ovšem, šibenice, říkal si pan Torrans, ta vykoná své.

Přesto si vyprávění o Dickensových postavách necháme na jindy. V tuto chvíli nás totiž bude zajímat jiná, ještě podivnější příhoda z análů Caxtonovy knihovny, a sice událost, která změnila mnoho zavedených a zdánlivě neměnných pravidel knihovny a v jednom okamžiku dokonce otřásla touto institucí v jejích nadmíru choulostivých základech…

V prosinci roku 1893 utrpěla představivost britské čtenářské veřejnosti šok, jaký nepamatovala, neboť časopis *Strand Magazine* uveřejnil Poslední případ Sherlocka Holmese, v němž Arthur Conan Doyle nechává oblíbeného detektiva zemřít, přesněji spadnout ze skály u Reichenbašských vodopádů, při rvačce s jeho nemesis, profesorem Moriartym. Hrdinovy poslední okamžiky pro čtenáře zvěčnil ilustrátor Sidney Paget, zachycující Sherlocka v Moriartyho spárech, kdy se oba muži naklánějí nad převis, zjevně na pokraji pádu, a Moriartymu odlétá klobouk kamsi do hlubin, předznamenávaje konec obou mužů.

Pro *Strand Magazine* to znamenalo katastrofu. Dvacet tisíc lidí vzteky okamžitě zrušilo předplatné, což periodikum málem položilo, a zaměstnanci se ještě řadu let poté zmiňovali o Holmesově smrti jako o „té strašné události". Říká se, že čtenáři nosili na znamení žalu na rukávech černé pásky. Conana Doylea tak silná odezva veřejnosti překvapila, ale zůstal neoblomný.

Dlužno dodat, že panem Headleym, který v té době vystřídal knihovníka Torranse, jenž odešel do důchodu, to otřáslo stejně jako kýmkoli jiným. Byl předplatitelem *Strandu* a dobrodružství Holmese a Watsona sledoval s osobním i pracovním zaujetím: osobním ve smyslu, že byl jejich obdivovatelem, a pracovním proto, že věděl, že po smrti Conana Doylea se Sherlock Holmes a doktor Watson nevyhnutelně objeví na prahu Caxtonovy knihovny. Přesto jej čekalo ještě mnoho let jejich dobrodružství, takže po dočtení Posledního případu s nemalou lítostí odložil *Strand* a v duchu přemítal, co to jen Conana Doylea popadlo, že provedl takovou věc hrdinovi, který mu přinesl takovou slávu a bohatství.

Jenže pan Headley nebyl spisovatel, a tudíž si nenamlouval, že chápe, jakými cestami se ubírá autorova mysl.

Nyní na okamžik opusťme Caxtonovu knihovnu a zamysleme se nad prekérní situací, v níž se rok před vydáním Posledního případu ocitl Arthur Conan Doyle. V roce 1891 napsal matce, Mary Foley Doyleové, a svěřil se jí: „Pomýšlím na to zabít Holmese... skoncovat s ním jednou provždy. Odvádí mou mysl od lepších věcí." Oněmi „lepšími věcmi" byly v případě Conana Doylea historické romány, o nichž byl přesvědčen, že na rozdíl od „prostých" povídek s Holmesem má smysl jim věnovat čas a nadání. Volba výrazu „prostý" pak vyznívá nepříjemně dvojznačně pro Holmese, jenž jej v povídkách používá.

Zjevně tedy existoval důvod, proč zabít Holmese, nicméně po smrti Conana Doylea přišel do Caxtonovy knihovny podivuhodný rukopis, vložený do prvního vydání *Vzpomínek na Sherlocka Holmese* z roku 1894, které právě Poslední případ obsahují. Byl psaný ručně, písmem velmi se podobajícím Doyleovu, byť s nápadnými rozdíly v používání počátečních velkých písmen a s obsáhlou poznámkou pod čarou, vysvětlující etymologii slova profesor, což se autorovi příliš nepodobá.

Přílohou rukopisu byl dopis napsaný Conanem Doylem již zcela jasně, v němž spisovatel líčí, jak se jednoho dubnového rána roku 1893 probudil a našel na stole tento fragment. Podle toho, co v dopise stojí, ho napadlo, že by mohlo jít o výsledek automatického psaní. Doylea fascinovala možnost, že by spisovatele při psaní ovládlo podvědomí – nebo nějaká nadpřirozená hybná síla. Patrně si nebyl jist, zda v noci v polospánku nevstal a nepustil se do psaní, protože v jistých ohledech text skutečně připomínal jeho dílo. Po objevení rukopisu si prohlédl pravou ruku, nenesla však stopy inkoustu. Jenže pak v údivu pohlédl na levou, jejíž prsty i hrana dlaně byly začerněné, kteréžto zjištění jej přimělo posadit se na nejbližší židli.

Dobrý bože, říkal si v duchu, co to může znamenat? A ještě hůř, jaký dopad by to mohlo mít na jeho odpaly? Nestává se z něho snad ambidexter, nebo – chraň Bůh – levák? Jaká hrůza! Leváci jako nadhazovači by v kriketu ještě ušli – byli vcelku neškodní –, ale leváci jako odpalovači představovali lapálii, protože se kvůli nim muselo přestavět celé hrací pole, dělali jenom zmatky a všechny otravovali. V duchu se zaobíral strašlivou možností, že se jeho tělo proti němu vzbouřilo. Možná že už nikdy nebude moci nastoupit za Marylebone!

Conan Doyle se postupně uklidnil a obavy u něj vystřídal úžas, který mu však vydržel jen do chvíle, než rukopis přečetl, což netrvalo dlouho. Drobným písmem pokryté stránky zachycovaly rozhovor Sherlocka Holmese s profesorem Moriartym, kteří se podle všeho sešli U Benekeyho v High Holbornu, hospodě vyhlášené soukromím oddělených boxů a kvalitními víny. Podle rukopisu navrhl schůzku Moriarty ve vzkazu, který zanechal v Baker Street 221 B. Holmes k posezení s géniem zločinu svolil ze zvědavosti.

V dopise Conan Doyle vysvětlil, že napoprvé ho obsah rukopisu silně znepokojil: o Moriartym začal psát teprve před pár dny a v dosud nepojmenované povídce jej sotva zmínil. Přesto právě Moriarty zasedl ke stolu U Benekeyho a pustil se do nejpozoruhodnější rozmluvy s Holmesem.

Úryvek z rukopisu (Caxtonova knihovna – CD / MSH 94: MS)

Holmes na Moriartyho upřeně hleděl, každý nerv napjatý. Naproti němu seděl nejnebezpečnější muž Anglie, vypočítavý a chladnokrevný, génius zločinu. Poprvé po mnoha letech pociťoval Holmes něco jako strach, a to i přesto, že měl v klíně pod ubrouskem revolver.

„Doufám, že vám víno chutná,“ poznamenal Moriarty.

„Otrávil jste ho?“ zeptal se Holmes. „Zdráhám se dokonce vzít do ruky jen sklenku pro případ, že jste ji potřel nějakou ďábelskou sloučeninou, kterou jste sám vyvinul.“

„Proč bych to dělal?“ opáčil Moriarty. Zdálo se, že ho ta poznámka upřímně zarazila.

„Jste moje arcinemesis," odvětil Holmes. „Jste geneticky zatížený ďábelskou proradností. Záliba ve zločinu vám koluje v žilách. Kdybych mohl společnost od vás osvobodit, považoval bych to za vrchol své kariéry."

„Ano, ale k té arcinemesis..." navázal Moriarty.

„Co s tím?" zajímal se Holmes.

„Inu, není zvláštní, že to nikdy nepřišlo na přetřes? Chci říct, jestli jsem vaše arcinemesis, Napoleon zločinu, pavouk uprostřed pavučiny, kterou jsem opředl celý Londýn, neboť mám na svědomí polovinu zločinů ve městě – a jestli jste mi už léta na stopě, proč jste se o mně dosud nezmínil? Přece by na mě přišla řeč, ne? Nebo snad takový génius, mozek zločinného spiknutí, tak snadno člověku vypadne z hlavy? To já na vašem místě bych o mně vykládal neustále."

„Já –" Holmes se odmlčel. „Musím přiznat, že jsem o tom nikdy takhle nepřemýšlel. Na mysl jste mi přišel teprve nedávno, sotva jste získal konkrétní obrysy. Snad jsem v nějaké chvíli schytal ránu do hlavy, věřím však, že doktor Watson by si takového zranění všiml."

„Všechno ostatní si zapisuje," připomněl Moriarty. „Takže by mu těžko něco takového uniklo."

„Ovšem. Štěstí, že ho mám."

„Osobně bych to považoval za poněkud otravné," prohlásil Moriarty. „To je, jako byste byl Samuel Johnson a zjistil jste, že kdykoli pozvednete šálek, Boswell si zapíše, jak držíte ruku, a požádá vás, abyste k tomu poznamenal něco vtipného."

„A v tom se právě rozcházíme. Proto nejsem vyvrhel."

„Těžko být vyvrhel, když si někdo v jednom kuse zapisuje, co děláte," ucedil Moriarty. „To by jednoho dohnalo k tomu přijít na Scotland Yard a učinit plné doznání, a tím ušetřit strážcům zákona a pořádku spoustu práce a těžkostí. Ale to odbočujeme. Zpátky k věci, a tou je mé náhlé objevení na scéně."

„Je to poněkud zneklidňující," řekl Holmes.

„Měl byste se na to podívat z mého pohledu," opáčil Moriarty. „Zneklidňující není to jediné. Tak předně, jsem si vědom, že mám nadání na matematiku."

„To skutečně máte," přitakal Holmes. „V jedenadvaceti letech jste napsal francouzsky odbornou stať o binomické větě, a vysloužil si tak popularitu v celé Evropě."

„Heleďte, ani nevím, co binomická věta je, natož jak mi získala evropskou oblibu – mimochodem, ten popis nedává smysl. No, považte. Na binomické větě nic nezmění ani to, že ji trefně popíšete ve francouzštině."

„Ale její dokonalá znalost vám vynesla profesuru na jedné z našich menších univerzit!" ohradil se Holmes.

„Jestli je to tak, jak se ta univerzita jmenovala?" kontroval Moriarty.

Holmes si poposedl. Zjevně se s tím potýkal. „Na jméno toho ústavu si nemohu zrovna vzpomenout," připustil.

„To je proto, že jsem nikdy žádnou profesuru nezískal," uzavřel Moriarty. „Vždyť mně dělá problémy i obyčejné sčítání. Mám potíž s tím zaplatit mlékaři."

„To nemůže být pravda," zamračil se Holmes.

„Přesně to si říkám. Možná že to ze mě udělalo exprofesora, i když ani to nezní příliš věrohodně, když si nepamatuji, jak jsem se v prvé řadě profesorem stal, zvlášť v oboru, o kterém nemám ánunk. Což mě přivádí k další věci: jak se z vás stal takový expert na všechny ty jedy a další svinstva? Chodil jste do kurzu?"

Holmes se nad otázkou zamyslel.

„Nepovažuji se za experta na všechno," odpověděl po chvíli. „Trochu se zajímám o literaturu, o filozofii či astronomii a v nezanedbatelné míře též o politiku. Věřím si v chemii a v anatomii a – jak jste podotkl – jsem si jistý v kramflecích i v geologii a botanice, zvlášť s ohledem na jedy."

„To je všechno hezké," mínil Moriarty, „ale na otázku jste mi neodpověděl: jak jste se to všechno naučil?"

„Mám spoustu knížek," odpověděl Holmes mrzutě. Zdálo se mu, jako by na konci věty zůstal viset nevyřčený otazník, takže sebou bezděčně trhl.

„Takže jste to všechno vyčetl?"

„Nejspíš jsem musel."

„Buď ano, nebo ne. Přece si pamatujete, co jste četl."

„Eh, ani tolik ne."

„Takové znalosti člověk neposbírá na ulici. Jsou lidi, co studují tyhle věci desítky let a nevědí o tom tolik jako podle všeho vy."

„Co tím naznačujete?"

„Že o těch svinstvech a jedech vůbec tolik nevíte."

„Ale přece musím, vždyť jsem díky těm znalostem vyřešil všechny ty zločiny."

„Ále, *někdo* se v těch věcech vyzná – nebo aspoň budí takový dojem – ale vy to nejste. To máte stejné jako se mnou – že jsem geniální zločinec. Včera večer jsem se rozhodl, že spáchám úplně triviální zločin: klenotnictví, výloha, cihla. Přijdu před klenotnictví, rozbiju výlohu cihlou, prchám se šperky, ani se neohlížím."

„A co se stalo?" zeptal se Holmes.

„Nedokázal jsem to. Stál jsem tam, cihlu v ruce, a nedokázal jsem ji hodit. Místo toho jsem šel domů a vymyslel složitý plán, jak se do toho klenotnictví prokopat – figurovalo v něm šest trpaslíků, plešoun s hrbem a vzducholoď."

„K čemu vzducholoď, když jste kopal tunel?" podivil se Holmes.

„No právě!" vydechl Moriarty. „A k čemu šest trpaslíků, o plešounovi s hrbem nemluvě? Vlastně mě nenapadá žádná životní situace, která by si žádala šest chlapíků zakrslého vzrůstu, tedy ne žádná, se kterou bych vyrukoval na veřejnost."

„Při bližším ohledání se to jeví jako zbytečně komplikovaný pokus o něco, co by se jinak vyhodnotilo jako prostá krádež."

„Jenže já tu výlohu vůbec nedokázal rozbít, natož ukrást šperky," prohlásil Moriarty. „Nešlo to."

„Proč ne?"

„Protože tak nejsem napsaný."

„Promiňte?"

„Nejsem tak napsaný. Jsem napsaný jako génius zločinu, co spřádá nevídané a ďábelsky spletité plány. Nechodím rovně ani po ulici. Věřte mi, zkoušel jsem to. Musím chodit přikrčený a věčně uskakovat do výklenků, až jsem z toho celý uondaný."

Holmes seděl celý tumpachový, div že neupustil revolver, když si uvědomil, co je vlastně zač. Všechno najednou dávalo smysl: absence čehokoli, co by připomínalo minulost; vlažný vztah k bratru Mycroftovi; mnohdy nečekané dedukce, které i jeho samotného překvapovaly.

„Jsem literární výplod," vyhrkl.

„Přesně tak," přisvědčil Moriarty. „Neberte si to špatně: jste ještě z těch lepších – na rozdíl ode mě – ale tak či tak jste pořád postava z knížky."

„Nejsem skutečný?"

„Neřekl bych. Myslím, že do jisté míry jste skutečný, ale tak to nebylo vždycky."

„Ale co můj osud?" vyhrkl Holmes. „Co moje svobodná vůle? Jestli je to všechno pravda, pak moje budoucnost leží v rukou jiného člověka. To, jak se zachovám, určuje nějaká vnější hybná síla."

„Ne," nesouhlasil Moriarty, „kdyby to tak bylo, nebavili bychom se tady takhle spolu. Můj odhad je, že se s každým slovem, které váš autor napíše, stáváte skutečnějším a skutečnějším, přičemž já se tak trochu vezu."

„Ale co s tím uděláme?" zeptal se Holmes.

„To není tak docela v našich rukách," na to Moriarty.

A v té chvíli vzhlédl ze stránky...

*

A na tomto místě rukopis končil: v okamžiku, kdy hrdina i jeho tvůrce, oba nevěřícně zírali před sebe. Conan Doyle v dopise napsal, že mu papíry vyklouzly z rukou a spadly na podlahu. A osud Sherlocka Holmese byl v tu chvíli zpečetěn.

Holmes byl mrtvý muž.

A od toho se odvinul neobyčejný sled událostí, jenž ohrozil Caxtonovu soukromou knihovnu & knižní depozitář. Conan Doyle dokončil Poslední případ, opustil Holmese u Reichenbašských vodopádů, kde zanechal jeho věrnou alpinistickou hůl opřenou o skálu jako důkaz, že tam kdy byl. Veřejnost zuřila a truchlila a Conan Doyle se plně ponořil do psaní historických románů, které mu v jeho představách měly zaručit zvučné jméno.

Pan Headley se mezitím věnoval své práci v Caxtonově knihovně, což většinou spočívalo v tom, že vařil čaj, ometal prach, četl a dohlížel, aby se postavy bloumající venku – k čemuž některé tíhly – vrátily před setměním domů. Jednou musel pan Headley vysvětlovat tupému strážníkovi, proč postarší mužík v podomácku vyrobené zbroji demoluje ozdobnou maketu větrného mlýna stojící uprostřed Glossom Green – a nestál o to si to zopakovat. I tak bylo těžko pochopitelné, jak mohl Don Quijote skončit v Caxtonově knihovně, když jeho rodná kniha byla napsaná španělsky. Pan Headley měl podezření, že to nějak souvisí s tím, že první anglické překlady Cervantese, vydané v letech 1612 a 1620, vyšly ve velmi těsném závěsu po původním španělském vydání, které vyšlo v roce 1605 a pak 1615. Caxtonova nadace to ale mohla poplést. Občas se to stávalo.

Tím pádem jej mírně překvapilo, když jednoho středečního rána přišel poštou malý plochý balíček, neuměle zabalený do hnědého balicího papíru, převázaný nedbale motouzem. Rozbalil jej a uvnitř našel vydání měsíčníku *Strand Magazine* obsahující Poslední případ.

„To přece není možné," vyhrkl pan Headley nahlas. Svůj předplacený výtisk už dostal a druhý nepotřeboval. Zarazilo jej však vzezření balíčku, hnědý balicí papír a motouz. Prohlédl si je pozorněji a usoudil, že jde o tytéž, v nichž už od nepaměti chodí do Caxtonovy knihovny zabalená první vydání. Nikdy v nich však nepřišel zabalený časopis ani výtisk novin.

„Prokrindáčka," vyjekl pan Headley.

Zmocnila se jej úzkost. Vzal lampu a vnořil se do chodeb Caxtonovy knihovny a vzápětí klesal – nebo stoupal po schodech; směrem si nikdy nebyl jistý, neboť architektura Caxtonovy knihovny byla velmi svérázná a jedinečná – jako ostatně všechno mezi jejími zdmi. Nuže tedy, stoupal (nebo klesal) do hlubin (či výšin), kde s příchodem prvních vydání začínaly vznikat nové pokoje. Jenže tam se nic nedělo. Panu Headleymu se ulevilo. Zjevně šlo o nějakou chybu, jíž se dopustili v redakci *Strandu*, a papír s motouzem se těm, jež tak důvěrně znal, podobaly jen shodou náhod. Vrátil se do kanceláře, nalil si do hrnku čaj a právě doručený výtisk *Strandu* hodil do bedýnky s papírem u krbu. Pak si chvilku četl *Clarissu*, román v dopisech od Samuela Richardsona, který ho vždy spolehlivě uspal, pročež na něj v pohodlném křesle skutečně padla dřímota.

Spal déle, než zamýšlel, protože když se probudil, venku se stmívalo. Přiložil třísky na oheň, ale všiml si, že z bedýnky s papírem zmizel výtisk *Strandu*. Místo toho mu ležel na stole, netknutý a nepomuchlaný.

„Vida," poznamenal pan Headley, „tak to bychom měli."

Dál se v rozjímání nedostal, neboť zazvonil malý mosazný zvonek nade dveřmi kanceláře. Caxtonova knihovna neměla zvonek u vstupních dveří, takže panu Headleymu nějakou dobu trvalo, než si zvykl, že i u dveří bez zvonku může někdo zazvonit. Zazvonění mohlo znamenat jedinou věc: knihovna měla co nevidět přivítat novou postavu.

Pan Headley šel otevřít. Na prahu stál šlachovitý muž s vysokým čelem, dlouhým nosem, v lovecké čapce a kabátu s kapucí. Za ním vyčníval sportovně vyhlížející džentlmen s knírem a tvářil se nechápavěji než jeho společník. Na hlavě měl poněkud nadměrnou buřinku.

„‚*Holmes mi nastínil události*'," * vyhrkl pan Headley.

* V originálu „*Holmes gave me a sketch of events*", což je název ilustrace Sydneyho Pageta k povídce *Stříbrný lysáček* – pozn. překl.

„Promiňte, prosím?" pronesl muž v buřince a zatvářil se ještě nechápavěji.
„Paget," pokračoval Headley. „Povídka *Stříbrný lysáček* z roku 1892."
Dvojice mužů vypadala, jako by vystoupila ze zmiňovaného obrázku.
„Stále nerozumím."
„Vy tu nemáte být," uvažoval dál nahlas Headley.
„Přesto tady jsme," opáčil hubenější z těch dvou.
„Myslím, že se někde stala chyba," na to pan Headley.
„Pokud ano, rozhodně ji nenapravíte tím, že nás necháte mrznout venku," zaznělo v odpověď.
Pan Headley svěsil ramena.
„Ano, máte pravdu. Pojďte dovnitř. Pane Holmesi, doktore Watsone: vítejte v Caxtonově soukromé knihovně a knižním depozitáři."

Pan Headley rozdělal oheň a přitom se pokusil Holmesovi s Watsonem stručně vysvětlit, co je zač Caxtonova knihovna. Nově příchozí zpravidla utrpěli na začátku šok, jelikož jim dělalo potíže pochopit, že se zhmotnili v realitě a současně že jsou smyšlenými postavami, což si – teoreticky vzato – protiřečí. Holmes s Watsonem s tím však velké těžkosti neměli. Jak už víme, Holmes se o možnosti, že je vymyšlený, dozvěděl od profesora Moriartyho, a patrně se vynasnažil tuto nezvyklou skutečnost tlumočit svému příteli Watsonovi – a to ještě dřív, než jej jeho tvůrce předčasně sprovodil ze světa.
„Mimochodem, má arcinemesis je zde?" zajímal se Holmes.
„Neočekávám ho," odpověděl pan Headley. „Víte, on mi nikdy nepřipadal zcela skutečný."
„Viďte, že ne?" přitakal Holmes.
„Abych byl upřímný," pokračoval pan Headley, „ani vás dva jsem, pánové, nečekal, jak jste si patrně domysleli. Postavy se tu zpravidla objeví až po smrti autora. Domnívám se, že je to proto, že se v tu chvíli stanou neměnnými objekty. Vy dva jste první, kdo sem přišel, ačkoli váš tvůrce je živ a zdráv. To je krajně neobvyklé."
Pan Headley by býval rád v tu chvíli někomu zavolal, jenže starý Torrans zemřel a provoz Caxtonovy nadace se obešel bez pomoci právníků, bankéřů i vládních úředníků, alespoň v tom smyslu, že nezasahovali do chodu knihovny. Účty se platily, daně odváděly a nájemní smlouvy byly sjednané na neurčito, takže pan Headley nemusel v tomto směru hnout

prstem. Způsob financování Caxtonovy knihovny byl tak hluboce zakořeněný do britského systému, že ho už ani nikdo neregistroval.

Pan Headley nalil svým dvěma hostům čaj a nabídl jim sušenky. Pak se vrátil do hlubin – či snad na půdu – knihovny a zjistil, že začala pro Holmese a Watsona zařizovat příhodné příbytky, přesně podle Pagetových ilustrací a popisů bytu na Baker Street 221 B. Panu Headleymu se nesmírně ulevilo, neboť jinak by jim byl nucen ustlat v kanceláři a vůbec nevěděl, jestli by se Holmes s takovým noclehem spokojil.

Krátce po půlnoci byla knihovna se zařizováním pokoje 221 B hotová, a to včetně viktoriánského pouličního ruchu za oknem. Caxtonova knihovna prodlévala v blíže neurčeném prostoru mezi realitou a fikcí a nebránila postavám opouštět hranice jejich smyšleného světa, pokud o to čas od času projevily zájem. Mnohé však raději spaly – často i desítky let –, popřípadě si tu a tam vyšly na zdravotní procházku po Glossomu, což je alespoň nakrátko přivedlo na jiné myšlenky a osvěžilo. Obyvatelé městečka si postav obyčejně nevšímali, pokud samozřejmě nezačaly bořit ozdobné větrné mlýny v parčíku na náměstí, pokud se skotským přízvukem nemluvily o čarodějnicích anebo nepátraly po vhodném svobodném, či dokonce zadaném džentlmenovi, za něhož by se mohly provdat.

Jakmile se Holmes s Watsonem odebrali do svého příbytku, vrátil se pan Headley do kanceláře, nalil si pořádnou sklenku brandy a zapsal událost do kroniky, aby budoucí knihovníci Caxtonovy knihovny věděli, co všechno se může stát. Pak si šel lehnout a zdálo se mu, jak visí za pár prstů ze skalního převisu a pod ním burácejí Reichenbašské vodopády.

Po tomto menším zakuckání se život Caxtonovy knihovny vrátil do starých kolejí a po několik dalších let pokračoval bez nehod, byť počínání Holmese s Watsonem panu Headleymu občas přidělalo nějakou tu vrásku. Rádi chodili na dlouhé procházky po Glossomu a přilehlém okolí, nabízeli pomoc strážníkům při vyšetřování případů zatoulaných koťat, poškozených máselnic a možných krádeží tašek s houskami v poledním vlaku do Penbury. Jelikož se coby literární postavy tak vryly do povědomí národa, považovali je Glossomští za geniální výstředníky. Nebyli jediní, kdo se převlékali za slavného detektiva a jeho pravou ruku – neboť to byla oblíbená kratochvíle pánů s různě pokročilými duševními poruchami –, avšak tihle dva se od ostatních lišili tím, že šlo o skutečného Holmese s Watsonem, byť to v té době nikdo nezpozoroval.

Pak tu byla také ona záležitost s kokainem, který se po malých dávkách pravidelně a kdovíjak dostával do knihovny. Pan Headley nedokázal vypátrat zdroj a mohl se pouze dohadovat, že drogu dodává přímo sama knihovna. Přesto ho věc znepokojovala. Chraňbůh, aby si nějaký bystřejší policista všiml na Holmesovi projevů účinků narkotika a sledoval ho až do knihovny. Pan Headley vůbec netušil, jaké postihy hrozí za provozování drogového doupěte, a vlastně ani nestál o to to zjistit. Proto prosil Holmese, ať je diskrétní a bere kokain pokud možno v bezpečí a klidu svého pokoje.

Jinak pana Headleyho těšilo, že v knihovně pobývá dvojice postav, kterou si tak zamiloval, a trávil mnoho večerů v jejich společnosti. Poslouchal, jak dopodrobna rozebírají případy, o nichž četl, nebo zkoušel Holmese ze znalosti obskurních jedů a málo známých druhů tabáku. Pan Headley také dál odebíral *Strand*, neboť byl nanejvýš spokojený s jeho obsahem a nijak redakci nezazlíval, že uveřejnila Holmesovo poslední dobrodružství – vždyť díky tomu skončil s detektivem pod jednou střechou. Přesto časopis četl se zpožděním měsíce či dvou, protože dával přednost knihám.

Pak v srpnu roku 1901 tento pokojný život narušila nečekaná událost. Pan Headley odjel do Clackheatonu navštívit sestru Dolly, a když se vrátil, nalezl Holmese s Watsonem v příšerném stavu. Holmes mával posledním číslem *Strandu* a vykřikoval: „Co je tohle? Co je tohle?"

Pan Headley jej nejprv požádal, ať se uklidní, a pak poprosil o navrácení pobuřujícího časopisu, který bez okolků obdržel. Posadil se na nejbližší židli, a sotva se trochu vzpamatoval, přečetl si první díl *Psa baskervillského*.

„Není tam ani zmínka o mé nedávné smrti," cedil Holmes skrz zuby. „Nikde ani jediné slovo. Chápete? Zřítil jsem se do vodopádu, a nejsem ani mokrý!"

„Tak holt počkáme a uvidíme," prohlásil pan Headley. „Je to podle mě zasazené před události u Reichenbašských vodopádů, protože jinak by samozřejmě Conan Doyle musel nějak vysvětlit, jak to že jste se znovu objevil živý. Nevzpomínáte si na ten případ, Holmesi – a vy, doktore Watsone, nezaznamenal jste jeho podrobnosti?"

Holmes s Watsonem mu shodně sdělili, že jediné podrobnosti, které si ze *Psa* pamatují, jsou ty, co si právě přečetli. Pak ale připustili, že si nejsou tak docela jisti, jestli ty vzpomínky získali přečtením prvního dílu, anebo vinou toho, že se jim po uveřejnění nového příběhu změnily osobnosti. Pan Headley se zkusil nenápadně optat v redakci *Strandu*, jenže majitel časopisu měl v souvislosti s Holmesovým návratem na stránky časopisu pusu na zámek, vděčný, že se s jeho znovuobjevením zvýšil počet předplatitelů. Snahy pana Headleyho tudíž vyšly naprázdno.

A tak museli Holmes, Watson a celá britská čtenářská veřejnost čekat na každé další číslo a každé další pokračování příběhu v naději, že poodkryje, jaké má Conan Doyle se svým výtvorem úmysly. Postupem času vyšlo najevo, že jde o vpravdě „historický" román, protože události v něm předcházely Poslednímu případu. Pan Headley před Holmesem pokusně zatajil poslední díl a zeptal se ho, jak román dopadne. Holmes mu dokázal přesně popsat, jak Rodger Baskerville zpronevěřil v Jižní Americe peníze, jak si změnil jméno na Vandeleur a založil školu v Yorkshiru, která se musela po skandálu zavřít – a přitom nic z toho ještě nečetl. Z toho vyvodili, že tím, že se Conan Doyle vrátil ke svým postavám, vtiskává Holmesovi s Watsonem nové vzpomínky, což je lehce znepokojilo, ale žádnou katastrofu to neznamenalo.

Pan Headley se přesto nedokázal zbavit sílícího pocitu, že se blíží zkáza. Začal velmi bedlivě sledovat *Strand* a další podobné časopisy, a zvlášť věnoval pozornost všem zprávám a zvěstím o literární činnosti Conana Doylea.

Osud udeřil až na podzim roku 1903. Pan Headley zpočátku držel Holmese v nevědomosti, což se mu dařilo do chvíle, než se v poštovní schránce Caxtonovy knihovny objevil říjnový výtisk *Strandu* a potvrdil jeho nejčernější obavy. V něm vyšla povídka Prázdný dům, opět výstižně ilustrovaná Pagetem, která stvrdila návrat Sherlocka Holmese, byť v úvodu přestrojeného za starého sběratele knih. Pan Headley povídku četl v zadní kanceláři Caxtonovy knihovny, za zamčenými dveřmi, zatarasenými pro jistotu ještě psacím stolem, ježto zamčené dveře nepředstavovaly pro většinu obyvatel Caxtonovy knihovny překážku, Holmese nevyjímaje. (Pan Headley absolvoval několik nepříjemných rozhovorů s Ferinou Lišákem, o němž byl přesvědčený, že mu krade sušenky.)

Upřímně řečeno, vysvětlení toho, jak Holmes přežil pád z Reichenbašských vodopádů, nevzbudilo v panu Headleym důvěru. Zahrnovalo zběhlost v bojovém umění baritsu a schopnost – zcela popírající gravitaci – zřítit se ze skalního převisu a dopadnout na cestu pod ním, či spíše nezřítit se, ale elegantně přistát na pěšině, nebo ještě lépe zinscenovat pád a –

Ve skutečnosti na tom nesejde. Následovaly eskapády v Tibetu, Lhase a Chartúmu a přestrojení za Nora, nad nimiž se panu Headleymu svíralo srdce, ačkoli musel přiznat, že z valné části vinou obav z následků, jaké bude mít návrat tohoto Sherlocka Holmese na toho, jenž pobýval v Caxtonově knihovně. Samozřejmě mu to musel někdo říct, pokud o tom už ovšem nevěděl, protože se mu náhle změnily vzpomínky a získal schopnost mluvit norsky, kterýžto jazyk dříve neovládal.

Pan Headley nabyl dojmu, že nemá jinou možnost než navštívit Holmese s Watsonem v jejich pokojích a zjistit pravdu. Odsunul stůl ode dveří, odemkl a vykročil do chodeb knihovny. Cestou se ještě zastavil v oddělení slovníků. Watsona zastihl spícího na gauči a Holmese kroužícího ampulí nad kahanem, kterážto činnost v očích pana Headleyho mohla i souviset s výrobou narkotik.

Pan Headley se zadíval na podřimujícího Watsona. Povídka Prázdný dům přinesla totiž jednu smutnou novinku, a sice že Watsonovi podle všeho zemřela manželka Mary. To by znamenalo značnou nepříjemnost, nebýt skutečnosti, že Watson žijící v Caxtonově knihovně si vůbec nevzpomínal, že by byl ženat. To bylo patrně proto, že jeho manželka v řadě povídek vůbec nevystupovala, alespoň ne významně, a tudíž nemohla mít na nikoho ze zúčastněných jakýkoli vliv. Přesto se pan Headley odhodlal, že se mu o smrti Mary zmíní. Nešlo nakonec o věc, kterou člověk snadno smete ze stolu.

Prozatím se však zaměřil na Holmese.

„Všechno v pořádku, pane Holmesi?“ zeptal se pan Headley.

„Je snad nějaký důvod, aby nebylo?“ odpověděl Holmes otázkou.

Ani přitom nezvedl oči od kahanu. Ve vzduchu visel nasládlý kořeněný odér. Panu Headleymu se z něj zatočila hlava.

„Ne, vůbec žádný. To, co cítím, je nějaká droga?“

„Experimentuji,“ ucedil Holmes sarkasticky a – pomyslel si pan Headley – s náznakem defenzivy.

„No jistě, samozřejmě. Jen buďte, prosím vás, opatrný.“

Za Holmesovou hlavou se točil větrák. Pan Headley netušil, kam vede, přesto žil v neustálém strachu, že nějaký smyšlený policista zavětří pach nelegálního zboží, a jakmile se probere z mdloby, zorganizuje razii.

Pan Headley si odkašlal a co nejzřetelněji pronesl:

„*Goddag, hvor er du?*"

Holmes se na něho zaraženě podíval.

„Cože?"

„*Lenge siden sist,*" pokračoval pan Headley.

„Není vám nic?"

Pan Headley stočil pohled na kapesní norskou konverzaci ve své ruce.

„*Jo takk, bare bra. Og du?*"

„Vy mluvíte... norsky?"

Watson se probudil.

„Co to má být?" zeptal se.

„Headley zřejmě utrpěl ránu do hlavy," uvedl Holmes, „a propadl dojmu, že je Nor."

„Dobrý bože," zaúpěl Watson. „Povězte mu, ať se posadí."

Pan Headley zavřel kapesní konverzaci.

„Neutrpěl jsem ránu do hlavy a nepotřebuji se posadit," prohlásil. „Jen mě zajímalo, jestli náhodou nemluvíte norsky, pane Holmesi."

„Kurz norštiny jsem nikdy neabsolvoval," odtušil Holmes. „V mládí jsem nicméně louskal *Beowulfa* a shledal jsem, že mezi starou angličtinou a norštinou je jistá podobnost."

„Slyšel jste někdy o norském badateli jménem Sigerson?" vyzvídal dál Headley.

„To nemůžu říci," připustil Holmes. Měřil si nyní pana Headleyho podezřívavým pohledem. „Proč se ptáte?"

Pan Headley se rozhodl, že si nakonec přece jen sedne. Nevěděl, jestli je dobře nebo špatně, že Holmes pobývající v Caxtonově knihovně nezískal s návratem svého knižního já nové vzpomínky. Ať tak či tak, nemohl před ním dál tajit vydání nové povídky. Dříve či později by se o ní stejně dozvěděl.

Pan Headley sáhl pod sako a vylovil nejnovější číslo *Strandu*.

„Myslím, že byste si to měl přečíst," podal je Holmesovi.

Pak se obrátil zpátky k Watsonovi.

„Velmi nerad vám to říkám," spustil pan Headley, „ale zemřela vám žena."

Watson se nad tím sdělením na okamžik zamyslel.

„Jaká žena?"

Trojice mužů seděla v kanceláři pana Headleyho, na stole před sebou výtisk časopisu *Strand Magazine*. Okolnosti žádaly něco silnějšího než kávu, a tak pan Headley otevřel láhev brandy a nalil každému po štamprleti.

„Jestli on je já," pronesl Holmes nikoli poprvé, „a já jsem on, pak se mi měly změnit vzpomínky."

„Souhlasím," přitakal pan Headley.

„Jenže se mi nezměnily, takže nemůžu být tamten Holmes."

„Ne."

„Což znamená, že jsou teď na světě dva Holmesové."

„Zdá se, že ano."

„Co se tedy stane, až Conan Doyle jednoho dne zemře? Objeví se tu i ten druhý Holmes?"

„A druhý doktor Watson," doplnil Watson, pořád ještě tumpachový ze zjištění, že byl kdysi ženat. Matně si vybavoval, že někde okolo *Znamení čtyř* získal podobný dojem. „Ale přece nemůžeme být dva – respektive čtyři. To je krajně znepokojující."

„A který z nás by byl pravý Holmes a pravý Watson?" dodal Holmes. „Je nasnadě, že my dva jsme originály, takže bychom to měli být my, jenže vysvětlujte to těm dvěma dvojníkům, až se tady objeví… A ještě jedna věc je horší – co když ti dva opanují obecné představy? To pak přestaneme existovat?"

Ta možnost všemi silně otřásla. Pan Headley měl tohoto Holmese a Watsona upřímně rád. Nechtěl, aby se rozplynuli ve vzduchu nebo aby je v budoucnu nahradily nějaké jejich jiné verze. Stejně tak se však obával i toho, co udělá příchod nového Holmese a Watsona s Caxtonovou knihovnou. To mohlo přinést všemožné katastrofální následky. Co když se třeba na prahu začnou objevovat Holmesové a Watsonové ze všelijakých parodií a pastišů a budou tvrdit, že jsou také skuteční, a rozdmychávat nepokoje? To způsobí chaos.

A co knihovna jako taková? Pan Headley tušil, že tak složitá a záhadná instituce jako Caxtonova knihovna musí být na jisté úrovni také neobyčejně křehká. Po staletí se mezi jejími zdmi dokonale vyvažovala skutečnost s neskutečnem. A tuto rovnováhu nyní ohrožovalo rozhodnutí Conana Doylea oživit Holmese.

„Nedá se nic dělat," prohlásil Holmes. „Měli bychom se vypravit za Conanem Doylem a říct mu, ať přestane psát své povídky."

Pan Headley zbledl.

„Ach, to ne," hlesl. „To nemůžete."

„Proč bych u všech všudy nemohl?"

„Protože Caxtonova knihovna je tajné zařízení a u toho musí zůstat," odpověděl pan Headley. „Žádný spisovatel se nemůže dozvědět o její existenci, protože by se hned všichni začali domáhat nesmrtelnosti – své i svých postav. Jenže tu je potřeba si zasloužit, navíc přichází až po autorově smrti. Spisovatelé v těchhle věcech nemají žádnou soudnost, a kdyby se dozvěděli, že je tady v Glossomu panteon literárních postav, nezbavili bychom se jich.

A ještě hůř, představte si, kdyby se o Caxtonově knihovně dozvěděla veřejnost! Stala by se z ní zoo. Lidi by tu bušili na dveře ve dne v noci a chtěli by vidět Heathcliffa – a víte, jaký je – nebo by si, chraň Bůh, chtěli popovídat s Davidem Copperfieldem."

Všichni si sborově povzdechli. V Caxtonově knihovně bylo všeobecně známo, že když se chcete na něco zeptat Davida Copperfielda – byť na nejjednodušší otázku – musíte si na to vyhradit celé odpoledne.

„Ale stejně," ozval se Holmes, „nevidím jinou možnost. V ohrožení je naše holá existence – a možná i existence celé Caxtonovy knihovny."

Pan Headley do sebe obrátil štamprle, na chvilku se zarazil a pak si nalil další.

Jejdanánku, pomyslel si. Jejdanánku, jejdanánku, jejdanánku.

Brzy začaly přípravy na cestu. Pan Headley zamkl knihovnu, ale ještě před tím několika příčetnějším postavám sdělil důvod svého odjezdu, byť mu bylo jasné, že jeho nepřítomnost sotva zaznamenají. Dokázaly prospat celé týdny a měsíce – dokonce i roky – a probudit se jen tehdy, jestliže některý nakladatel znovu vydal jejich rodné dílo nebo o něm napsal literární kritik pojednání, které vzbudilo zájem veřejnosti o jejich osudy.

„Prosím vás, snažte se na sebe zbytečně neupozorňovat," zaprosil pan Headley, když zaplatil za jízdenky první třídou do Londýna. Sotva to vyslovil, uvědomil si, jak to bylo zbytečné. Vždyť nastupoval do vlaku se dvěma muži, z nichž jeden měl plášť s kapucí a loveckou čapku a k tomu zbrusu nové naleštěné botky se zářivě bílými psími dečkami – Sherlocka Holmese nemohl připomínat víc, ani kdyby začal nahlas vykřikovat, že –

„Ta záležitost je stále zajímavější, Watsone!“ zazněl opodál radostný hlas. „Stále zajímavější!“

„Bůh mi dej sílu,“ zaúpěl tiše pan Headley.

„Váš přítel,“ poznamenal prodavač jízdenek, „nemyslí si on náhodou o sobě, že je, víte kdo… ?“

„Ano,“ nepřel se pan Headley. „Tak trochu ano.“

„Je neškodný, viďte?“

„Doufám.“

„Nebude obtěžovat ostatní spolucestující, viďte že ne?“

„Ne, pokud se nedopustili nějakého zločinu,“ opáčil pan Headley.

Prodavač jízdenek se zatvářil, jako když pomýšlí na přivolání statných zřízenců v bílých pláštích, pan Headley však posbíral jízdenky dřív, než mužík stačil zakročit, a tiše popohnal své společníky. Usadili se na sedadlech a panu Headleymu se citelně ulevilo, neboť nepřišel nikdo, kdo by ty dva chtěl odvést.

O mnoho let později – když pana Headleyho střídal nový knihovník pan Gedeon – vzpomínal starý muž na tuto cestu jako na nejšťastnější chvíle svého života, a to i navzdory nervozitě, kterou v něm probouzelo chystané setkání s Conanem Doylem. Jak tak ze svého místa u dveří pozoroval Holmese s Watsonem – Holmes seděl vpravo a živě se předkláněl, klepaje si pravým ukazovákem o levou dlaň na znamení důrazu, Watson naproti němu s doutníkem v ruce a s nohou přes nohu –, zmocňoval se ho dojem, jako by se ocitl na jedné z Pagetových ilustrací pro *Strand*, jako by opustil svůj život a vstoupil na stránky povídek Conana Doylea. Všichni čtenáři se jaksi ztrácejí na stránkách opravdu dobrých knížek, takže co může být pro takového čtenáře krásnějšího než se ocitnout ve společnosti oblíbených postav a prožít s nimi úsek života, který bude sice krátký, ale všechny je navždy změní? Panu Headleymu bušilo srdce v rytmu ujíždějícího vlaku, zatímco do oken zářilo dopolední slunce.

Sir Arthur Conan Doyle překročil čáru hracího pole Marylebonského kriketového klubu, pálku v podpaží. Odpolední trénink mimo sezonu mu přišel k duhu a zanechal v něm pocit, že bude – až přijde na věc – dobře připravený. V Anglii byli lepší kriketoví hráči než on, ale to ho nijak zvlášť netrápilo, protože měl dobrý švih a jeho pomalé nadhozy dokázaly zmást pálkaře o dost lepší, než byl on. Nadto již takřka zapomněl na šok, který utrpěl před lety, když jako náměsíčník napsal levou rukou ten holmesovský blábol. Řadu měsíců tehdy chodil na kriket v hrůze, že v nějakou zcela nevhodnou chvíli ho levička zradí a bude si s pálkou dělat, co si zamane, jako kdyby byl postava z hororových povídek Hauffa či Marshe. Díkybohu byl takové ostudy ušetřen, přesto ještě dnes – když se mu odpal nezdařil – vrhl tu a tam na levou ruku podezřívavý pohled.

Převlékl se, rozloučil a chystal se na cestu do hotelu, kde ho čekala práce. Zpočátku se k Sherlocku Holmesovi vracel s pocitem odevzdanosti, a dokonce i s lehkou nechutí, ale povídka Prázdný dům dopadla lépe, než čekal: ve skutečnosti ji pomalu začínal považovat ze jednu z nejlepších povídek o Holmesovi. K tomu se přidala radost a chvála, s jakou ji otiskli na stránkách *Strandu*, a ty Conana Doylea ve spojení s loňským pasováním na rytíře dokonale pozvedly. Jediné, co jej sužovalo, bylo chatrné zdraví jeho milované Toulie. Zůstala v Undershaw, jejich domě v Surrey, kam za ní měl následujícího dne odjet a strávit s ní i dětmi víkend. Objevil nového specialistu, který měl s její nemocí zkušenosti, ale vskrytu už příliš nedoufal. Tuberkulóza ji ničila, ukrajovala z jejího života, a on s tím nemohl nic dělat.

Právě když Conan Doyle zahýbal do Wellington Place, přistoupil k němu hubený mužík. Vypadal jako nějaký úředník, ale na to byl příliš dobře oblečený, boty naleštěné jako zrcadlo.

„Sir Arthur?" otázal se.

Conan Doyle přikývl, ale šel dál. Nikdy si úplně nezvykl na slávu, kterou dík Holmesovi získal, a na samém začátku přišel na to, že nejlepší je *jít dál*. Jakmile se člověk zastaví, je lapený.

„Ano?"

„Jmenuji se Headley," představil se mužík. „Jsem knihovník."

„Ušlechtilé povolání," poznamenal Conan Doyle srdečně a přidal do kroku. Dobrý bože, knihovník! Jestli se dostane ke slovu, budou tady do večera.

„Přicházím za vámi, ehm, s kolegy, kteří by se s vámi tuze rádi seznámili," vypravil ze sebe Headley.

„Obávám se, že se nemůžu zdržovat," na to Conan Doyle. „Mám spoustu práce. Když ovšem necháte vzkaz ve *Strandu*, jistě pro vás udělají, co bude v jejich silách."

Ukročil prudce doleva, překřížil panu Headlymu cestu, přešel na druhou stranu a zamířil na Cochrane Street. Celou dobu se snažil budit dojem člověka majícího na práci něco smrtelně důležitého. Byl už téměř na nároží, když mu vstoupily do cesty dvě postavy, jedna z nich v lovecké čapce, druhá v buřince.

„Ó bože," vyhrkl Conan Doyle. Bylo to horší, než si myslel. Knihovník s sebou přivedl dva idioty převlečené za Holmese s Watsonem. Takoví byli jeho prokletím. Většinou však měli dost slušnosti na to, aby ho neoslovovali na ulici.

„Ha, ha, ha," ucedil nevesele. „Velmi dobře, pánové, velmi dobře."

Pokusil se je obejít, ale ten oblečený jako Holmes byl rychlejší a zastoupil mu cestu.

„Co si, k ďasu, myslíte, že děláte?" obořil se na ně Conan Doyle. „Zavolám strážníka."

„Opravdu si musíme promluvit, sire Arthure," prohlásil Holmes – či spíše „Holmes", neboť Conan Doyle ho v duchu opatřil uvozovkami. Člověk musí věci nazývat pravými jmény. Proto ostatně byly uvozovky vynalezeny.

„To opravdu nemusíme," opáčil Conan Doyle. „Z cesty."

Pohrozil otravovi vycházkovou holí.

„Jmenuji se Sherlock Holmes –" pronesl „Holmes".

„Ne, nejmenujete," odsekl Conan Doyle.

„A tohle je doktor Watson."

„Ne, není. Heleďte, varuju vás. Tu hůl klidně použiju."

„Co vaše levá ruka, sire Arthure?"

Conan Doyle zůstal stát jako zkoprnělý.

„Co jste to řekl?"

„Ptal jsem se vás na vaši levou ruku. Nevidím na ní žádné šmouhy od inkoustu. Takže jste s ní už znovu nepsal...?"

„Jak to můžete vědět?" nechápal Conan Doyle, jelikož o nešťastné příhodě, jež se mu stala v dubnu roku 1893, nikomu neřekl.

„Protože jsem byl U Benekeyho. Poslal jste mě tam. A rovněž Moriartyho."

„Holmes“ – nyní spíše Holmes – natáhl pravici.

„Těší mě, že vás konečně poznávám, sire Arthure. Bez vás bych neexistoval.“

Čtveřice mužů se usadila u stolu v tichém koutě hostince Ye Olde Cheshire Cheese na Fleet Street, kam se nechala odvézt drožkou. Pan Headley se cestou pokusil co možná nejlépe vysvětlit Conanu Doyleovi situaci, přesto slavný spisovatel Caxtonovu knihovnu ani její postavy pořád úplně nestrávil. Pan Headley se mu nedivil. I on se musel posadit, když mu starý Torrans poprvé prozradil, co je vlastně knihovna zač. A Conan Doyle to měl o to těžší, že naproti němu seděly jeho dva neslavnější výtvory a v poklidu obědvaly hráškovou polévku. Conan Doyle si objednal jednosladovou skotskou whisky, ale vypadalo to, že bude za chvilku potřebovat další.

Holmes si na žádost Conana Doylea sundal loveckou čapku, která nyní visela spolu s jeho kabátem na háčku. Bez ní vypadal jako řadový host hostince Ye Olde Cheshire Cheese, byť s nepřehlédnutelnou aureolou jedinečnosti.

„Musím přiznat, pánové, že se mi s těmito zprávami těžko smiřuje,“ prohlásil Conan Doyle. Přeskočil pohledem z Holmese na Watsona a zase zpátky. Téměř bezděčně u toho zvedl pravou ruku s nataženým ukazovákem, jako by chtěl do těch dvou píchnout, aby se přesvědčil, jsou-li skuteční, Watsonovo srkání polévky nevyjímaje.

„Na tom není nic překvapivého,“ přikyvoval pan Headley. „Ostatně to dokládá sílu vaší představivosti a přesvědčivost vašich výtvorů. Ještě nikdy v dějinách Caxtonovy knihovny se autor nedožil toho, aby se setkal se svými oživlými postavami.“

Conan Doyle upil whisky.

„Kdyby,“ odvětil, „měl by z toho stejně smrt.“

Holmes odsunul talíř s polévkou.

„Sire Arthure,“ promluvil, „pan Headley vám vysvětlil situaci, jak nejlépe dovedl. Je nesmírně složitá a znepokojivá a my spatřujeme pouze jediné východisko. Chápu, že vás patrně postaví do nepříjemné pozice, ale musíte hned teď přestat psát o Sherlocku Holmesovi.“

Conan Doyle zavrtěl hlavou.

„To nemůžu,“ řekl. „Podepsal jsem smlouvu s *Collier's Weekly*. A nejen to, veřejnost by mě ukamenovala, kdybych jim vzal naději na další případy – vždyť jsem jim ji sotva dal. A pak je tu, pánové, ještě jedna maličkost, otázka mých financí. Mám nemocnou ženu, dvě malé děti a dům. Kdyby mi tak mé další literární počiny přinesly větší úspěch... jenže o Rodneym Stoneovi nikdo nemluví s takovým nadšením jako o Holmesovi s Watsonem, a až budou psát recenze na *Duet*, patrně si zalezu do sklepa."

„Jenže čím víc holmesovských povídek napíšete, tím větší je pravděpodobnost, že stvoříte druhého Holmese – a samozřejmě Watsona –" doplnil Holmes.

„Děkuji vám, Holmesi."

„Líbilo by se vám snad, kdyby po ulicích chodil druhý Arthur," pokračoval Holmes, „nebo ještě hůř, kdyby se vám nastěhoval domů? Vzpomeňte na Williama Wilsona. Možná byste se i vy nakonec proklál mečem!"

Pan Headley se naklonil dopředu.

„Sire Arthure, teď už víte, že předivo skutečnosti je mnohem jemnější, než jste si představoval," promluvil. „Samozřejmě je možné, že existence dvou Holmesů a dvou Watsonů nepřinese žádné katastrofální následky – bez ohledu na pracovní či osobní těžkosti zmiňovaných –, existuje však také možnost, že podkope základy celé Caxtonovy knihovny. Čím více čtenářů bude věřit v nově zrozeného Holmese, tím větší je pravděpodobnost, že nám všem z toho vzejdou potíže."

Conan Doyle přikývl. Náhle vypadal, jako by byl unavený a starší.

„Pak to ovšem vypadá, že nemám na vybranou," prohlásil. „Holmes musí znovu odejít, a tentokrát už se nemůže vrátit."

Doktor Watson si významně odkašlal. Ostatní se na něho podívali. Celou dobu tiše jedl polévku, neboť šlo o neobyčejnou hráškovou delikatesu, při tom však pozorně poslouchal, co se říká. Doktor Watson byl bystřejší, než se často mohlo zdát. Pouze jeho hvězda nezářila tak jasně jako Holmesova.

„Mně se zdá," řekl, „že je to otázka toho, čemu člověk věří. Sám jste to říkal, pane Headley: také čtenáři, nejen spisovatelé oživují postavy. Tudíž řešením bude..."

Nechal větu nedokončenou.

„Udělat nového Holmese méně věrohodného, než je ten starý," dokončil Holmes. Poplácal Watsona po zádech, až se jeho přítel málem zakuckal. „Watsone, vy jste úžasný. Děkuji vám."

„Rádo se stalo, Holmesi," opáčil Watson. „Tak co abychom teď přešli k pudinku?"

Sir Arthur Conan Doyle Caxtonovu soukromou knihovnu & knižní depozitář nikdy nenavštívil, byť obdržel pozvání. Měl pocit, že udělá lépe, když si zachová odstup. Kromě toho panu Headleymu sdělil, že kdykoli zatouží po společnosti slavných literárních postav, může si jednoduše otevřít knížku. Stejně tak se nikdy znovu neviděl s Holmesem ani s Watsonem, kteří zase žili v jeho představách.

Místo toho začal nenápadně, leč důmyslně podkopávat hodnověrnost svých znovuzrozených výtvorů, takže pozdější povídky schválně opatřoval nepravděpodobnými zápletkami a řešeními, jako by chtěl čtenáře vyzkoušet, zda dávají pozor. Povídka Upír v Sussexu v tomto směru vyloženě vyniká, zatímco Zmizelý hráč ragby, Zlatý skřipec anebo Voják bílý jako stěna už zkrátka jen nejsou tak dobré jako ty předešlé. Dokonce dělal narážky vyznívající v tom smyslu, že má Watson více manželek, ačkoli ani jednu z nich nejmenoval. To, že takové povídky vycházely, ho trápilo méně, než by tomu bylo kdysi, neboť chápal, že s každou takovou povídkou přispívá k zachování Caxtonovy knihovny a k blahu svých původních výtvorů.

Přesto takřka neuvěřitelná existence Caxtonovy knihovny a to, že o ní ví, poskytla Conanu Doyleovi jistou útěchu. Několik let po setkání s Holmesem a Watsonem mu zemřela první žena a v posledních týdnech první světové války přišel o syna. Strávil mnoho času hledáním důkazu, že existuje život po životě, a žádný nenašel. Avšak vědomí, že je něco jako Caxtonova knihovna a že dostatečně silná víra může vdechnout život postavám z knížek, mu dalo jistou naději, že totéž je možné i v případě drahých blízkých, které ztratil. Caxtonova knihovna znamenala svět za hranicemi skutečnosti, svět sám pro sebe, a mohl-li takový svět existovat, mohly existovat i další jemu podobné.

Krátce po smrti Conana Doylea v červenci roku 1930 přišly do knihovny poštou první vydání holmesovských povídek, včetně *Vzpomínek na Sherlocka Holmese* s oním levou rukou psaným dodatkem. V té době dělal knihovníka pan Gedeon, a s Holmesem a Watsonem si tehdy zažili pár horkých chvilek. Co kdyby Watsonovo řešení, realizované Conanem Doylem selhalo? Nový Holmes s Watsonem se však u dveří neobjevili a chodbami Caxtonovy knihovny zavanul vlahý svěží vánek, jako by si i ona sama oddychla.

Na stěně knihovny, hned nad policemi se sebraným dílem Conana Doylea dnes visí malá modrá cedulka. Stojí na ní: „Na památku sira Arthura Conana Doylea, 1859–1930: za služby, které prokázal Caxtonově soukromé knihovně & knižnímu depozitáři."

Tady bydlím já

Toto je pravdivý příběh. Pozměnil jsem jednu dvě maličkosti, víc ne. Říkal jsem si, že by se hodilo, abych – než se pustím do pojednání o fantastické literatuře – napsal něco, co vůbec nebude vymyšlené.

Spisovatelé všeobecně jsou samotářské bytosti. Jistě, stýkáme se s přáteli a s příbuznými, také navzájem mezi sebou. Někteří dokonce vydrží tak dlouho v jednom vztahu, že zplodí potomstvo. Vždycky se však najdou takoví, co upřednostňují samotu a neměnili by. Držíme to pod pokličkou. Je to skrytá část naší povahy, něco, co nám umožňuje být spisovateli.

Bývaly doby, kdy nakladatelé spisovatelům dovolovali být sebou samými – to znamená, že je nechali psát a nedělali si žádné nároky na jejich čas, kromě občasných rozhovorů pro náležitě seriózní literární časopisy či noviny, kromě pár podpisů limitovaných vydání pro klub čtenářů a kromě nějakého toho oběda s redaktorem, při kterém se pilo víno, vylévala srdce a propírala konkurence.

Dnes se od spisovatele očekává, že bude současně i obchodní zástupce a podomní prodejce. Svá díla musíme propagovat. Máme nařízený styk s veřejností. Někteří spisovatelé jsou v tom velmi dobří a baví je to. Mně osobně propagační činnost nevadí, pokud mě nestojí příliš mnoho času, protože čím víc času strávím jinde než za stolem, tím míň píšu.[1] Mám

[1] Kdyby vás to zajímalo, tak jsem se v psaní „na cestě" docela zlepšil, ale dělám to jen z nutnosti. Když jsem s psaním začínal, považoval jsem ho za něco vzácného až posvátného, co smím vykonávat pouze u psacího stolu. I tak jsem zřídkakdy napsal denně víc než tisíc slov, načež jsem se musel natáhnout a odpočívat, než mě přišel vzbudit někdo ze služebnictva se sklenkou posilující brandy a ještě teplým výtiskem novin. Teď můžu psát prakticky kdekoli – na prostředním sedadle v letadle, v rušné kavárně, a dokonce i před zraky televizních kamer, což se stalo, když u nás doma natáčel dokumentární štáb. Jediná věc, která mě dokáže spolehlivě vyrušit, je, když někdo telefonuje mobilem. To je i důvod, proč v mém pátém románu *Mizerové* brutálně zmlátí a zabijí muže za to, že měl tu drzost telefonovat, zrovna když si chtěla dvojice vrahů přečíst noviny. Tu pasáž jsem napsal v den, kdy mě při psaní a redigování v kavárně vyrušil člověk velmi hlasitě telefonující s kýmsi v Jemenu. Asi jsem pasivně agresivní, dá-li se to tak říci.

takový dojem, že mí čtenáři stojí spíš o mé knížky než o mou pochybnou společnost, ale zjišťuji, že nároky na můj čas vzrůstají úměrně tomu, kolik vydám titulů, takže kdybych chtěl, mohl bych klidně strávit celý rok propagováním svých knížek všude možně po světě.

Někteří spisovatelé si těmito turné přivydělávají, protože mají placené každé setkání se čtenáři, každý workshop a ještě k tomu diety. Pro jiné je to vybočení ze stereotypu a příležitost podívat se na náklady nakladatele do neznámého města a třeba i pobýt s přáteli a kolegy v exotickém prostředí. Opět podotýkám, že něco takového je možné jedině tehdy, když spisovatele podobné akce baví a když dokáže dělat *show*. A to neplatí zdaleka pro každého. Existují spisovatelé, kteří by neměli vycházet z domu a nikdy, za žádných okolností by se neměli stýkat s veřejností, protože je to pro obě strany nežádoucí.

Viděl jsem autory, kteří se ke čtenářům chovali naprosto uboze, a jiné, kteří se neuměli chovat vůbec. Na literárním festivalu ve Francii jsem kupříkladu seděl mezi dvěma americkými autory detektivek zasazených do prostředí Divokého západu, kteří neměli dost slušnosti na to, aby si v kostele sundali kovbojské klobouky – kostel byl sice odsvěcený, ale ducha neztratil. Stal jsem se svědkem, jak se budoucí nositel Man Bookerovy ceny otočil ke svým kolegům a povídá: „Taky všechno *tohle*... tak nesnášíte?“ Gestem ruky zahrnul sice nepočetné, ale zato promoklé publikum, které v té strašné slotě vážilo cestu, aby ho slyšelo mluvit. V obchodě s knížkami pro děti jsem zase seděl vedle dvou autorů, kteří společně vytvořili sérii cynických, ale celkem úspěšných příběhů pro mládež, a slyšel jsem, jak šeptem své čtenáře pomlouvají.

Ale to je vedlejší: jednak zbytečně odbočuji, jednak i spisovatelé mají v zásobě příhody o opilcích z řad veřejnosti, kteří vyrušovali při autorském čtení, o lidech, kteří znevažovali jejich práci nebo využili příležitost a v diskusi se namísto upřímných dotazů snažili propagovat své literární pokusy vydané vlastním nákladem. Onehdy v Birminghamu se za mnou setmělými ulicemi plížila příliš zapálená čtenářka, která mi později napsala, že nikdy nikoho nepronásledovala a že je ráda, že jsem byl první; jindy si mě zase spletli s Ianem Rankinem, Michaelem Connellym, Joem Connellym a Jamesem Pattersonem, kteří – dovolím si podotknout – jsou všichni starší než já, vůbec se mi nepodobají a ani nepocházejí z Irska; vychrstli mi kbelík s vodou na hlavu, polili mi vínem úplně nové kalhoty a jedna knihkupkyně v Glasgow mě kopla do obličeje, když trvala na tom, že se stůj co stůj musím podívat na její nové boty. Takže zkrátka a dobře zůstaňme u toho, že autoři dnes musí propagovat své knížky způsobem, který za starých poklidných časů neměl obdoby. Tohoto úkolu se však lze zhostit s humorem a dobrou vůlí, protože ostatně existují mnohem horší způsoby obživy.

Před pár lety mě takové propagační turné zaválo do jednoho města v severovýchodní Anglii. Velmi často objíždím podobné akce na vlastní pěst, protože cesty z jedné autogramiády na druhou mi umožňují být sám. Tentokrát mě vezl obchodní zástupce nakladatele, což bylo fajn, protože mám toho chlapíka fakt rád a při dlouhé cestě ocením jeho společnost. Čtení se konalo v městské knihovně a začínalo dlouho poté, co zavřely místní obchody. Ulice byly tudíž ztichlé a prázdné.

Šlo o vcelku nenápadnou událost, jak už to u veřejných čtení bývá. Nikdo se nepopral. Nikdo neumřel. Chvilku jsem četl, pak jsem chvilku mluvil a nakonec si pár lidí, kterým se to podle všeho líbilo – a jestli ne, tak si to ze slušnosti nechali pro sebe –, koupilo nějaké knížky. Při každé takové návštěvě knihkupectví či knihovny si dobře uvědomuji, že lidi, kteří tam přijdou, klidně mohli jít někam jinam a dělat něco úplně jiného, a tak se snažím, aby ten večer pro ně byl co možná nejzábavnější. Když nic jiného, těší mě, když odcházejí příjemně překvapeni, že to ani nebolelo, a s pomyšlením zúčastnit se v budoucnu podobné akce zas – namísto aby se zapřísahali, že kdyby ještě někdy měli absolvovat podobnou literární nudu, raději si nechají uříznout obě nohy.

Když všichni představitelé veřejnosti odešli, ke stolu, za kterým jsem seděl, přistoupila starší dáma, která do té doby tiše čekala vzadu v koutě. Za ní nejistě přešlapovala mladší žena, která jí očividně poskytovala morální, možná i fyzickou oporu.

„Pane Connolly," promluvila stará paní, „mám na vás jednu otázku."

Bylo už pozdě a já ještě podepisoval knížky pro jedno místní knihkupectví. Občas ale zvládám dělat i víc věcí najednou. Řekl jsem, že jí milerád odpovím, bude-li to v mých silách. Vypadala nervózně, možná i vystrašeně. Takhle na lidi působím jen zřídka. Upřímně řečeno, snažím se, abych tak nepůsobil. Není to dobré pro obchod.

„Četla jsem vaše knížky," začala třesoucím se hlasem, „a moc se mi líbily. Mám jeden problém a doufala jsem, že byste mi s ním mohl pomoct."

Mluvila zcela vážně. Neusmívala se. Odložil jsem knihu, kterou jsem právě podepisoval.

„Pokračujte," vybídl jsem ji.

„Tady ve městě je jeden dům," odhodlala se, „a v něm přebývá něco zlého. Je to nebezpečné. Všechno to nenávidí, ale nejvíc ze všeho děti. Bydlím poblíž toho domu. Sleduju ho a dávám pozor, aby k němu děti nechodily, ale stárnu a brzo umřu. Někdo musí ten dům hlídat, až tady nebudu. A tak mě napadlo: nevyznáte se v těchhle věcech nebo neznáte někoho, kdo by se v nich vyznal?"

Čekala na odpověď. Podíval jsem se na obchodního zástupce stojícího vedle mě. On se podíval na mě. Oba jsme se podívali na starou paní.

Jde o tohle: v podobných situacích má člověk sklony si o lidech myslet, že jsou trochu blázniví. Já vím, zní to hrozně, ale je to pravda. „Blázniví" je možná nesprávné slovo. Líp by se asi hodilo říct „výstřední".

Jenže tahle paní vůbec nevypadala jako bláznivá. Chápu, že se to těžko posuzuje, a nejsem odborník. Popravdě, kdybych uměl poznat blázna při prvním pohledu do očí, předešlo by se hodně tragédiím. Ta paní každopádně vypadala zcela při smyslech, tedy mně se tak jevila. Taky měla opravdu strach.

„Máte na mysli exorcistu?" zeptal jsem se.

„Ne," odpověděla. „Nechali jsme ten dům posvětit, ale to nepomohlo. Nemyslím, že ta bytost z něj kdy odejde. Spíš jsem si říkala, jestli třeba nevíte o nějakých ‚strážcích' – o lidech, co na taková stará nebezpečná místa dohlížejí."

Jenže já nevěděl. Pochopitelně proto, že nejsem ten typ.

Jsem tenhle typ.

Často se mě ptají, jestli věřím v nadpřirozeno, jenže má bezprostřední zkušenost s jinou než touhle realitou je tak mizivá, až žádná. Považuji se za zdravého skeptika: je možné, že duchové existují, ale ještě jsem žádného neviděl. Noc poté, co tělo mého zemřelého otce převezli v očekávání pohřbu a zádušní mše do kostela, slyšeli všichni lidé v našem domě – což byla má matka, bratr a teta se strýcem – hlasité chrápání. Otec byl chrápáním pověstný a to chrápání bylo skutečně kardinální. Matka, bratr, teta a strýc sešli do přízemí a společně poslouchali. Já jediný jsem tam nebyl, spal jsem jako dudek. Později jsem navrhoval, že jsem třeba mohl chrápat já, ovšem matka mě ujistila, že nikdy nechrápu. Dost se mi ulevilo, protože jsem nestál o to chrápat tak, že probudím celý dům – i kdyby se tím vyvrátilo ono chrápání ze záhrobí. No nic, chci jen říct, že i když v době mého dětství mohlo v našem domě dojít k paranormálnímu jevu, mně to úplně uniklo. Může být, že pravdu měla řada mých bývalých přítelkyň, které tvrdily, že jsem neobyčejně necitlivý.

Můj zájem o duchařinu je veskrze literární. Příběhy o nadpřirozených věcech mě fascinovaly od dětství. Ze začátku jsem hltal antologie pro mládež, včetně knížek tvářících se jako literatura faktu, které ani mé předpubertální já tak docela nepřesvědčily; postupně jsem přešel na knihy pro dospělé.

V době, kdy jsem psal tenhle drobný esej, jsem se vrátil do svého dětského pokoje v domě v dublinské čtvrti Rialto ve snaze najít tam něco, co by vysvětlilo mou dávnou posedlost záhadami.[2] Na poličce nad postelí jsem našel následující:

Antologii *The Pan Book of Horror Stories* z roku 1959, kterou sestavil Herbert van Thal. Všichni editoři antologií hororových povídek by se měli jmenovat nějak jako „van Thal". Herbert van Thal se původně jmenoval Bertie Maurice van Thal, jenže Bertie – ani Maurice – van Thal nemá ten zvuk. Herbert (či snad Bertie) zatraceně dobře věděl, že u záhad hraje velkou roli vnější dojem. Sbírky vydávané nakladatelstvím Pan Books se dočkaly třiceti svazků, i když van Thal jich stačil sestavit jen prvních pětadvacet, než umřel a s editováním antologií byl konec. Ta první byla každopádně nejlepší a obsahovala povídky mj. od Brama Stokera (The Squaw; česky vyšlo jako *Indiánská žena* nebo *Stará Indiánka* – pozn. překl.) a od Muriel Sparkové (The Portobello Road; vyšlo ve slovenštině, ve sbírce *Volanie o pomoc*, jako Portobelo Road – nijak klidné místo – pozn. překl.). S tím, jak se obálky stávaly stále křiklavějšími a děsivějšími – a to je co říct, protože byly děsivé už od začátku –, se kvalita povídek v nich zhoršovala.

---

[2] Měl bych asi říct, že můj dětský pokoj vypadá přesně tak, jako když jsem se z Rialta před desítkami let stěhoval. Rád bych si myslel, že ho tak moje matka zachovala schválně jako svatyni zasvěcenou mému géniovi – kdyby náhodou budoucí experti zabývající se mým dílem pocítili neodbytnou potřebu zapátrat v mém dětství –, ale myslím, že by byla radši, kdybych si ty krámy konečně odvezl a ona mohla pokoj využívat k něčemu užitečnějšímu.

Jestli si dobře vzpomínám, tak i trochu zhrubly, ale možná jsem byl jen útlocitnější. Přesto mě tahle kniha uvedla do světa fantastické literatury, a proto vděčím van Thalovi za mnohé. Od svého přítele, profesora Darryla Jonese, který rovněž sestavuje antologie fantastické literatury, jsem se shodou okolností dozvěděl, že van Thal byl prý známý jako nejošklivější muž v Londýně, což – je-li to pravda – je podivně příznačné.

Sborníky *The Hammer Horror Film Omnibus* (z roku 1973) / *The Second Hammer Horror Film Omnibus* (z roku 1974), oba od Johna Burkea. V době mého dětství a puberty představovaly hororové filmy hlavní sobotní program na BBC 2. Vždycky dávali dva po sobě, ten, co běžel jako první, byl klasicky méně závadný, takže žádná nahota a podobně; druhý byl víc pro dospěláky. Já bohužel vyfasoval rodiče, co o víkendech nikam nevyráželi a jejich zájem o to sledovat v sobotu večer horory byl nulový. Takže hammerovským hororům jsem byl prvně vystaven až díky kamarádovi, jehož rodiče jezdili o víkendech na letní byt do Rushe v okrese Dublin.

Nikdy jsem tak docela nepochopil, proč by si rodina měla kupovat letní byt, když byl jen asi půl hodiny vzdálený od místa, kde bydleli normálně. Působilo to jako nesmysl vzhledem k tomu, že letní byty a dovolené jsou od toho, aby člověk vypadl někam pryč. Ale je fakt, že můj otec nesnášel dovolené, pokud se trávily někde, kam: a) se nedalo dojet autem; b) se vypravit stálo peníze, takže jsme většinu prázdnin a dovolených trávili u babičky na chatě poblíž Ballylongfordu v okrese Kerry, kde to měl otec zadarmo a ještě mohl s autem parkovat na zahradě.

Každopádně Danovi rodiče (říkejme mu Dan, ostatně se tak jmenoval) byli o dost liberálnější než moje máma s tátou, zvlášť když přišlo na to, co jejich tři děti sledují v televizi, takže nás v roce 1966 klidně nechali na malém přenosném černobílém televizoru sledovat celého *Drákulu, pána temnot* (v originálu *Dracula, Prince of Darkness*).

Ten film, jak jste si patrně domysleli, pro mě představoval zjevení. Nikdy před tím jsem nic takového neviděl a ještě dneska, po téměř čtyřiceti letech patří mezi ty, které si zcela jasně pamatuji. Pořád jsem přesvědčen, že právě v *Drákulovi, pánovi temnot* je Christopher Lee coby Hrabě nejlepší, jelikož tou rolí ještě nebyl unavený, byť je trochu škoda, že tam nehraje Peter Cushing, který ve verzi z roku 1958 ztvárnil profesora Van Helsinga.

Dlužno dodat, že film stejně silně zapůsobil i na Dana, byť ne příznivým dojmem: následkem jeho zhlédnutí měl v noci děsivý sen, při kterém se počural, což by mě tedy znepokojilo jistě o dost víc, kdybych spal na palandě pod ním. Naštěstí jsem spal nahoře.

To všechno se odehrálo v dobách, kdy ještě neexistovaly videopřehrávače. Neexistovaly ani barevné televize, alespoň nikdo z mých známých ji neměl. Mí rodiče si navíc video nikdy nepořídili, takže jsem se na filmy podle svého gusta mohl dívat, až když jsem se odstěhoval z domova a koupil si vlastní televizor a vlastní videorekordér. Tudíž jedinou možností, jak se s těmi filmy seznámit, bylo přečíst si jejich přepisy v paperbacku a oživit je v představách. Proto pro mě druhý sborník *The Second Hammer Horror Film Omnibus* znamenal doslova dar z nebes, protože obsahoval nejen *Drákulu, pána temnot*, ale i tři další, starší hammerovské filmy, které jsem neviděl – a od jejichž zhlédnutí mě tehdy dělilo mnoho let.

Patřil k nim *The Reptile* (Plaz), natočený stejně jako *Drákula, pán temnot* v roce 1966. (To byl pro hammerovskou produkci po čertech dobrý rok, protože tehdy vznikly i filmy *Rasputin: The Mad Monk* [Zuřivý mnich Rasputin] s Christopherem Leem v hlavní roli, a historicky možná trochu nepřesný *Milion let před Kristem* s Raquel Welchovou v bikinách z kožíšku). Řadu let poté jsem napsal povídku Slečna Froomová je upírka! (anglicky Miss Froom, Vampire), kterou pro BBC Radio 4 zpracoval můj kamarád Lawrence Jackson.[3] Lawrence přemluvil Jacqueline Pearceovou, která hrála v *Plazovi* nebohou Annu, ať povídku pro rádio přečte. V té době už byla mnohem slavnější, a to díky roli záporačky Servalan ve sci-fi seriálu BBC *Blake's 7* a díky tomu, že se ukázala nahá ve filmu Michaela Radforda *Velký podvod* z roku 1987.

Měl jsem to štěstí, že jsem se rozhlasového natáčení své povídky v Londýně mohl zúčastnit, a tím pádem jsem se mohl Jacqueline přiznat, že ji už pětadvacet let platonicky miluji. Působila okouzlujícím dojmem a byla s ní legrace i navzdory tomu, že už oslavila sedmdesátku a zotavo-

---

[3] Původně se ty povídky měly vysílat pozdě večer, ale někoho z BBC napadlo zařadit ten pořad do pozdně odpoledního vysílacího bloku, kdy zrovna rodiče přiváželi děti ze školy. Myslím, že se to neobešlo bez stížností.

vala se z rakoviny. Myslím, že s žádnou herečkou staré školy, která říká „Darling!“ a kolují o ní historky z natáčení, jsem se nikdy dřív nesetkal, a musím říct, že mě dokonale uchvátila. Pozval jsem ji na večeři do restaurace Hakkasan kousek od Tottenham Court Road a ten večer zůstává jedním z mých nejpříjemnějších zážitků. Dnes žije Jacqueline v Jižní Africe, v rezervaci na ochranu zvířat. Mimochodem, než jsem začal psát tuhle větu, napsal jsem jí e-mail. Je pro mě něco jako most klenoucí se do doby, kdy jsem objevil nadpřirozeno, a i kdyby tenhle esej byl úplně k ničemu, alespoň jsem se s ní zase spojil. (Právě mi od ní přišla odpověď a začíná slovy: „Darling Heart!“ Je to fakt hvězda.)

Když už mluvíme o *Drákulovi*, hodilo by se poznamenat něco o jeho tvůrci Bramu Stokerovi. Teprve nedávno jsem si všiml, že na čísle popisném třicet v Kildare Street – což je naproti autobusové zastávce, odkud občas jezdím domů[4] – je destička oznamující, že v tom domě kdysi žil Bram Stoker, což mi úplně uniklo, protože v souvislosti se Stokerem se z Dublinu zmiňuje hlavně jeho rodný Clontarf. Destičku na číslo třicet, jak jsem se dozvěděl později, nechala připevnit Bram Stoker Society, založená roku 1980, hned za rohem od dublinské Trinity College, Stokerovy almy mater – a mé shodou okolností rovněž.

A teď pár slov o Bram Stoker Society: když jsem studoval na Trinity College, což bylo v letech 1988 až 1992, byla Bram Stoker Society tak proslulá fanatickou oblibou svého skvělého génia, že když se někdo na půdě univerzity mimoděk zmínil, že se mu Stoker docela líbí, musel se bát, aby se na něj neslétli členové Bram Stoker Society jako supi, neodvlekli ho do nějaké temné místnosti a tam ho nepřinutili donekonečna sledovat ham-

[4] Známí se mi diví, že někdo jako já jezdí pořád autobusem; podle nich jsem to měl dávno vzdát a najmout si šoféra. Mého souseda dokonce pohoršilo, že k cestám do města používám veřejnou hromadnou dopravu, protože tu podle všeho považuje za něco stejně nízkého jako kuplířství s vlastními dětmi nebo chytání holubů, aby měl člověk co k večeři. Jednou jsem jel autobusem do centra Dublinu, bylo to krátce po Vánocích, a sedl si vedle nějaké staré paní. Jinde nebylo volné místo. Všiml jsem si, že po mně pořád pokukuje. Nakonec mně poklepala na ruku a povídá: „Ty vaše staré knížky se moc neprodávají, co?“ Myslím, že jsem na chvilku ztratil řeč. Pak jsem ze sebe vypravil, že autobusem nejedu proto, že bych neměl peníze, ale protože mám rád veřejnou dopravu, na což reagovala nezapomenutelným: „No to jistě,“ a z jejího tónu doslova čišela hmatatelná nedůvěra.

merovské bijáky, dokud si sám nevydloubal oči z důlků. Dokonce i při nevinné průpovídce, že váš dědeček dělal lodního topiče (anglicky *stoker*), hrozilo, že kvůli vám svolají sympozium.

Na jejich obhajobu musím říct, že členové Bram Stoker Society měli dost nevděčný úkol. V té době Trinity College – a ostatně i celé město Dublin – vytrubovala do světa, že tam svého času studovali Oscar Wilde a Samuel Beckett, jejichž díla lze celkem bezpečně označit za literaturu. (Tamní katedra angličtiny dokonce nesla nelibě, studoval-li někdo jiné než mrtvé a nevratně pohřbené autory, protože u nich byla jistota, že zničehonic nenapíšou pozdní dílo, ve kterém začnou vychvalovat pederastii nebo nadřazenost bílé rasy.) To Stoker byl z jiného soudku, ze soudku lehce páchnoucího rybinou. Kdyby měla Trinity College půdu, skladovaly by se jeho knihy tam. A právě členové Bram Stoker Society se zasloužili o zachování Stokerova literárního díla, a to i navzdory všeobecnému nedostatku nadšení – lidi z toho byli trošku nervózní.

Stokerova spisovatelská dráha byla každopádně problematická. Mám-li použít metaforu z baseballu, odpálil svým pátým románem, *Drákulou* (1897), míček daleko za mety. A když u baseballu zůstanu, žádný další míč už Stoker nevypálil, a ten první zase nikdy nenašel. Po *Drákulovi* se pokusil přiživit na egyptologickém boomu – když napsal román *The Jewel of Seven Stars* (1902, *Klenot sedmi hvězd*) – a následně na boomu povídek o ženách, které jsou v skrytu obřími ještěrkami – což byla *The Liar of the White Worm* (1911, *Brloh bílého červa*). Pamatuji se však, že obě se četly tak nějak neradostně, i když tedy *Brloh bílého červa* byl aspoň praštěný, zatímco *Klenot sedmi hvězd* jenom nudný. Pokud jde o *Lady of the Shroud* (1909, *Dáma v zahalení*), tak o tom snad lepší ani nemluvit – jeho hlavní hrdinka ze zcela nepochopitelných příčin předstírá upírství z pohnutek, které podle mě nebyly jasné ani samotnému Stokerovi.

Nedá se ovšem říci, že by všechno, co Stoker napsal po *Drákulovi*, bylo bez zajímavosti. V roce 1914 mu posmrtně vyšla sbírka *Dracula's Guest and Other Weird Stories* (*Drákulův host a další podivné povídky*) obsahující Stokerovy nejlepší krátké prózy, včetně *The Judge's House* (1891, *Soudcův dům*), *Indiánské ženy* (1893) a *Dracula's Guest* (*Drákulův host*). Poslední zmiňovanou vypustil z původního vydání *Drákuly*, které měla podle všeho uvozovat.

Stokerovi lze nicméně mnohé prominout zkrátka a dobře proto, že dal světu *Drákulu* – knihu, která snáší stárnutí opravdu dobře. Jde o epistolární román, tedy román v dopisech – literární útvar, který kdovíjak přežil únavně zdlouhavou *Pamelu* (1740) a pozdější *Clarrisu* (1748), obě z pera Samuela Richardsona. Druhá jmenovaná je tak dlouhá, že začít ji číst znamená vysmát se vlastní smrtelnosti –, avšak zahrnuje též novinové výstřižky a nahrávky na fonograf doktora Sewarda, což i dnes zavání podivnou moderností a fragmentárností patrnou v literárních experimentech následujícího století.

Francis Ford Coppola ve svém neprávem očerňovaném filmovém zpracování románu z roku 1992 vyjadřuje tento cit pro technický pokrok narážkami na začátky kinematografie. Bohužel ani sebevětší míra režisérské invence a experimentu nevyváží u Coppolova *Drákuly* dva hrozivě špatné herecké výkony. Ten druhý nejhorší má na svědomí Keenu Reeves, který nikdy dřív ani později nedostál svému jinak zbytečnému přízvisku „Canoe Reeves“ (hanlivé označení pro vaginu – pozn. překl.), působí v té roli stejně křečovitě, jako mu ona nesedí. Přesto ho ještě o chlup trumfuje Anthony Hopkins jako Van Helsing, který za ty dvě hodiny předvede víc šmíry než celý ochotnický spolek a budí dojem, jako by se jenom zahříval na další krajně rozpačitý výkon – roli plukovníka Williama Ludlowa, kterého si zahrál o dva roky později ve filmu *Legenda o vášni*, jímž dal Akademii o důvod navíc, aby po něm chtěla zpátky Oscara, kterého obdržel za *Mlčení jehňátek*.[5]

Pokud bychom měli vypíchnout slabiny Stokerova románu, pak by asi šlo o to, že počáteční kapitoly jsou tak skvělé, že střed a závěr románu za

---

[5] Jsem v pokušení namítnout, že udělením Oscara za nejlepší herecký výkon v roli doktora Hannibala Lectera se Akademie Hopkinsovi pomstila, jak nejhůř mohla, protože to podle všeho – až na pár čestných výjimek, jmenovitě *Soumrak dne* a *Krajina stínů* – vypadá, že usoudil, že v Hollywoodu se přehrávání a karikatura rovná charakterní hraní.

Mlčení jehňátek je jeden z mála filmů, u kterých jsem uronil slzu, ačkoli dlužno dodat, že za to mohly okolnosti, a ne děj. Zrovna jsem přijel ze Spojených států, abych navštívil otce, který v nemocnici umíral na rakovinu, a měl jsem potřebu se schovat někam do tmy. Moje tehdejší přítelkyně navrhla, ať jdeme do kina, přičemž nic jiného než *Mlčení jehňátek* v tu chvíli nedávali. Tak jsme zapadli do biografu Screen, kde jsem se asi v půlce filmu rozbrečel, čímž jsem se stal jediným člověkem, který při *Mlčení jehňátek* plakal. Každopádně k Lecterovi se vrátíme ještě za chvilenku.

nimi nevyhnutelně pokulhávají. Asi nejlepší moment je příjezd Jonathana Harkera do Transylvánie, jeho následné seznamování s hradem Hraběte a pak situace, když vidí Drákulu, jak vyráží na lov a při tom projde zdí. Následuje scéna, kdy ho svádějí tři upírky, které vyruší návrat Drákuly; ten jim hodí nemluvně v pytli, ať se najedí. Nakonec v sedmé kapitole přichází vrcholná pointa celého románu: ztroskotání lodi *Deméter*, ruského plavidla vezoucího Drákulu do Anglie.

Světlo reflektoru ho neopouštělo a všichni přihlížející se otřásli hrůzou — u kormidla byla uvázána mrtvola a její skleslá hlava se v rytmu lodi kymácela sem a tam.[6]

Pak se Stoker rozhodne šoupnout Drákulu k ledu, ježto následující děj nás většinou ponechává ve společnosti šíleného entomofága Renfielda; Harkerovy vystrašené snoubenky Míny Murrayové; falešného Proevropana Van Helsinga; a stále bledší a bledší Lucy Westenrové. *Drákula* bez Drákuly není zdaleka taková švanda jako *Drákula* s Drákulou, a tak se četba trochu vleče, dokud se nepřeneseme zase zpátky do Transylvánie a nenastane velkolepé finále, které původně Stoker plánoval završit Drákulovým pádem do sopky, ale nakonec u něj zvítězil zdravý rozum.

Je zajímavé, že podobné problémy vykazuje i *Frankenstein čili moderní Prométheus* Mary Shelleyové (1818), ale vzhledem k tomu, že Shelleyová ho začala psát teprve v osmnácti letech, a navíc šlo o její první pokus o román, lze ho brát s rezervou. (V roce 2014 se mi poštěstilo zhlédnout původní rukopis Frankensteina v rámci výstavy *Terror and Wonder: The Gothic Imagination* [Hrůza a úžas: gotická imaginace], kterou uspořádala

[6] Zde Stoker dělá přímou narážku na báseň Henryho Wadswortha Longfellowa *Ztroskotání Večernice* („Zmrzlá byl mrtvola. / Přivázaný ke kormidlu, celý strnulý a ztuhlý…"). Vím to, protože pan Buckley, můj první učitel angličtiny na střední škole, nám tuhle báseň vtloukal do hlavy za pomoci dřevěného smetáčku na prach, kterým nás švihal přes ruce, když jsme si nemohli vzpomenout, jak je to dál… že škuner *Večernice* se plavil po ledových mořích a jeho kapitán si s sebou vzal – zcela přirozeně – svou malou dcerku, aby mu dělala společnost. Dík škole Křesťanských bratří umím také recitovat zpaměti celou Shylokovu Řeč o milosti z *Kupce benátského*, kterou dávám k lepšímu na večírcích. Všechno ostatní, co jsem se naučil, včetně fyziky a historie, jsem s výjimkou operace Barbarossa úspěšně zapomněl.

Britská knihovna; asi nejzajímavější na něm bylo, že byl napsaný ve školní písance a vypadal jako domácí úkol.)

Při četbě románu Shelleyové musí člověk ještě dnes, po dvou staletích žasnout nad hloubkou představivosti mladé ženy. Doboví kritici se nikdy s ničím podobným nesetkali a dělalo jim obtíže dílo zařadit. Recenzent píšící o něm na stránkách *The British Critic* sice uznal, že má sílu, ale „ta síla je tak nemístná a zvrácená, že bychom snad upřednostnili slaboduchost… musíme se ohradit vůči hrůzným bdělým snům vyvolaným nepřirozenými stimulans této pozdější školy; a po přečtení tohoto třísvazkového, ducha obluzujícího díla se cítíme uondaní a jako předávkovaní laudanem či utrápení noční můrou."

To *Blackwood's Edinburgh Magazine* byl o něco laskavější, ohromen „originálním géniem a působivou silou výrazu autora", byť autorství mylně připsal muži, jelikož kniha poprvé vyšla anonymně.

Frankenstein začíná skvostně plavbou snílka Waltona na sever, kde loď uvázne v ledu a její posádka objeví na plovoucí ledové kře Victora Frankensteina. Ten začne Robertu Waltonovi vyprávět svůj příběh, který Walton obratem tlumočí sestře v dopisech putujících do Anglie. *Frankenstein* je tedy podobně jako *Drákula* epistolární román – použití dopisů, dokumentů či smyšlených historických záznamů je charakteristickým znakem anglického gotického románu a důvodem je oslabení nedůvěry čtenáře. Je nicméně pozoruhodné, jak málo známá je kniha jako taková. Většinu představ o Frankensteinovi a jeho stvoření nemáme od Shelleyové, ale z filmů. Shelleyová nám dokonce ani nevysvětlí, jak Victor Frankenstein svůj výtvor oživil. Máme zjevně předpokládat, že zde sehrála nějakou roli elektřina, i kdyby v nás tento dojem měla vzbudit pouze zmínka doktora Frankensteina o tom, že v dětství viděl, jak blesk zasáhl starý dub a zcela ho zničil – to v něm zanechalo mocný dojem o síle elektřiny. Víc se ale nedozvíme. Není zde jediný popis stvoření monstra ani úder blesku a svedení jeho síly do jeho těla, nezazní žádné vítězoslavné: „Ono to žije!" To všechno pochází až z filmu Jamese Whalea z roku 1931. Shelleyová místo toho jen v páté kapitole píše:

Jedné smutné listopadové noci jsem se dožil dokončení svých snah. S úzkostí, která téměř hraničila s agonií, naskládal jsem kolem sebe životodárné přístroje, abych mohl vdechnout jiskru života do neživé hmoty, která mi ležela u nohou. Byla jedna hodina po půlnoci, déšť bubnoval neutěšeně do oken a svíčka již dohořívala, když za posledního záblesku světla jsem spatřil, jak můj výtvor otevřel matně žluté oko. Jeho dech byl těžký a údy se mu křečovitě zmítaly.*

To je svým způsobem dramatické, avšak mnohem méně působivé než většina filmových zpracování – a že se zrození monstra snažila barvitě ztvárnit řada filmových tvůrců. Z knihy se nedozvíme ani to, odkud se vzaly nezbytné údy a části těla umělého člověka, přičemž jeho podoba je na hony vzdálená postavě, jak ji známe v pojetí Borise Karloffa, mající zploštělou hlavu a hřeby zatlučené do krku. Monstrum Shelleyové měří bezmála dva a půl metru, ale:

Údy byly souměrné a rysy v obličeji jsem vybral tak, aby byly krásné. Krásné! Bože můj! Žlutá kůže sotva skryla soustavu svalů a žil, vlasy byly leskle černé, rozevláté, zuby bělostné jako perly, jenže tento lesk tvořil tím strašnější kontrast s vodovýma očima, které měly téměř stejnou barvu jako špinavé oční důlky, v nichž byly zasazeny, jako svraštělá pokožka a úzké zatrpklé rty.**

Kromě toho, jak záhy zjistíme, jde o nadčlověka, obdařeného nejen neuvěřitelnou silou, ale také nesmírnou rychlostí a pohyblivostí. Ty mu umožní prchnout, sotva ho jeho stvořitel postaví na nohy. Pak je tu také jeho inteligence, s níž román – ve druhém svazku – učiní poněkud zvláštní obrat. Frankenstein odcestuje do švýcarských Alp, kde se opět setkává se svým výtvorem. Dozvídáme se, že bytost prožila mnoho měsíců ukrytá v přístavku horské chaty, kde tajně poslouchala její obyvatele a četla zcizené knihy, a tak se naučila mluvit.

Pomineme-li fakt, že si žádný z obyvatel chaty nevšiml, že v kůlně žije dva a půl metru vysoké monstrum, jsou jeho lingvistické pokroky pozoruhodné. Naneštěstí se ukáže, že je obr pěkně užvaněný. Jakmile začne mluvit, nezavře pusu – a líčí doktoru Frankensteinovi, jak si v kůlně dobře žil. Zde román vstupuje na poněkud jistější, konvenční půdu, jelikož mon-

---

* Citováno v překladu Tomáše Korbaře – pozn. překl.
** Citováno v překladu Tomáše Korbaře – pozn. překl.

strum vypravuje svému stvořiteli příběh o nešťastných milencích a proradných Turcích, načež přichází zlatý hřeb, jímž je touha obludy po tom, aby mu doktor stvořil družku. S tou se román opět stává zajímavým, prostoupen lehce erotickým napětím, a znovu nám připomíná, že jej napsala předčasně vyspělá, talentovaná mladá dívka – dívka, jež ve věku šestnácti či sedmnácti let čekala první dítě s básníkem Percym Bysshem Shelleym, který kvůli ní opustil svou rovněž těhotnou manželku Harriet a s Mary prchl do Francie.

Třebaže dítě krátce po porodu zemřelo, Mary rychle počala další, a to se přitom Percy pilně snažil přenechat ji svému příteli Thomasi Jeffersonovi Hoggovi. Tehdy si Mary Godwinová začíná říkat „paní Shelleyová“, ačkoli si ji básník nikdy nevzal,* a přesouvá se do rezidence Villa Diodati do švýcarských Alp, kde pobývá ve společnosti Shelleyho, lorda Byrona – který sám uprchl z Anglie před finančními a sexuálními skandály, včetně aféry s nevlastní sestrou Augustou Leighovou; v Anglii nechal manželku a přinejmenším jedno dítě – a Byronova osobního lékaře Johna Polidoriho, který později napíše povídku *The Vampyre* (Upír). Byron všechny přítomné vyzval, ať se pokusí napsat „duchařskou povídku“. Mary jednou v noci nemůže spát – a zoufale si přeje splnit básníkův úkol –, a ve „snovém vytržení“ vymyslí *Frankensteina.* V rukopisu jsou nicméně vidět redakční zásahy jejího milence.

Percy Shelley se v roce 1822 utopil – v té době však už před Mary dával přednost Jane Williamsové; on i Byron byli, mírně řečeno, přelétaví – a jeho tělo bylo v přítomnosti Byrona spáleno na hranici na pláži Viareggio. Rok po smrti Mary Shelleyové (zemřela v roce 1851) se v jejím psacím stole našel hedvábný balíček obsahující Shelleyho popel a pozůstatky jeho srdce.

Dík vědeckým a snovým prvkům souvisí *Frankenstein* s dalším dílem anglické gotické literatury, s *Podivným případem doktora Jekylla a pana Hydea* (1886), který napsal Robert Louis Stevenson. Podobně jako tomu bylo u Shelleyové, vznikl i Stevensonův „krvák“ či „horor“ přinejmenším částečně v důsledku noční můry. Stevensonovu ženu Fanny[7] jedné noci

---

* Autor píše, že Shelley si Mary nevzal, ovšem Slovník spisovatelů (Nakladatelství Libri, 1996) i další prameny naproti tomu uvádějí, že se vzali poté, co Shelleyho první žena spáchala sebevraždu – pozn. překl.

[7] Není to sice k věci, ale míval jsem tetu, co se také jmenovala Fanny a která je dnes už dávno po smrti. Bydlela v jednom z posledních dublinských starých sídlišť na Cam-

roku 1885 probudí manželův křik. Jde a jako hodná ženuška svým chotěm zatřese. Stevenson není ani trochu potěšen, že ho vytrhla ze sna právě uprostřed první hrdinovy přeměny. Je nicméně z tuhého těsta a dá se ihned do psaní. První koncept příběhu prý psal tři dny.

Frankenstein se svezl na vlně vědeckého pokroku v medicíně, zejména pak na fascinaci pohledem do útrob lidského těla, jejíž nejzazší extrém představuje takzvaný *burking*, což je metoda páchání vražd za účelem dodání těl na pitevní stoly. Název *burking* je odvozen od jména jistého Williama Burkeho, který v roce 1828 se svým komplicem Williamem Harem zabil v oblasti Edinburghu šestnáct lidí, jejichž mrtvoly prodali doktoru Robertu Knoxovi na pitvy. Burkeho za jeho zločiny oběsili, ovšem Hare si za svědeckou výpověď vysloužil propuštění. Jak skončil, se neví. Burkeho po oběšení veřejně pitvali a jeho kostra je dnes vystavená v Muzeu anatomie Lékařské fakulty Edinburské univerzity.

Stevensonův román naproti tomu čerpá inspiraci z novodarwinovské teorie degenerace: že civilizace v sobě nese zárodky vlastního zániku. Rozkrytím dualistické povahy člověka, který se vyvinul z primitivních bytostí, poukazuje na to, že v nás stále zůstávají násilné sklony a pouze čekají na příhodný spouštěč. Román odrážel teze raných děl kriminální antropolo-

---

den Row. Byla to hubená dáma, která se svým bratrem obývala byt bez televize, plný vycpaných ptáků. Jednu za druhou kouřila cigarety Woodbine, které jí zbarvily prsty a vlasy dožluta. (Mám takový pocit, že mě podvědomě inspirovala k postavě Sběratele, která vystupuje v mých románech s Charliem Parkerem.) Teta Fanny se s věkem stále zmenšovala, takže je docela možné, že vlastně vůbec neumřela, ale jenom se nesmírně scvrkla a je tak maličká, že ji nevidíme, a jedinou známkou její existence jsou sotva postřehnutelné obláčky dýmu z cigaret Woodbine stoupající z koberce.

Vždycky jednou za pár týdnů k nám teta Fanny přišla na večeři, a při jedné z těchto návštěv zrovna na BBC dávali *Prokletí Salemu*, televizní zpracování románu Stephena Kinga v režii Tobea Hopera s Davidem Soulem v hlavní roli. (Jelikož ve Státech šlo *Prokletí Salemu* poprvé v listopadu 1979, musela ho BBC dávat v roce 1980, i když je možné, že se pletu.) Jak se ukáže o pár řádek níž, *Prokletí Salemu* se mi děsně líbilo a měl jsem ho přečtené ještě před tím, než to dávali v televizi, takže jsem byl připravený na jeden z nejděsivějších okamžiků, a sice když se ve filmu poprvé objeví nosferatovský upír Barlow a pronikne do vězení, aby zakousl tesáky do Neda Tibbetse. Patří to mezi největší televizní zjevení a Reggie Nalder, částečně znetvořený rakouský herec, v roli Barlowa vážně nahání hrůzu. Já jsem tedy na jeho zjevení byl připravený, ale moje o dost starší tetička Fanny, která seděla vedle mě v křesle, ani za mák. Ještě dnes slyším, jak jí leknutím vyklouzl z ruky šálek s čajem a roztříštil se o podlahu.

gie, mezi jinými i prací Cesara Lambrosa, který se opírá o stanovisko, že „zárodky morálního šílenství a zločinnosti jsou povaze lidského druhu vlastní již od prvních stadií vývoje“.

Ačkoli Stevenson také navazuje na epistolární tradici a používá dopisy, aby obeznámil čtenáře s určitými skutečnostmi, představují pouze část jeho vyprávění. Asi nejvíc mě při četbě *Podivného případu doktora Jekylla a pana Hydea* zarazilo, jak pomalu se odkrývá spojitost mezi Jekyllem a Hydem. Dnes už víme, co způsobí hlavní zvrat v příběhu – vědecké experimentování s přípravkem majícím oddělit primitiva uvnitř od vyšší, ušlechtilejší bytosti:

Kdyby se každý ten element mohl vtělit do jiného jedince, zbavil by se všeho, co je v něm nesnesitelné – hříšník by byl oproštěn od ctižádosti a výčitek svědomí a spravedlivý by mohl vykonávat dobré skutky. Je to kletba lidstva, že ti protinožci musí spolu ustavičně zápasit ve zmučeném lůně vědomí. Jak je ale rozpojit?*

Dobový čtenář setkávající se s příběhem poprvé však neměl vůbec ponětí, co Jekylla s Hydem spojuje. Pravdu se dozvěděl až teprve v kapitole První prohlášení Henryho Jekylla k případu, která knihu uzavírá. Jinak se čtenáři dostává pouze narážek a nepřímých zmínek od řady vypravěčů a svědků, z nichž každý zcela pochopitelně předkládá jen neúplný obraz událostí. Je to klasické pomalé odkrývání.

V roce 1888 si Jekyll a Hyde našli cestu na londýnská jeviště. Tamní představení v Lyceum Theatre kolidovalo s vraždami prostitutek ve Whitechapelu, které mezi srpnem a listopadem toho roku páchal vrah známý jako Jack Rozparovač. Stevensonovo dílo tak získalo osudově na platnosti, jak potvrzuje i poznámka v editorialu *Pall Mall Gazette*, kde se píše, že „je zcela nabíledni, že ve Whitechapelu jde o realistické zosobnění pana Hydea“.

Zatímco zprvu se myslelo, že člověk schopný spáchat tak ohavné zločiny musí být nutně surový primitiv[8] – „nemělo by nás překvapovat, pokud

---

* Citováno v překladu Jaroslavy Fastrové a Jaroslava Hornáta – pozn. překl.

[8] Nebo herec, to máte prašť jako uhoď: Richarda Mansfielda, který v roce 1888 ztvárnil Jekylla a Hydea právě na prknech Lyceum Theatre, krátce podezírali, že je Jack Rozparovač, protože v roli podal tak přesvědčivý výkon.

vrah v tomto případu nebude potomek chudinské čtvrti", odkašlali si v editorialu –, netrvalo dlouho a vyšly najevo trhliny této teorie. A právě *Pall Mall Gazette* pár dní nato chvatně šlápl na brzdu a snaživě tvrdil, že „v ústavu pro choromyslné zemřel ve věku čtyřiasedmdesáti let jistý markýz de Sade... byl to vlídně vyhlížející džentlmen, a tím pádem i možný vrah z Whitechapelu."

A tak stejně jako se v úctyhodném Henrym Jekyllovi skrýval vražedný Edward Hyde, začalo se uvažovat o možnosti, že Jack Rozparovač by ve skutečnosti mohl být klidně vzdělaný muž s dobrým původem. To zvedlo mocnou vlnu spekulací o možných podezřelých, mezi něž se postupně zařadil například sir John Williams, osobní lékař královny Viktorie (kterého za vraha označil v roce 2013 autor prohlašující o sobě, že je potomek poslední oběti, Mary Kellyové); a dokonale scestně třeba malíř Walter Sickert, na něhož v roce 2001 vrhla podezření Patricia Cornwellová pouze na základě toho, že jeho obrazy prý působí lascivně. Cornwellovou, která v zájmu obhajoby své teorie roztrhala Sickertovo plátno, obvinili zcela právem z „grandiózní hlouposti". Také nejsem příznivce Sickertova díla – vím, co se mi líbí a co bych si domů na zeď určitě nepověsil –, a tak ze snah Cornwellové vyplývá jediná dobrá věc, že je díky ní na světě o jeden Sickertův obraz méně.

A tak od *Podivného případu doktora Jekylla a pana Hydea* – a představy Rozparovače coby surovce s uhlazenou tváří – můžeme po poněkud vratké lávce přejít k Thomasi Harrisovi a zrození kanibalistického psychiatra, doktora Hannibala Lectera z *Mlčení jehňátek*, který svého autora proslavil. A jak už to tak bývá, stal se Anthony Hopkins prvním držitelem Oscara za nejlepší hlavní roli v hororu – tedy od dob Frederica Marcha, který ho dostal v roce 1932 za hlavní roli ve filmu – to byste neuhodli – *Doktor Jekyll a pan Hyde*.

Tales of Mystery & Imagination (1908) od Edgara Allana Poea. Promiňte, předešlé zamyšlení bylo poněkud dlouhé; vracím se zpátky na poličku s knížkami ve svém dětském pokoji. Tahle antologie Poeových povídek je podle mě jedna ze dvou knih, které jsem zachránil z domu babičky v Kerry, než ho po její smrti prodali a zbourali. Další byl paperback *Let's Hear It for the Deaf Man* (1972; česky vyšlo jako *Není hluchý jako hluchý*), což je první mcbainovka, která se mi dostala do ruky, a nejspíš i první detektivka, co jsem v životě četl.[9] Mám silné podezření, že mě Poe uvedl do dospělejší fantastické literatury, jelikož si vzpomínám, jak jsem se jako malý s jeho prózou potýkal. Babiččina knihovna tím pádem poskytla živnou půdu mému spisovatelství, protože už v prvním románu *Na ostří nože* jsem nedokázal odolat možnosti skloubit racionální tradici detektivek se zcela iracionálními náměty z fantastické literatury.

To samozřejmě narazilo na odpor konzervativních příznivců detektivního žánru. I mezi čtenáři detektivek – a nejenom čtenáři, ale i autory, kritiky atd. – se najdou lidé, kteří musí stůj co stůj vznášet námitky vůči čemukoli, protože by byli ze všeho nejradši, kdyby všechno zůstalo tak, jak je, bez ohledu na to, že navrhované změny jsou k lepšímu. Nedá se říct, že mají patent na to, co je detektivka; oni spíš vědí, co není. Vždycky budou mít pifku na prolínání žánrů – a to do té míry, že detektivka zasazená do prostřední Divokého západu – bude označená za western, zatímco detektivka odehrávající se v budoucnosti u nich skončí s nálepkou sci-fi. Prostředí staré Anglie jim nevadí, což je nespíš tím, že sláva Impéria dokonale uspokojuje jejich konzervativní povahu.

Tihle samozvaní strážcové minulosti, současnosti i budoucnosti detektivního žánru pohlížejí zvlášť příkře na všechno, co zavání nadpřirozenem, kterážto nenávist je zakotvena ve slavném desateru dobré detektivky, které v roce 1929 sestavil páter Ronald Knox a jehož druhé přikázání zní: „Všechny nadpřirozené nebo nepřirozené faktory jsou zcela vyloučeny."[10]

---

[9] Je to také jediný román, o kterém mohu s jistotou říct, že ho četl i můj otec. Otec beletrii moc nečetl, ale každé léto si u babičky vzal z police jednu knížku jako prázdninové čtení. Jednou udělal tu chybu, že sáhl po těžkém *Já, Claudius* od Roberta Gravese, kterého louskal dvě léta, a osobně mám podezření, že *Není hluchý jako hluchý* si pak vybral v reakci na minulý přehmat. O tu knihu jsme se pohádali, jelikož její obálka a název přilákaly i mou pozornost. Táta pak už ale žádného dalšího McBaina nečetl, zatímco já hltal 87. revír jako o závod a přečetl jsem úplně všechno, a v *Na ostří nože* jsem dokonce pojmenoval jednu postavu Špekoun Ollie jako poctu spisovateli, který mě zasvětil do detektivního žánru. Bohužel McBain si to špatně vyložil a pohrozil mi žalobou, ale než zemřel, tak jsme si to ujasnili a smířili jsme se.

[10] Páter Knox (1888–1857) měl spadeno ještě na dvojčata, dvojníky, zločince-detektivy, nadbytek tajných chodeb a na Číňany. Poslední jmenovaní mu leželi v žaludku z důvodu všeobecného trendu, jelikož autoři šestákového braku jako Sax Rohmer v zápletkách románů často využívali lacinou „žlutou hrozbu". Možná že měl Knox pravidlo s Číňany (č. 5) formulovat přece jen poněkud opatrněji, protože jeho stáva-

Nepsal jsem však romány, ve kterých „to udělal duch", ale jen jsem se snažil prozkoumat, jaké možnosti skýtá prohlášení Williama Gaddise o tom, že „spravedlnosti se člověk dočká až v příštím životě, v tomhle má zákon" (úvodní věta románu *A Frolic of His Own* z roku 1994). Trápil mě nepoměr mezi zákonem a spravedlností, rozdíl mezi naším nedokonalým právním systémem a Boží spravedlností, a nadnesená možnost, že to druhé by mohlo stát u původu zla. Nadto mě zajímaly nové formy, kříženci již zavedených tradic, protože jsem přesvědčený, že v experimentování spočívá pokrok.

Také jsem si vybavil, že malá sbírka Poea zachráněná z domu mé babičky, obsahovala jak detektivní příběhy, tak ty fantastické – *Tales of Mystery & Imagination* přinesla kromě nefalšovaných hororů i dvě detektivky s Dupinem, v nichž francouzský amatérský detektiv vyšetřuje řadu záhadných zločinů. Asi nejznámějším z těchto příběhů zůstává Vraždy v ulici Morgue, kde vyřešení dvojité brutální vraždy zahrnuje – teď trochu prozradím dopředu, ale jen malinko – orangutana, což dává tušit, že i Poe si uvědomoval absurdnost čistě rozumového přístupu.[11]

Když jsem dával dohromady *Nokturna*, svou první sbírku fantastické literatury, pokusil jsem se napsat poeovskou povídku nazvanou Nevěstino lože, ale nakonec jsem ji tam nezařadil, protože jsem zjistil, že psát jako Poe je mnohem těžší, než jsem si zprvu myslel. Stejně tak Raymond Chandler, jeho nálada a styl jsou tak jedinečné, že snahou o napodobení člověk riskuje, že vytvoří jen lacinou kopii. Postupně jsem vyměkl a zařadil povídku do paperbackového vydání, ale myslím, že jsem měl dost slušnosti a omluvil se za ni.

---

jící znění – „V příběhu nesmí vystupovat žádný Číňan" – umožňuje přinejmenším dvojí výklad. Ještě víc si Knox naběhl, když v roce 1928 v holmesologickém eseji *Literární studie Sherlocka Holmese* dal vzniknout satirické kritice; o Holmesovi, Watsonovi a Poirotovi a jim podobných píše, jako by šlo o skutečně existující lidi, což je vážně k popukání pro osoby, co o Agathě Christie hovoří jako o „Miss Christie" a svět se pro ně zastavil, když zavřeli varieté.

[11] Lze vcelku bez obav říci, že Poe patřil mezi nejracionálnější z lidí a nepopiratelně měl i své démony. V jeho životopise (*Poe: A Life Cut Short* z roku 2009) Peter Ackroyd vzpomíná na příhodu, kdy neoholený a špinavý Poe nechává doma na smrt nemocnou manželku a spěchá si užívat s jinou mladou ženou, s níž byl kdysi zasnoubený, ale která si mezitím vzala někoho jiného. „Poe," sděluje nám Ackroyd, „tehdy krájel ředkvičky tak zuřivě, že poletovaly po místnosti. Vypil šálek čaje a odešel." Zvláštní, že nejznepokojivější na tom všem jsou ty ředkvičky.

Poea měla babička na poličce hned vedle povídek H. P. Lovecrafta. Pořád netuším, jak se tam Lovecraft dostal. To, že tam byl Poe, bych ještě chápal, nakonec vyšel v tvrdých deskách a vizuálně se babičce hodil do knihovny. Lovecraft, to bylo relativně nové paperbackové vydání, snad *The Lurking Fear and Other Stories* (Číhající děs a jiné povídky), ale ruku do ohně bych za to nedal. Mohu se jen dohadovat, že ho tam zapomněl jeden z mých starších bratranců, ale mám jen dva a ani jeden mi nepřipadá jako někdo, kdo by četl Lovecrafta. Všechno je to takové lovecraftovské – nebo spíš m. r. jamesonovské (ke kterému se dostanu později).

Ať už se tam vzal Lovecraft odkudkoli, četl se mi ještě hůř než Poe a do dneška mě Lovecraft nepřesvědčil. Vždycky mi připadalo, že Lovecraftova představivost často dalece přesahuje jeho literární schopnosti. Dokonce i jeho nejslavnější novela *V horách šílenství* pokulhává, když přijde na popis jeho zvláštní vize vesmíru, napadeného blábolícími hrůzami ze záhrobí. Na můj vkus je tam mockrát „nedokážu slovy popsat ten strašlivý výjev, který mi vyvstal před očima…“ a hned potom „tak jo, tak jdeme na to“. Když vypravěč v jednom místě říká: „Mohl bych být upřímný – i když nedokážu mluvit zpříma,“ vůbec mu nedojde, že být upřímný a nemluvit zpříma je nesmysl, je to jako šíp bez hrotu. Připouštím, že jeho nejlepší povídky vydají v součtu za víc než jejich části, i když tedy knižní pokus o přehodnocení a rehabilitaci Lovecrafta, nazvaný *H. P. Lovecraft: Against the Wolrd, Against Life* (2005) od Michela Houellebecqa mě nechal chladným. Možná to ale byla jen přirozená – a podle mě zcela pochopitelná – reakce na všechno, co Houellebecq napíše. Pamatujte: když máte pravdu, nejste zaujatí.

Jak to tak bývá, jsem vděčný, že se při psaní téhle úvahy mohu vrátit zpátky do dětství a do míst, kde jsem vyrůstal. (I moje matka je za to vděčná, protože jsem si odnesl pár krabic s knížkami, také starého plyšového medvěda a pár modelů aut. Nejen že se tím snížilo riziko, že se jí zřítí strop na hlavu, ale ještě se zvýšila pravděpodobnost, že se konečně nadobro pustím jejích sukní a začnu žít dospělý život, bůh jí žehnej.) Jako dítě jsem miloval knihy a jako dospělý jsem jejich výplodem. V mém starém dětském pokoji odpočívá moje čtivo a padá na něj prach. Vážně bych měl mámu přemluvit, aby mi na dům nechala pověsit pamětní desku a vybírala vstupné od lidí, co se přijdou podívat.

Je zvláštní, že na té polici úplně chybí M. R. James, protože právě M. R. James zůstává mým oblíbeným autorem fantastické literatury –

Než budeme pokračovat dál, asi bych měl toto prohlášení ještě upřesnit.

Mé první setkání s delší fantastickou prózou obstaraly romány Stephena Kinga. Začal jsem již zmiňovaným *Prokletím Salemu* (1975), po něm následovalo *Osvícení* (1977), které mi daroval Eamonn Sweeney, kluk, co seděl jeden rok vedle měl v lavici na základní škole, takže to mohlo být nejpozději v roce 1979. Eamonn Sweeney si myslel, že *Osvícení* je nejděsivější kniha, co kdy byla napsaná. Samozřejmě se mýlil: prvenství patří *Prokletí Salemu*, ale *Osvícení* je také zajímavé, i když trochu dlouhé.[12] Když jsem pro *The Irish Times* psal recenzi na román *Doktor Spánek*, Kingovo pokračování *Osvícení*, spočítal jsem si, že jsem přečetl více než padesát Kingových knih, což je od jednoho autora strašně moc.[13]

Asi bych měl přiznat, že jsme se s Kingem malinko rozešli v názorech na *To* z roku 1986. Nebylo za tím nic, co by udělal, a náš rozchod nebyl definitivní. Jenom jsem se chtěl vídat i s jinými spisovateli. Pořád jsem četl jeho knihy, hned jak vyšly, ale už jen ob jednu. Nějak jsem prostě ztratil spojení, ani jsem nevěděl proč.

Myslím, že teď už znám odpověď. V roce 1986 mi bylo osmnáct a můj vztah k hororovému žánru se měnil. Horory – když je čte dospívající člověk – dovolují nahlédnout do temného a složitého světa dospělých. O upíry, vlkodlaky a duchy v nich zas až tolik nejde. Umožňují mladým lidem pojmenovat – zombie, démon, monstrum – nepojmenovatelné, propůjčit tvar beztvarým hrůzám, a tím se s nimi vypořádat.[14]

---

[12] Tedy, *Osvícení* je jen o osm stránek delší než *Prokletí Salemu*, ale člověku tak nějak delší *připadá*. Mezi Kingovy přednosti patří schopnost vytvořit mnoho postav a ladně mezi nimi proplouvat, což je právě na *Prokletí Salemu* velmi dobře patrné. Může ale být, že mi jako klukovi nevyhovovala klaustrofobie prostupující celé *Osvícení*. Vážně bych si to měl přečíst znovu, jenže je tolik knih, co bych si měl přečíst…

[13] Vynechal jsem některé e-knihy, nikdy mě nechytla jeho fantasy série *Temná věž* a stejně tak jsem nikdy neotevřel ani literaturu faktu *Faithful* o baseballu a jeho milovaných Red Sox, kterou napsal společně se Stewartem O'Nanem, protože je to zkrátka literatura faktu o baseballu.

[14] Před pár lety, když mi vyšla *Brána do pekla*, první díl trilogie o Samuelu Johnsonovi, určené pro mladé čtenáře, si mě pozval John Humphrys do pořadu *Today* na BBC Radio 4, abych o knize pohovořil. Vy, kdo nežijete v Británii, možná Humphryse neznáte. Vězte tedy, že jde o děsivého rozhlasového redaktora, který si

Kingovy prózy se pro tyhle výpravy za poznáním zvlášť hodí mimo jiné i proto, že King tak dobře popisuje dětství a dospívání (tím v žádném případě nechci říct, že by jeho knížky byly snad dětinské nebo pubertální). Jakmile překročíme práh světa dospělých, potřeba číst takovéhle věci je náhle méně naléhavá. Najednou se potýkáme s tvrdou realitou sexuality, vztahů, kompromisů, práce, zodpovědnosti a padne na nás také stín – byť jenom z dálky – vlastní smrtelnosti. V důsledku toho k nám hororové prózy už tolik nepromlouvají.

Po čtyřicítce čelím úplně novým strašákům: stárnutí, starost o děti, relativní blízkost smrti. Když jsem prvně četl Kinga, byl jsem nesmrtelný; teď si připadám nesmyslně zranitelný. A vzhledem k tomu na mě teď nově působí spíše Kingovy pozdější věci. Jsou to věci napsané člověkem, který si vytrpěl svoje. V roce 1999 Kinga srazila dodávka, když šel po ulici v Lovellu ve státě Maine. Utrpěl několik život ohrožujících zranění a ta mu přivodila závislost na lécích proti bolesti. Tu mezitím zase překonal, což ho obratem přimělo docela změnit styl psaní. (Pokud jde o řidiče té dodávky, jistého Bryana Edwina Smithe, tak rok po nehodě zemřel – a to 21. září 2000, v den Kingových třiapadesátých narozenin, což je přesně věc, jaké se stávají hrdinům Kingových románů.)

Označení „literární horory“ jsem prve použil schválně a volil jej s velkou péčí, aby bylo jasné, že jde o něco jiného než běžnou fantastickou literaturu. Lidé mají sklony z lenosti předpokládat, že horory, duchařské povídky a příběhy o nadpřirozenu jsou jedno a totéž, jenže duchařská povídka či fantastická literatura vůbec nemusí být strašidelná. Hororový žánr jako jediný získal své označení podle intenzivního pocitu s převážně

---

dává nejostřílenější politiky k snídani a po zbytek dne jim vysává morek z kostí. No nic, ukázalo se, že Humphrys se o *Bráně do pekla* dozvěděl, protože ji četl jeho syn. Humphrys starší usoudil, že působivé vylíčení Ďábla je trochu silná káva pro nadějné mladíky typu Humphryse mladšího. Sice to podal ještě přívětivě, ale bylo jasné, že si myslí, že to rozhodně není vhodné čtivo, a to přitom knížky se Samuelem mají být přinejmenším stejně vtipné, jako jsou strašidelné. Pokusil jsem se o analogoii s klasickými pohádkami ve snaze vysvětlit mu, že když těmhle příběhům seberete strašáky, připravíte je o jejich sílu a vyznění, ale nějak si nedal říct. Přesto jsem z toho vyšel jen lehce pomuchlaný, navíc se nestává často, aby si přední novinář proslulý tvrdou kritikou politických poměrů zval do pořadu spisovatele. Tak se ukažte, J. K. Rowlingová!

negativními konotacemi: pociťovat hrůzu znamená být zděšený, dokonce znechucený. Proto v supermarketech už několik let nechtějí vystavovat v regálech hororovou literaturu a knihkupci zase oddělení hororů umisťují do zadních prostor krámu, kde je záhy objeví veskrze slušní dospívající mladíci a dívky s lehce bezstarostnými rodiči. Žánr hororu má přídech zakázaného ovoce a čehosi neslušného, ale o to tady právě jde. Jak jednou řekl Woody Allen o sexu – je sprostý, jen když se dělá správně. Vymydlení a načančaní upíři z románů typu *Stmívání* působí romanticky, ale Stokerův Drákula – zkažený zabiják nemluvňat pokrytý špínou krysích děr – je skutečně děsivé stvoření.

Účinnost hororu nicméně závisí na odhalení – na tom, co se ukáže, a co zůstane skryto. Jak píše King v *Danse Macabre:* „Zděšení vnímám jako nejzjitřenější emoci... a v tomto duchu se snažím děsit i čtenáře. Když ovšem zjistím, že ho nemůžu vyděsit, pokusím se ho vystrašit; a když zjistím, že ho nemůžu vystrašit, zkusím ho znechutit. Nejsem hrdý."

Jednou se mě ptali, jak bych definoval vkusný hororový příběh. Dokázal jsem přijít jen na jedinou odpověď, a to, že vkusný hororový příběh je takový, který nikdo nečte. Vkus v hororu vážně nehraje roli. Je to spíš otázka toho, co kdo snese – podobně jako u fyzické bolesti. Ne náhodou hororová próza často krouží kolem věty Johna Donnea, že „dutiny mého těla jsou jako další peklo, neboť tolik toho pojmou", kterou jsem použil jako citát v úvodu románu *Na ostří nože*. Opravdu působivá hororová literatura si pohrává s křehkostí lidského těla, zranitelností, bolestí a nakonec i se smrtí. V tomto smyslu každý skvělý horor je hrůzou těla; proto také *Mlčení jehňátek* Thomase Harrise, popisující detailně zohavování a kanibalismus, spadá do žánru hororu, a ne thrilleru. Tělo je, jak nás často upozorňuje hororová literatura, křehká schránka a nakonec nás vždycky zradí.

Když už jsem přiznal neodpustitelné mezery v četbě Kinga, měl bych se asi přiznat i k tomu, že rozhodně nečtu každého současného autora fantastických románů, naopak, četl jsem jich velice málo, Kinga a pár dalších, takže mě King nemohl neovlivnit. Dokonce píšu o státě Maine, stejně jako King, jenže to je proto, že jsem tam kdysi pracoval a dneska tam mám dům. Navíc sám sebe pokládám především za autora detektivek, zatímco King je od základu spisovatel hororů, byť dobře vím, že si s otázkou žánru vůbec nelámeme hlavu. Ale proč to píšu? Rád bych uvedl na pravou míru, že nejsem žádný pološílený stalker, co se přestěhoval do Maine, aby byl nablízku svému idolu. Zkrátka jsem jen přečetl většinu jeho knih, takže jsem mu trochu pomohl se splátkami hypotéky. (Znáte tu okapovou rouru ze strany jeho domu: Tak ta mi patří.)

Proč tedy už nečtu delší díla v žánru fantastické literatury? No, domnívám se, že je to tím, že povídka je ideální útvar pro evokaci nadpřirozena. Krátká hororová povídka poodkrývá oponu, dovoluje nám zahlédnout to, co se ukrývá ve stínu, ale nemá za povinnost poskytnout vysvětlení, které má vedlejší účinek – zahlédnete všechno –, a ten je více znepokojivý. Napíše-li na druhou stranu někdo román, který má kolem tisíce stránek, pak je nějaké vysvětlení či rozuzlení naprostou povinností. Problém je, že to vysvětlení bývá zpravidla o dost méně poutavé než samotný příběh. Zkrátka a dobře, otázka je zajímavější než odpověď.

Kingův těžkotonážní román *Pod kupolí* z roku 2009 (má 1074 stran, jestli vás to zajímá) vypravuje příběh městečka ve státě Maine, odděleného od zbytku světa nepřekonatelným silovým polem neznámého původu. Jde o prvotřídní napínák, který strhujícím způsobem líčí, jak v uzavřené komunitě postupně zavládne anarchie a násilí. King ani jednou nešlápne vedle, až na samém konci, kdy usoudí, že bude vhodné nějak vysvětlit původ kopule, která románu propůjčila jméno. Zvláštní je, že v tomto případě to není potřeba: kopule pouze iniciuje sondu do společnosti uvězněné pod ní a do projevů tamní politiky. Nezáleží ve skutečnosti na tom, kde se tam vzala: zajímaví jsou lidé pinožící se pod ní – lidé, kteří soupeří, prchají a zabíjejí. Vysvětlení existence kopule pak bolestně připomíná epizodu ze *Zóny soumraku*. Je příliš vachrlaté, než aby podpořilo dosavadní vyprávění, a román se kvůli tomu na konci téměř zhroutí.[15]

Chyba není tak docela v Kingovi, řekl bych, ale tkví v žánru. Kdybych byl trochu domýšlivější, možná bych zavedl Connollyho pravidlo: Působivost díla fantastické literatury je nepřímo úměrná jeho délce.

Tím nechci říct, že neexistují skvělé hororové romány – Kingovo dílo jednoznačně svědčí o opaku –, jen je jich podstatně méně, než by člověk čekal, přičemž řada je relativně krátká, takže by se správně měly označovat

---

[15] Dokonce i Homer se tím tu a tam zabývá. A dovolte mi připomenout, že mám Kingovy romány rád, a jeho samotného jakbysmet. Inu, z občasných přehmatů velkých spisovatelů se můžeme poučit víc než z úspěchů chabých amatérů.

spíš za novely: *Dům na kopci* (anglicky *The Haunting of Hill House*) Shirley Jacksonové (v mém vydání 200 stránek); *Frankenstein* Mary Shelleyové (221 stránek), *Já legenda* (*I am Legend*) Richarda Mathesona (170 stránek); *Utažení šroubu* (*The Turn of the Screw*) Henryho Jamese (128 stránek); a *Podivný případ doktora Jekylla a pana Hydea* (*The Strange Case of Dr Jekyll and Mr Hyde*) Roberta Louise Stevensona (65 stránek). Na druhou stranu bez svazujících pout autorských práv – která, upřímně řečeno, totálně podkopala snahy našeho starého známého Herberta van Thala – mohl člověk vytvořit libovolný počet skvělých sborníků krátké fantastické literatury, a je zajímavé, jak často se seznamy významných hororových románů musejí nafukovat povídkovými antologiemi.[16]

Zajímalo by mě také, nakolik mé zalíbení v povídkách tohoto žánru souvisí s pravidelnými televizními pořady s tematikou nadpřirozena, které jsem v mládí sledoval, a to častěji než hororové filmy na BBS. Vyrostl jsem na *Tales of the Unexpected* a *Hammer House of Horror*, přičemž Tales trvaly vždycky třicet minut a Hammer House hodinu. Adaptace delších románů se tady dávkovaly po troškách: do dneška si živě vzpomínám, jak jsem se v roce 1978 bál při pořadu *Armchair Thriller*, když dávali dramatizaci *Quiet As A Nun* (Tichá jako jeptiška) Antonie Fraserové, což je tedy spíš thriller než fantastický román; mohla za to silná návaznost na gotickou tradici a – Matthew Lewis, autor *Mnicha* (1796) – by se mnou jistě souhlasil, že dozajista i záhadnost jeptišek.

---

[16] Připouštím, že je to sporná otázka. Znamenitý spisovatel Robert Aickman podotkl: „Zatímco dobrých duchařských povídek je ve skutečnosti jen velmi málo, k těm špatným je třeba přistupovat kvalifikovaně – jako ke špatným dramatům –, aby jim člověk věřil.“ Aickman zastával názor, že skvělou duchařskou povídku napíše autor jednou nebo dvakrát za celou svou kariéru, byť jeho vlastní dílo tento názor jasně vyvrací, a totéž lze říci o povídkách M. R. Jamese, Arthura Machena, Algernona Blackwooda, Stephena Kinga a dalších.

Díky knize *Armchair History*, skvělé historii britské televize, jsem se nedávno dozvěděl, že Blackwood byl zcela nečekaným průkopníkem televizních přenosů. Takřka v osmdesáti se stal stálicí pořadu *Saturday Night Story*, ve kterém seděl v křesle a vyprávěl divákům příběhy. A ty příběhy si vymýšlel cestou od metra do studia Wood Green, což bylo asi půldruhé míle daleko. Navíc odmítal zkoušky předem a také scénáře a konec příběhu si načasoval podle toho, kolik ukazovaly hodiny ve studiu.

Na ITV běžel seriál *Sapphire & Steel* (1979–1982), hybrid mezi science fiction a fantasy tak podivný, že se vůbec divím, že kdy dostal zelenou. Abych pravdu řekl, bylo to tak nesrozumitelné, že byl div, že to drželo pohromadě. Hrála tam Joanna Lumleyová (později *The New Avengers*) a David McCallum (hvězda seriálu *The Man from U.N.C.L.E.*) – a ehm, hned tady se to začíná komplikovat, protože není jaksi jasné, *co* vlastně byli zač. Vypadá to, že mohli být něco jako transdimenzionální agenti (snad ve službách samotného Času), ale – a teď pozor! – současně i prvky, rozuměj prvky z periodické soustavy prvků. Vím to, protože na začátku každého dílu nás mužský hlas informoval: „Transurany nelze použít tam, kde je život. K dispozici jsou prvky se střední atomovou hmotností: Zlato, Olovo, Měď, Gagát, Diamant, Radium, Safír, Stříbro a Ocel. Safír a Ocel byli přidělení k úkolu…“

Což sice nic nevyjasňuje, ale i tak.

Safír & Ocel vyšetřovali případy s duchařskou tematikou – ve strašidelných domech nebo na opuštěných nádražích, kde strašil duch vojáka z první světové války –, a jen zřídkakdy je na konci vyřešili a poskytli uspokojivé vysvětlení. Osobně jsem drogy nikdy nebral, ale mám podezření, že sledování *Safíru & Oceli* mohlo být jako vykouřit hromadu trávy a začíst se do vědecké knihy.

Teprve později jsem objevil pořady věnované antologiím, jako byl *Dead of Night*, série BBC vysílaná v roce 1972 a od té doby zapomenutá. Dochovaly se pouze tři epizody, z nichž asi nejlepší je Exorcismus. Podobné to bylo i s pořadem *Supernatural* (1977), v němž uchazeči o členství Klubu zatracených (Club of the Damned) vyprávěli hororové příběhy, což bylo něco jako jejich přijímací pohovor. Pokud se jim nepodařilo vyděsit své kolegy, tak je zabili, což mi dává smysl. (Myslím, že stejná zásada by se měla uplatnit paušálně, počínaje komediemi, které se nezmohou ani na jedinou vtipnou hlášku. Adam Sandler s Robem Schneiderem by si rovnou mohli hodit mašli a bylo by to.)

Dokonce i televizní vysílání pro děti jako by vycházelo z teze, že problémové děti lze zvládnout tak, že je vyděsíme, až budou tiše sedět ani nedutat. Pro trilogii *The Changes* BBC adaptovala romány Petera Dickinsona, v nichž se Británie – na signál strojů a techniky – vrací do doby před průmyslovou revolucí; a v pozdně odpoledním vysílacím čase vesele vysílala zápletky točící se kolem satanismu a čarodějnictví. Stanice ITV nám nadělila sérii *Shadows*, k níž přispělo několik autorů těžké váhy, jako třeba J. B. Priestly a Fay Weldonová. Abych byl úplně upřímný, moc si to nepamatuji, byť si matně vzpomínám, že v jednom dílu vystupoval gangster a nějaké strašidelné boty (dík internetu teď už vím, že šlo o *Dutch Schlitz's Shoes*).[17]

Nejlepší ze všeho byl seriál *Children of the Stones* z tvůrčí dílny téže televizní stanice, o kterém se později psalo jako o „nejstrašidelnějším pořadu pro děti, co kdy vznikl" a v němž figurovaly kamenné kruhy, druidové, černé díry, lidé proměnění v menhiry, a tomu všemu vévodila atmosférická hudba – od Sidneyho Sagera – působivá natolik, že kdykoli ji diváci seriálu uslyšeli později, vrátilo se jim trauma z dětství.

Teď si však uvědomuji, že k mému prvnímu setkání s hororovými příběhy v televizním hávu došlo prostřednictvím sci-fi seriálu BBC nazvaného *Doctor Who*. Když poprvé dávali třináctou sezonu (ve které doktora hraje Tom Baker), bylo mi teprve sedm let – a stal jsem se oddaným fanouškem. Třináctá a čtrnáctá sezona se považují za „gotického Who", což je z větší části dílem producenta Phillipa Hinchcliffea a scenáristy Roberta Holmese, který byl podle slov Hinchcliffea „fanoušek hollywoodského hororu". V epizodě Pyramids of Mars (Pyramidy na Marsu) se nicméně objevují roboti přestrojení za mumie a egyptolog posedlý starověkým egyptským bohem Sutechem. The Brain of Morbidus (Mozek Morbida) zase představuje jakýsi přepis *Frankensteina*, kdy údy umrlců nahrazuje končetinami mimozemšťanů. V příběhu The Hand of Fear (Ruka strachu) zase scénář koketuje s hororovým subžánrem zahrnujícím končetiny žijící vlastním životem, jehož pilířem je povídka W. F. Harveyho The Beast with Five Fingers (Bestie s pěti prsty), zatímco The Masque of Mandragora (Maska mandragory) se vrací zpátky k Poeovi. Toto gotické období vyvrcholilo epizodou The Talons of Weng-Chiang (Pařáty Weng-Čch'-anga; závěrečný díl čtrnácté sezony a poslední před tím, než začala původní série zvolna upadat), která kombinuje Holmese s *Fantomem opery*, tradici žluté hrozby zlotřilých Asijců, vražednou hračku s mozkovou kůrou prasete a obří krysu.

[17] Jeden shrnující popisek k této epizodě zní: „Zlotřilý Mr. Stabs si dělá obavy, že síla jeho ruky byla téměř vyčerpána." Doplňte si infantilní vtípek dle vlastní libosti.

Seriál *Doctor Who* si ještě před Hinchcliffem pohrával s hororem, ale to jsem ho ještě nesledoval. Já viděl jako první epizodu The Sea Devils (Mořští ďasové). Bylo to v roce 1972, byl jsem u tetičky v Dunblane a byly mi teprve čtyři roky, takže slavná scéna, ve které se z moře vynoří zmiňovaná hlubinná dravá ryba, mě nejspíš vyděsila k smrti.

Rok předtím nicméně přinesl dobrodružství nazvané The Daemons (Démoni), v němž se při archeologických vykopávkách ve vesnici Devil's End podaří objevit rohatou stvůru známou jako Azal. I přes zcela jasný název se BBC z opatrnosti, aby se nedotkla něčího náboženského cítění, zdráhala představit Azala jako démona, či přímo ďábla, byť nemohl vypadat ďábelštěji, ani kdyby před kameru naklusal s vidlemi a v klobouku s pentagramem. Tak radši z Azala udělali mimozemšťana a až do roku 2006, tedy do éry Davida Tennanta, která přinesla epizodu nazvanou The Satan Pit (Satanova díra), se seriál k tématu nevrátil. I přes opatrné a zcela pochopitelné našlapování tehdejších dramaturgů BBC kolem satanismu byla příhoda The Daemons úžasně prorocká, neboť se na obrazovkách objevila několik měsíců před uvedením slavného britského hororového filmu *The Blood on Satan's Claw* (Krev na Satanově pařátu) a dva roky před vrcholným počinem žánru, hororem *Rituál* (anglicky *The Wicker Man*).[18]

To všechno nás přivádí zpět k M. R. Jamesovi, nejskvělejšímu autorovi krátké fantastické prózy, jakého tento žánr dosud zplodil. James (1862–1936) působil jako děkan na King's College v Cambridgi, později na Eton College.[19] James napsal přes třicet duchařských povídek, přičemž mnohé z nich doporučuje číst nahlas přátelům v čase vánočním. James byl medievalista a ústředními postavami jeho příběhů bývají často akademici, antikváři či učení pánové zvlášť omšelého a podivínského druhu. (Jamesova první antologie, vydaná roku 1904, nese název *Příběhy sběratele starožitností* (anglicky *Ghost Stories of an Antiquary;* česky vyšlo

---

[18] V epizodě The Daemons zaznívá také jedna z nejkultovnějších hlášek historie *Doktora Who*, když se brigádní generál Lethbridge-Stewart ze zvláštní jednotky Spojených národů pro boj proti mimozemšťanům ocitne tváří v tvář oživlému chrliči z kostela, který se jmenuje Bok. A jeho reakce? „Támhle do toho s křídlama... pět ran, honem."

[19] Kouzelnou shodou okolností znal James mladého Christophera Lee, když na Etonu studoval, a Lee později zdramatizovaného Jamese vysílal ve svých pořadech na stanici BBC.

jako *Strašidelné spisy; Kniha I. Příběhy sběratele starožitností*, z angličtiny přeložili Zdeněk Beran, Vladimíra Beranová, Plus, 2013 – pozn. překl.)

V typické Jamesově povídce se tenhle hrdina ochomýtá ve starém kostele či knihovně – a zkoumá nějakou starou rytinu (Kůr v barchesterské katedrále), studuje prastarou knihu (Album kanovníka Alberika) nebo ověřuje šeptandu o utajeném pokladu (Poklad opata Tomáše) – a obratem čelí zákeřné entitě související s daným předmětem. Na Jamesovi je asi nejpozoruhodnější fyzičnost probuzených duchů. Ducha si totiž často představujeme jako cosi netělesného: jako nehmotnou mlhu prostupující zdí nebo jako – v případě poltergeistů – stvoření nemající vůbec žádnou podobu, jehož přítomnost lze zachytit pouze skrze působení na pozemské objekty. James tyhle nesmysly neživí: jeho strašidla jsou vidět a můžete si na ně i sáhnout. A co je ještě děsivější, i ona vidí a také si mohou sáhnout. Nešťastný vypravěč Opata Tomáše vzpomíná, jak „cítí nejstrašlivější pach zatuchliny a studenou tvář přitisknutou na mou vlastní a několik – nevím ani kolik – nohou a rukou či snad chapadel nebo čehosi lnoucích k mému tělu“. O skonání Johna Eldreda v povídce Traktát Midot se dozvídáme, že „ze stínu za kmenem stromu jako by se oddělila malá temná skvrna a z ní se vysunuly dvě paže třímající hroudu temnoty; ta se Eldredovi rozlila před obličejem a zakryla mu hlavu a krk“.

James jako by měl hrůzu z chlupů (vědělo se o něm, že trpí arachnofobií). Démon, který střeží album kanovníka Alberika, vypadá jako „hrouda hrubých, matně černých chlupů“ a v barchesterské katedrále zase sídlí bytost porostlá „drsným a hrubým kožichem“. A nejnepříjemnější ze všeho je, když pan Dunnung v Magické síle run zaboří ruku pod polštář a ocitne se v „tlamě plné zubů a chlupů“. Kdyby se James rozhodl, že se s tím bude léčit, zajistil by případnému terapeutovi pravidelný měsíční příjem na mnoho let. Člověk ale nemusí být zrovna freudián, aby v Jamesově díle pochytil známky psychosexuální rozháranosti. James byl s nejvyšší pravděpodobností gay, ale bohužel žil v době, kdy společnost této sexuální orientaci nepřála, a to dost přísně. Svou potlačovanou sexualitu mohl tedy uvolnit pouze při zápasech v univerzitní tělocvičně s podobně naladěnými kolegy a pak samozřejmě prostřednictvím svých čvachtajících, chlupatých hrůz s chapadly.

Přesto otázka Jamesovy sexuální orientace není zdaleka tak významná jako působivost povídek, které tu po něm zbyly. Na světě žila spousta latentních homosexuálů, ale jen málo z nich nám po sobě zanechalo takové dílo jako James. Asi nejzajímavější je, že jeho povídky vyznívají jako děsivá prognóza možné nebezpečnosti intelektuální zvídavosti, což je u akademika skutečně zvláštní postoj.[20] Nakonec jedna z jeho pozdějších povídek nese název Výstraha zvědavcům. V Jamesově světě není radno strkat nos do temných koutů a nakukovat za skříně, protože by odtamtud mohlo také něco vykouknout.

Tak proč se James neobjevuje na poličce v mém dětském pokoji? No, on se tam objevuje, ale zakutaný v antologiích, konkrétně jde o povídky Magická síla run a Jen hvízdni, chlapče, a já přiběhnu. Přesto jsem se s Jamesem naplno seznámil až prostřednictvím televize.

V letech 1971 až 1978 vysílala BBC sérii televizních adaptací fantastických povídek – nesla název *A Ghost Story for Christmas* (Duchařská povídka k Vánocům). Já dělal u nás v kostele ministranta a to znamenalo, že jsem každé Vánoce pomáhal při půlnoční mši. (V Irsku na přelomu sedmdesátých a osmdesátých let se půlnoční mše obvykle sloužila v devět večer, aby se do kostela nenahrnuli opilci, kterým v jedenáct zavřeli hospody.) Byl jsem moc malý, takže jsem sérii neviděl nikdy v premiéře, ale vždycky jsem sledoval reprízy. Když jsem se po mši vrátil domů, rodiče už spali nebo si mě nevšímali – tedy pokud jsem jim slíbil, že nepůjdu do obýváku a nebudu okukovat vánoční dárky. Tak jsem seděl v kuchyni u čaje, mlsal čokoládu a na přenosné televizi sledoval Jasan, Ztracená srdce nebo jakoukoli jinou adapataci, kterou zrovna na BBC dávali.[21] Když jsem měl štěstí, dávali pak hned grotesku s Laurelem a Hardym, takže se mi pak šlo snáz po ztemnělém schodišti nahoru do pokoje.

---

[20] Mark Gatiss v dokumentárním pořadu o Jamesovi, který nedávno odvysílala BBC, uvažuje, že profesor Parkin v Jen hvízdni... je ve skutečnosti potrestán za svou intelektuální pýchu, a ne za zvědavost. Je to zajímavé čtení, ale pak musí člověk Výstrahu zvědavcům – o dost pozdější povídku – brát jako ironicky míněnou, nebo přistoupit na to, že James změnil názor. Jo, a mimochodem, Gatissův režijní debut, adaptace Jamesovy povídky Traktát Midot pro BBC z roku 2013, se řadí mezi nejlepší televizní zpracování děl autora.

[21] Televizní adaptace na BBC se neomezovaly jen na dílo M. R. Jamese, a osobně pohrdám každým, koho nechal chladným Dickensův Strážce návěstí ve zpracování Andrewa Daviese z roku 1976, anebo stejně půvabné zfilmování Podivuhodné události v životě malíře Schalkena (od Sheridana Le Fanu) v režii Leslieho Megaheye z roku 1979, dýchající jednak láskou k nizozemskému malířství sedmnáctého století, jednak citem pro sexuální prohřešky.

V roce 2012 sestavil již zmiňovaný profesor Darryl Jones kompletní sborník Jamesova díla, a sice pro Oxford Univerzity Press. Na oslavu vydání takové knihy jsme v Dublinu a Belfastu zorganizovali promítání filmové adaptace Jen hvízdni…, kterou roku 1968 režíroval Jonathan Miller (a jejíž název z důvodů, které mi unikají, vynechává počáteční „Jen“, takže zůstává toliko Hvízdni…). Je překvapivé, jak působivé dílo zůstalo. Stojí a padá se znamenitým výkonem Michaela Horderna v roli profesora Parkina, který náhodou najde starou kostěnou píšťalku s vyrytým nápisem *Quis este iste qui venit* (Kdo je ten, kdo přichází?) a na odpověď na tuto otázku nemusí dlouho čekat. Jistě, přízrak, který se posléze objeví, vypadá ve filmu jako prostěradlo na provázcích, ale diváka vyděsí Hordernova reakce, z níž je jasně patrné jeho uvědomění, že svět se navždy změnil a on v něm už nikdy nenajde klid.

Tak to bychom měli: pár slov o tom, co jsem četl, letmý pohled do historie a jakési vodítko, proč píšu to, co píšu.

A jak to dopadlo s tou starou dámou a domem, ve kterém podle všeho přebývalo zlo a číhalo tam na děti? To víte, příliš jsem jí nepomohl. Odkázal jsem ji alespoň na Hoddera, což je autor píšící knihy o andělech. Ten problém se nicméně vymykal mým schopnostem a obávám se, že ani mé doporučení ho nevyřešilo.

O něco později jsem do toho města přijel znovu – pohovořit o sbírce esejů o detektivkách, kterou jsem pomáhal sestavovat – a dáma přišla zas. Tentokrát jsem přicestoval sám, bez doprovodu obchodního zástupce. I nyní, stejně jako při našem prvním setkání, paní počkala, až všichni odejdou, a pak vytáhla mapu dané oblasti města – do ní udělala křížek a vedle něj připsala „Tady bydlím já“.

Přirozeně jsem si myslel, že ten křížek udělala v místě svého domu a že je to ona, kdo tam bydlí, jenže jsem se spletl.

„Tady to bydlí,“ prohlásila.

Usmívala se. Dostala mě a dobře to věděla.

„Mám auto,“ řekl jsem.

„Tak to byste se tam měl jet podívat.“

A to jsem také udělal.

Panovalo nevlídné odpoledne, mokro a zima. Jak se ukázalo, zmiňovaný dům se nenacházel daleko od knihovny. Našel jsem ho snadno, protože jako jediný dosud stál. Zbytek ulice zbourali kvůli výstavbě průmyslových objektů, proložených pro zpestření pustými zaplevelenými plácky. Onen dům vypadal, jako by na něj kdysi navazovaly další jemu podobné domky z červených cihel, jenže ty srovnali se zemí. Zbyl tenhle jediný a vypadal, jako by přistál z nebe. Měl dvě okna v prvním patře a dveře a okno v přízemí. Většina okenních tabulek byla rozbitá. Dveře i okna proto překrývaly mříže – sklo už nezachránily, ale odradily každého, kdo by se tam případně chtěl vloupat – a za mřížemi byly přitlučené překližky, takže nebylo vidět dovnitř.

Působil ten dům znepokojivě? Trochu ano, i kdyby jen svou smutnou nepatřičností. V ulici už nikdo nebydlel. Kdyby v tom domě i přesto někdo přebýval, měl by prachbídný výhled z oken, svědčící jako na mnoha jiných místech Británie o nedostatku citu pro plánování městské výstavby. Dům vypadal zkrátka zašle a poněkud zlověstně. Ani zahrada už jej neobklopovala. Neměl plot, od chodníku jej neoddělovala ani nízká zídka. Zkrátka tam jenom stál.

Všechny takovéhle příběhy by měly obsahovat nějakou podivnost či záhadu, z níž čtenáři naskočí husí kůže. Jedna taková by tu byla: překližka v rohu okna v přízemí se odlomila, možná uhnila, a pod ní prosvítala zaprášená skleněná tabulka. Do prachu někdo – snad prstem – napsal tři slova:

TADY BYDLÍM JÁ

Bylo to na skle napsané *zevnitř.*

Třebaže na konci chyběl vykřičník, v duchu jsem slyšel jasný důraz. Šlo o suché konstatování a současně to znělo výhrůžně, byl to rozhořčený výkřik naplněný zoufalstvím z úpadku kolem a z vlastního neblahého osudu.

A jestli jsem viděl ducha?

Ne.

A cítil přítomnost čehosi?

Ne.

Bydlí v tom starém domě něco posedlé nenávistí, co si vybíjí vztek na dětech, které si hrají na plácku okolo, mimo jeho dosah? To nevím, ale paní, která mě tam poslala, byla přesvědčená, že dům určitě není neobydlený. Vypadala, že to myslí upřímně, a zdálo se, že je zcela při smyslech a při vědomí.

Nakonec někdo přijde a ten dům strhne, a nejspíš dobře udělá. Jestli v něm straší, duch či přízrak je vázaný buď na nějakého člověka, nebo na místo. Žádné lidi jsem tam neviděl a jediné, co by se dalo nazvat místem, byl dům jako takový – jeho dřevěné krovy, cihlové zdi a vymlácená okna, jeho prkenné podlahy a dlažby. Když je odvezou, nebude kam se skrýt.

Samozřejmě je možné, že se pletu. Nemůžu říct, že do těchhle věcí vidím. Vlastně ani nevím, jestli to chci vědět. V duchu pořád vidím vyděšený výraz Michaela Horderna coby profesora Parkina, jak sedí v noční košili na rozválené posteli a pochybuje o tomto světě, protože jeho obavy z existence jiných světů se právě potvrdily. Někdy je asi lepší nevědět.

Někdy je lepší vzít na vědomí výstrahu zvědavcům.

Poděkování

První sbírka kratších próz nazvaná *Nokturna* mi vyšla v roce 2004 (česky vydal BB/art roku 2007), takže od té doby uplynulo už dlouhých deset let. Tento druhý svazek obsahuje všechny povídky, které jsem v tom mezidobí napsal, některé na objednávku různých vydavatelů.

K povídkám mám poněkud neobvyklý a rozporuplný vztah. Zpravidla se mi stává, že dostanu nápad na námět – dejme tomu to bude povídka o strašidelných botách –, ale nic nenapíšu, dokud mě neosloví vydavatel a neřekne, hele, potřebujeme povídku o botách. V tu chvíli vyskočím ze židle a prohlásím, že přesně takovou mám. A zase, jakmile začnu povídku psát, uvědomím si, že mě to hrozně baví. Proto všechny dříve nevydané povídky v této antologii pocházejí z odbobí od konce roku 2013 do konce ledna 2015, kdy jsem měl záchvat aktivity.

Povídka O pitvě neznámého muže (1637) od Franse Miera poprvé vyšla v *The Irish Times* jako součást povídkové série inspirované Všeobecnou deklarací lidských práv, takže za její existenci vděčím Roddymu Doyleovi, který mě tehdy oslovil (i když proto, že jim někdo vypadl, ale i tak to od něj bylo hezké) a všem ostatním z redakce *The Irish Times* a také z Amnesty International, kteří se na projektu také podíleli. Fintan O'Toole, literární redaktor *The Irish Times*, zadal a vydal povídku Bahno, která vyšla ke stému výročí první světové války.

Caxtonova soukromá knihovna & knižní depozitář vznikla na popud Otto Penzlera z Mysterious Bookstore v New Yorku, který mě požádal o příspěvek do své sbírky bibliomystérií a nedal mi pokoj, dokud jsem povídku nedopsal. Ducha vydali Del Howison a Jeff Gelb v antologii *Haunted: Dark Delicacies III*. Christopher Golden, editor *The New Dead*, zase použil Lazara jako úvodní povídku té sbírky. Časopis *Shortlist* zase na oslavu vydání třístého čísla vyzval spisovatele k napsání povídky mající přesně tři sta slov, a tak vznikl Sen o zimě. Děti doktorky Lyallové se prvně objevily v antologii *Oxcrimes* obsahující povídky na pomoc Oxfamu. Můj přítel a kolega spisovatel Mark Billingham mě požádal, ať se zapojím do třídílného rozhlasového pořadu pro BBC, který se jmenoval *Blood, Sweat and Tears*. Jelikož on a Denise Mina okamžitě skočili po potu a krvi, na mě zbyly slzy, a tak vznikla povídka Stínový král; díky Celii de Wolffové, Penny Downie a všem, kteří spolupracovali při nahrávání. A konečně děkuji Lesliemu Klingerovi, editorovi The *New Annotated Sherlock Holmes*, že před vydáním přečetl povídku Holmes na scéně a ušetřil mě tak ostudy.

Teď už zbývá poděkovat jen Sue Fletcherové, redaktorce z nakladatelství Hodder & Stoughton, a všem dalším lidem pověřeným vydáváním mých knížek, zejména Carolyn Maysové, Swati Gambleové, Kerrymu Hoodovi, Lucy Haleové a Auriol Bishopové; Bredě Purdueové, Jimu Binchymu, Ruth Shernové, Siobhann Tierneyové a všem z Hatchette v Dublinu; Emily Bestlerové, mé americké redaktorce, kterou trápím už tolik let, a všem z nakladatelství Atria/Emily Bestler Books, včetně Judith Currové, Megan Reidové a Davida Browna; a nakonec mému milému agentovi Darleymu Andersonovi a jeho týmu výjimečně milých a talentovaných lidí. Ellen Clair Lambová zasluhuje dík za to, že se stará o všechny ty otravné maličkosti, které nemůžu řešit, protože jsem taková hvězda, a dík patří i Madeiře Jamesové a lidem z Xuni.com, kteří dbají na to, abych se našel na internetu.

A úplně nakonec musím zmínit svou nejlepší kamarádku a spoluautorku Jennie Ridyardovou, a Cameron a Alistairovi děkji za to, že se uvolili s námi žít – tedy dokud jim budeme schopni zajistit životní styl, na který si zvykli, a tady je na místě poděkovat vám, milí čtenáři, za podporu.